KU-113-718

RACINE et sa PHÈDRE

9782718103280
19/11/91
906290

Charles DÉDÉYAN
Professeur à la Sorbonne

RACINE et sa *PHÈDRE*

WESTFIELD
UNIV.
LONDON
COLLEGE

SOCIETE D'EDITION D'ENSEIGNEMENT SUPERIEUR
88, boulevard Saint-Germain
PARIS Vᵉ

La loi du 11 mars 1957 n'autorisant, aux termes des alinéas 2 et 3 de l'Article 41, d'une part, que les « copies ou reproduction strictement réservées à l'usage privé du copiste et non destinées à une utilisation collective » et, d'autre part, que les analyses et les courtes citations dans le but d'exemple et d'illustration, « toute représentation ou reproduction intégrale, ou partielle, faite sans le consentement de l'auteur ou de ses ayants droit ou ayants cause, est illicite » (alinéa 1er de l'Article 40).
Cette représentation ou reproduction, par quelque procédé que ce soit, constituerait donc une contrefaçon sanctionnée par les Articles 425 et suivants du Code pénal.

© 1978, C.D.U. et SEDES réunis

ISBN 2-7181-0328-0

Chapitre 1

RACINE de 1674 à 1677

La Composition de la Tragédie
ou le mystère de la conception de Phèdre

A en croire les historiens de Racine et en particulier François Mauriac, 1677 est non seulement l'année de la tragédie de Phèdre, mais aussi celle du drame intime dans l'âme du poète. Pourtant la tragédie comme le drame ont été commencés avant. La date que l'on donne n'est que celle de leur apparition éclatante. 1639 - 1677, Racine a trente-huit ans ou presque. Il est au midi de sa vie, en pleine force, en pleine lutte. On peut dire que jusqu'ici la carrière dramatique lui a été favorable. Il y a bien la cabale d'*Iphigénie*, la rivalité du vieux Corneille, mais qu'importe, le résultat est là : il demeure le maître de la scène, un maître presque incontesté. Il atteint l'apogée de sa jeune gloire avec cette *Iphigénie* représentée le 18 août 1674 à Versailles, parmi « les divertissements donnés par le Roi à toute sa cour, au retour de la conquête de la Franche-Comté ». Un salon de verdure prolongeant les palais royaux avait été la scène en plein air du nouveau chef-d'œuvre. Félibien nous en a conservé la description enchanteresse que je vous invite à lire dans le *Racine* de Gustave Larroumet. Le succès fut étourdissant, succès d'émotion, presque de sensiblerie. Le chroniqueur burlesque, l'intarissable Robinet remarque dans ses vers sautillants que la cour fut « toute pleine de pleureurs ». L'accueil de Paris aux premiers jours de 1675 fut aussi chaleureux que celui de Versailles. Boileau a parlé des pleurs que fait verser « cet heureux spectacle ». La critique hargneuse est obligée de se taire et même ce véritable roquet, répondant au nom de Barbier d'Ancour, ne peut dans son *Apollon charlatan* que constater avec rage :

> Elle fait chaque jour par des torrents de pleurs
> Renchérir les mouchoirs aux dépens des pleureurs.

Un Jésuite, en homme avisé — je parle de Pierre de Villiers — soulevant à nouveau le problème de la moralité du théâtre, fait remarquer que l'intérêt est ici concentré sur un rôle de jeune fille, et que « le grand succès de l'*Iphigénie* a désabusé le public de l'erreur où il étoit qu'une tragédie ne pouvoit se soutenir sans un violent amour ». Se doutait-il que la même plume qui avait composé *Iphigénie* était dans ce moment même occupé à écrire *Phèdre* ? Or, pour vous dire toute ma pensée, *Iphigénie* me paraît presque un accident heureux dans la carrière de Racine. De tant de tragédies à sujets grecs, c'est la plus hellénique, et Racine lui-même, reçu naguère à l'Académie, écrit calmement dans sa préface : « Le goût de Paris s'est trouvé conforme à celui d'Athènes. Nos spectateurs ont été émus des mêmes choses qui ont mis autrefois en larmes le plus savant peuple de la Grèce. » Pour une fois on ne peut lui reprocher de n'avoir pas suivi la vérité historique, même Eriphyle est justifiée par l'autorité de Pausanias. Racine donnait-il le change, essayait-il ses armes en les déguisant ? A cette pure figure de vierge, dont il fait vibrer l'âme avec une retenue religieuse, que va-t-il donner comme pendant : une femme mûrie par l'amour et par le mal, l'incarnation du péché. Comme par un raffinement de cruauté, ou plutôt par un dualisme qui marque le débat déchirant du poète, *Phèdre* se fait annoncer par *Iphigénie*. Et des adversaires semblent le comprendre qui ne restent pas en repos. La cabale avortée d'*Iphigénie* va préparer celle de *Phèdre* qui réussit. Un confrère de Racine à l'Académie, Le Clerc, et une méprisable victime de Boileau, Coras, vont montrer à Pradon et aux Bouillon comment on peut tuer un chef-d'œuvre. Les deux compères arrivent en unissant leurs maigres talents à bâtir une *Iphigénie* qui monte le 24 mai 1675 sur la scène du théâtre Guénégaud. L'héroïne affublée des oripeaux de Racine et même de Rotrou n'avait point la grâce légère de son aînée : aussi tombait-elle lourdement, en attendant que la flèche d'une épigramme décochée par Racine l'achevât dans le ridicule : Sur l'Iphigénie de Le Clerc :

> Entre Le Clerc et son ami Coras,
> Deux grands auteurs rimant de compagnie,
> N'a pas long-temps sourdirent grands débats
> Sur le propos de leur *Iphigénie*.
> Coras lui dit : « La pièce est de mon crû ».
> Le Clerc répond : « Elle est mienne, et non vôtre. »
> Mais aussitôt que l'ouvrage a paru,
> Plus n'ont voulu l'avoir fait l'un ni l'autre.

Racine avait laissé partir ces vers comme en se jouant. Il avait mieux à penser et l'on savait déjà qu'il travaillait à une nouvelle pièce, imitée d'Euripide. Faut-il croire Voltaire qui écrit dans la Préface de *Marianne* : « Deux années entières suffirent à peine à Racine pour écrire sa Phèdre. » Ce témoignage serait intéressant s'il nous était confirmé par un autre que Pradon, à qui Voltaire paraît avoir emprunté le renseignement. Voulant en effet opposer sa propre facilité au pénible travail de Racine, Pradon écrit à la fin de sa préface de *Phèdre et Hippolyte* que la tragédie de son rival fut d'une composition longue et laborieuse. En réalité nous n'en savons rien.

Phèdre est conçue dans le mystère et le secret du cœur
racinien et sa naissance prochaine n'est annoncée que
dans les derniers mois de 1676 par une lettre de Bayle
qui s'est constitué en quelque sorte le gazetier littéraire
de l'Europe. C'est lui qui écrit de Sedan le 4 octobre 1676
à Minutoli, à ce moment professeur de belles-lettres à
Genève : « M. de Racine travaille à la tragédie d'Hippolyte, dont on attend un grand succès. » Mais il est
dommage que le secret n'ait pas été gardé jusqu'au jour
de la première représentation. Car les ennemis de Racine,
à l'affût de ce qui pouvait le perdre, se mirent dès les
derniers mois de 1676 à la recherche d'un poète qui pourrait fabriquer, c'est le mot qui convient, une tragédie rivale
de celle de Racine, dans une machination renouvelant
la cabale d'*Iphigénie* et le concours poétique qui donna
naissance aux deux Bérénice. Mme Deshoulières le trouva
en la personne de Pradon. Racine se doute-il de ce qui
se trame ? Il est peut-être trop absorbé par son nouveau
sujet où il y va de tout son être. Phèdre se dessine, sans
doute dès la fin de 1675, elle est en devenir. A travers
les textes anciens qui retracent sa légende, le poète va
la chercher. Il n'est pas toujours facile de refaire son
visage, non plus que ceux des autres participants. La préface même de la tragédie indique une longue prépara-
tion. Nous y voyons les délibérations, les hésitations de
l'écrivain qui fait surgir son personnage de l'histoire et
de la poésie. Si Racine a fait toutes les lectures qu'il
rapporte, s'il a comparé ses autorités, s'il a pris soin
de vérifier la réalité et la tradition, Phèdre n'a pu se
composer en l'espace de trois ou quatre mois. Pour des
raisons d'ordre psychologique et technique, je ne suis
pas loin de souscrire aux deux années dont parlent Pradon et Voltaire. Racine montre toute la valeur qu'il attache au poème lorsqu'il écrit : « Au reste, je n'ose encore
assurer que cette pièce soit en effet la meilleure de mes

tragédies. Je laisse aux lecteurs et au temps à décider de son véritable prix. » Faut-il aller plus loin encore et dire que *Phèdre* est l'aboutissement de tout le système racinien, qu'elle a été préparée non seulement par *Iphigénie*, mais encore par toutes les tragédies qui se succèdent depuis 1667, et qu'elle est le fruit d'un travail de dix ans ? Pourtant si Phèdre est issue d'une longue maturation, je crois pouvoir marquer que le sujet dans sa conception presque janséniste fut arrêté dès 1675. N'est-ce pas à cette date en effet que Nicole réimprime un troisième volume de ses *Essais de morale*, son *Traité de la Comédie* imprimé d'abord en 1659 et par lequel il avait consommé la brouille du poète et de Port-Royal en traitant les dramaturges d'empoisonneurs publics, non des corps, mais des âmes ? Racine avait riposté par des lettres cinglantes. Mais la morsure du remords a cheminé. Il n'est pas impossible que la composition de *Phèdre* déjà méditée ait été précipitée par une nouvelle lecture du *Traité de la Comédie*. Je m'expliquerais mal autrement toute la dernière partie de la Préface de *Phèdre* où le poète met l'accent avec insistance sur les tendances morales de sa tragédie : « Ce que je puis assurer, c'est que je n'ai point fait de pièce où la vertu soit plus mise en jour que dans celle-ci. Les moindres fautes y sont sévèrement punies. La seule pensée du crime y est regardée avec autant d'horreur que le crime même. » Et voici les lignes révélatrices : « Il serait à souhaiter que nos ouvrages fussent aussi solides et aussi pleins d'utiles instructions que ceux de ces poètes. Ce serait peut-être un moyen de réconcilier la tragédie avec quantité de personnes, célèbres par leur piété et par leur doctrine (l'allusion à Nicole est évidente) qui l'ont condamnée dans ces derniers temps, et qui en jugeraient sans doute plus favorablement si les auteurs songeaient autant à instruire leurs spectateurs qu'à les divertir, et s'ils suivaient en cela la véritable intention de la tragédie. »

En somme ni Voltaire ni Pradon ne paraissent se tromper et nous pouvons après avoir fourni des raisons plus valables affirmer que la composition de *Phèdre* se situe entre 1675 et 1676 et que, hâtée par le *Traité* de Nicole réimprimé en 1675, la pièce fut terminée en novembre-décembre 1676. Ces indications nous suffisent pour aborder les circonstances de la représentation, tout en n'éclairant que partiellement ce mystère de la conception de Phèdre, surgie des profondeurs d'une inspiration authentique, comme couronnement d'une œuvre de dix ans.

Chapitre 2

LA REPRÉSENTATION DE PHÈDRE ET LA CABALE

Ce fut le 1er janvier 1677 qu'eut lieu la première représentation de *Phèdre*. On s'est demandé où on la donna, dans la salle de l'Hôtel de Bourgogne, ou à Versailles devant la Cour ? Nous n'avons que le témoignage de Brossette en faveur de la seconde hypothèse. Il écrit en effet dans un manuscrit ayant appartenu à Feuillet de Conches : « La première représentation de la Phèdre fut donnée à Versailles devant le Roi et Mme de Montespan. La Champmeslé ne vouloit point absolument réciter ces vers :

> ...Je ne suis point de ces femmes hardies
> Qui goûtant dans le crime une tranquille paix, etc.

mais M. Racine ne voulut jamais consentir qu'elle les retranchât. Bien des gens les remarquèrent dans la représentation. » Brossette semble sûr de son fait, puisqu'il s'appuie sur un événement très particulier. Toutefois je dois avouer que son autorité est sujette à caution. Il donne d'ailleurs lui-même des précisions différentes en ce qui concerne le lieu dans son commentaire de l'épître VII de Boileau : « Cette épître, dit-il, fut composée à l'occasion de la tragédie de *Phèdre et Hippolyte*, que M. Racine fit représenter pour la première fois le premier jour de l'an 1677 sur le théâtre de l'Hôtel de Bourgogne. » Il confirme cette assertion d'une manière un peu moins catégorique dans son manuscrit de la Nationale (p. 235) : « La tragédie de M. Racine fut représentée pour la première

fois le vendredi 1ᵉʳ janvier de l'année 1677 par les comédiens de l'Hôtel de Bourgogne (est-ce à l'Hôtel de Bourgogne ?). Le dimanche suivant ceux de la troupe du Roi
lui opposèrent la Phèdre de Pradon. M. Despréaux avait
conseillé à M. Racine de ne pas faire représenter sa tragédie dans le même temps que Pradon devoit faire
jouer la sienne, et de la réserver pour un autre temps,
afin de ne pas entrer en concurrence avec Pradon. Mais
la Champmeslé, qui savoit déjà son rôle, et qui vouloit
gagner l'argent, obligea M. Racine à donner sa pièce. »
Comme l'a remarqué Paul Mesnard, les premières lignes
de ce passage sont la reproduction de ce qu'écrit le
Mercure de 1677 : « Le vendredi, premier jour de l'an,
les comédiens de l'Hôtel de Bourgogne donnèrent la première représentation de la *Phèdre* de M. Racine ; et le
dimanche suivant ceux de la troupe du Roi lui opposèrent la Phèdre de M. Pradon. » Ni le texte du *Mercure*,
ni celui de Brossette n'indiquent si le lieu de la représentation fut Versailles ou Paris. Mais connaissant les habitudes de Donneau de Visé, nous pouvons supposer qu'il
aurait dit Versailles d'une manière expresse dans l'affir-
mative. A plus forte raison La Gazette qui reste muette
sur ce point. Il nous faut donc opter pour Paris et la
salle de l'Hôtel de Bourgogne. Nous savons déjà que la
Champmeslé tient le rôle de Phèdre, elle y a produit
un grand effet, à en juger par les vers charmants de
Belphégor où La Fontaine cite ce rôle en premier :

> Qui ne connaît l'inimitable actrice
> Représentant ou Phèdre ou Bérénice,
> Chimène en pleurs, ou Camille en fureur ?

L'abbé du Bos encore dans ses *Réflexions critiques* nous
apprend que Racine avait enseigné à la Champmeslé la
déclamation du rôle de Phèdre « vers par vers ». Nous
savons aussi par qui fut tenu le rôle d'Aricie. Dans le

sonnet dirigé contre Phèdre, dont nous parlerons tout à l'heure, c'est à coup sûr la d'Ennebaut, grasse, blonde et petite que désigne ce vers :

Une grosse Aricie, au teint rouge, aux crins blonds.

Brossette commet encore ici une erreur en parlant de Mlle des Œillets, morte en 1670.

Nous en sommes réduits aux conjonctures pour les autres acteurs de la pièce représentant Thésée, Hippolyte, Oenone et Théramène. Un peu légèrement Aimé Martin attribue les rôles à Champmeslé, à Baron, à Mlle Beauval et à Guérin. Il se peut que Champmeslé, habitué à faire les rois, ait été Thésée. Baron et Mlle Beauval sont possibles, sinon probables. Mais nous refusons d'admettre Guérin. Songez qu'en 1677 où il épouse la veuve de Molière, il n'est pas encore admis à l'Hôtel de Bourgogne. Il n'a pu tenir ce rôle qu'après la réunion des deux troupes. Il est plus vraisemblable de s'arrêter avec Paul Mesnard au nom d'Hauteroche. Mais qu'importe. Ce qu'il est plus intéressant de connaître, c'est comment les ennemis de Racine s'y prirent pour tenir le chef-d'œuvre en échec ; autrement dit la cabale qu'ils montèrent contre *Phèdre* et qui réussit d'abord beaucoup mieux que celle de l'*Iphigénie*.

Le complot fut ourdi à l'hôtel de Bouillon, centre mondain de Paris, où régnait en souveraine absolue une des fameuses nièces de Mazarin, de l'escadron Mancini. Orgueilleuse, spirituelle, Marie-Anne Mancini, mariée en 1662 à Godefroy-Maurice de la Tour, duc de Bouillon, aimait les réunions savantes et littéraires qu'elle présidait ; la duchesse de Bouillon s'érige en adversaire de Racine. On rencontrait chez elle, outre son frère le duc de Nevers, Segrais, Boyer, Ménage, Benserade, Mme Deshoulières, et parfois le vieux Corneille, tous adversaires de la nouvelle école poétique. Molière et La Fontaine

furent également ses familiers. C'était une femme peu
commode, à en juger par ce portrait de la main de
Saint-Simon, qui s'y connaît : « Elle était le grand justicier du XVIIe siècle, la reine de Paris et de tous les lieux
où elle avait été exilée... Mari, enfants, tous les Bouil-
lons, le prince de Conti, le duc de Bourbon, qui ne
bougeait, à Paris, de chez elle, tous étaient plus petits
devant elle que l'herbe... Elle savait, parlait bien, dispu-
tait volontiers, et quelquefois allait à la botte... L'esprit
et la beauté la soutinrent, et le monde s'accoutuma à
être dominé... Elle était un tribunal avec lequel il fallait
compter. » Ce tribunal avait d'ailleurs des assesseurs, et
au fond c'est Boyer, Segrais, Benserade qui lui ont
inspiré son préjugé contre Racine. Son frère Philippe
Mancini, duc de Nevers, était poète amateur et bel
esprit. Sans les écrivains que nous venons de citer, peut-
être aurait-il goûté Racine : n'est-ce pas lui qui choisit
Bérénice pour les fêtes de son mariage avec Mlle de
Thianges en 1670 ? En tout cas dès 1675 il a fait volte
face. Après avoir aidé Desmarets de Saint-Sorlin dans
son pamphlet contre Boileau intitulé *Défense du poème
héroïque,* il encourage sans doute l'*Iphigénie* de Le Clerc
et la cabale contre Racine. Ajoutons à ces deux figures
princières les deux Vendômes, déjà monstres de vices,
et nous aurons les chefs de la Ligue contre Racine, au
témoignage incontesté de Brossette.

Ayant eu vent que Racine préparait un chef-d'œuvre
nouveau à la fin de 1676, ils veulent lui opposer un rival.
Ce fut Mme Deshoulières qui se chargea de dénicher
l'oiseau rare. Antoinette du Ligier de La Garde, après
avoir étudié le latin, l'italien et l'espagnol, avait épousé
en 1651, à 17 ou 18 ans, M. Deshoulières, officier de
la suite de Condé. Au lieu de tenir son ménage, elle
tenait un bureau d'esprit, rival de Rambouillet, à Bruxel-
les. Revenue en France, elle avait trouvé dans ce que

j'appellerai les ducs soupirants Montausier, La Roche-
foucauld, Saint-Aignan, Nevers, des admirateurs fervents
de son corps et de ses œuvres. Protégée par les deux
Corneille, elle avait accueilli sans y voir malice les flat-
teries de Pradon, Normand et Rouennais, jusque-là coupable d'un *Pyrame et Thisbé* et d'un *Tamerlan*, en 1674
et 1676. Dans l'avertissement de *Tamerlan* il avait déjà
fait acte de rivalité contre Racine. Il appartenait au
monde précieux et était d'une ignorance ridicule à en
croire Boileau. Brossette à l'appui du dernier vers de
l'épître VII nous conte cette anecdote : « Un jour, au
sortir d'une tragédie de Pradon, le prince de Conti, l'aîné,
lui faisait observer qu'il avait mis en Europe une ville
d'Asie : « Je prie Votre Altesse de m'excuser, aurait
répondu Pradon, je ne sais pas bien la chronologie. » Ce
fut Pradon que Mme Deshoulières choisit et introduisit
dans le cercle des Bouillon. On établit le plan de bataille. Les indiscrétions ayant appris que Racine allait donner bientôt une *Phèdre et Hippolyte* à l'Hôtel de Bourgogne, il ne s'agissait que de bâcler une autre *Phèdre*,
qu'on donnerait à la scène rivale de l'Hôtel Guénégaud.
La nouvelle pièce fut baptisée *Phèdre et Aricie*, et Pradon travailla si bien sous le rapport de la vitesse qu'il
livra sa commande toute cuite et prête à être consom-
mée au bout de trois mois, quarante-huit heures après
son rival. Ainsi sa première à lui eut lieu à l'Hôtel Guénégaud le surlendemain de celle de Racine, le dimanche 3 janvier. La date est confirmée par le registre de
Lagrange. On raconte que Mme de Bouillon loua les
premières loges pour les six premières représentations
des deux pièces, dépensant quinze mille livres à ce
geste chevaleresque. Si Pradon avait pu, il aurait fran-
chement devancé Racine. Ce qui l'arrêta ce fut de ne
pas trouver une actrice pour le premier rôle. Il va même
jusqu'à reprocher aux amis de Racine dans la *Préface de*

sa tragédie et ses *Nouvelles Remarques* d'avoir empêché les plus brillantes actrices de Guénégaud d'accepter ce rôle : nous lisons en effet dans la *Dissertation* sur les tragédies de Phèdre et Hippolyte, publiée par Granet : « Je ne vous dirai point... s'il est vrai que M. Racine ait eu l'adresse et le pouvoir d'enlever à M. Pradon les principales forces de sa troupe ; j'aime mieux croire, comme quelques-uns nous ont voulu persuader, que la crainte de ne pouvoir pas égaler une actrice inimitable (la Champmeslé) a fait refuser le premier emploi dans cette pièce à une personne qui s'en fut sans doute bien acquittée, et que la fierté d'une autre a dédaigné d'accepter ce que la première avait refusé par une prudence un peu trop timide ». Nous pensons avec les frères Parfait, que des deux comédiennes récalcitrantes, l'une est Mlle Molière, et la seconde Mlle de Brie. En fin de compte ce fut Mlle du Pin qui accepta de jouer le rôle. Malgré les plaintes de Pradon, Racine n'est pour rien dans cet incident. Il est cependant un autre grief des *Nouvelles Remarques* qui paraît plus fondé. Pradon y rend grâces à « la bonté et à la justice du Roi, qui avoit permis qu'on jouât sa tragédie dans le temps de celle de M. Racine. » A l'en croire Racine aurait tout fait pour empêcher la représentation de la tragédie rivale, en faisant refuser la permission royale « de même qu'il avait, par un procédé sans exemple, empêché une autre *Iphigénie* de paroitre dans le temps de la sienne. » Et il ne semble pas que Pradon mente. Aurait-il osé dans cette affaire avancer le nom du roi ? Le fait est qu'il revient encore à la charge dans l'épître à Madame la Dauphine placée en tête de son *Régulus* :

> *Phèdre*, qu'on étouffait même avant que de naître,
> Par l'ordre de Louis sut se faire connoître.

Racine a pour excuse une intrigue soutenue par des

adversaires de mauvaise foi qui employaient des moyens déloyaux, mais je ne crois guère que Racine fût terrifié par cette pitoyable tragédie, malgré Pradon qui à la manière de Boileau écrit encore dans sa Préface :

> La cabale en frémit, et vit en pâlissant
> Un second Hippolyte à sa barbe naissant.

Il exagère également en affirmant qu'on a voulu interdire non seulement la représentation, mais encore l'impression de sa pièce : « Mon lecteur, écrit-il, ne pourra pas apprendre sans rire que ces Messieurs veulent ôter la liberté aux auteurs de faire des pièces de théâtre, aux comédiens de les jouer, *aux libraires de les imprimer*, et même au public d'en juger. » Pourtant ni l'impression, ni la représentation permise ne lui apportèrent la gloire qu'il escomptait. Il est vrai que l'argent de la duchesse de Bouillon agit pendant quelque temps. Valincour dit que Racine fut d'abord désespéré et que pendant plusieurs jours Pradon triompha, et que la pièce de Racine fut sur le point de tomber. » Mais la lutte ne fut douteuse que pendant un mois. On joua le poème de Pradon du 3 janvier au 31 janvier tous les jours de représentation. Le registre de Lagrange nous apprend qu'une partie de la famille royale fut à la représentation du dimanche 24 janvier, la dixième. Cette pièce fut encore donnée six fois dans le courant de février, cinq fois dans le courant de mai, et ce fut tout. Aussi est-ce avec un sourire que nous accueillons cette nouvelle fanfaronnade des *Nouvelles Remarques* : « le public me fit justice tout entière pendant trois mois et ne fut point ennuyé de ma tragédie pendant un si long temps. » La Cabale cependant dès le 1er janvier 1677 n'avait rien négligé pour faire tomber la *Phèdre* de Racine. Boileau, le grand allié de Racine, écrit en effet dans l'*Avertissement* de l'Épître VII : « Mme Deshoulières, amie particulière de Pradon, qui la consultait ordinairement sur ses ouvrages, alla voir la première représentation de la tragédie de M. Racine. Elle revint ensuite souper chez elle avec Pradon et quelques personnes de sa cabale. Pendant tout le repas, on ne parla que de la pièce nouvelle, chacun en porta son jugement avec l'équité que donne la disposition de n'ouvrir la bouche qu'à la critique et de la fermer aux louanges. » Autrement dit on déchira Racine à belles dents, et ce fut de ce souper que sortit la guerre des sonnets. Pendant le repas en effet, Mme Deshoulières écrivit ces quatorze vers (1) ; attribués à tort à Nevers par une lettre de Bussy du 30 Janvier 1687 :

Dans un fauteuil doré, Phèdre tremblante et blême
Dit des vers où d'abord personne n'entend rien.
Sa nourrice leur fait un sermon fort chrétien
Contre l'affreux dessein d'attenter sur soi-même.

Hippolyte la hait presque autant qu'elle l'aime ;
Rien ne change son cœur ni son chaste maintien.
La nourrice l'accuse ; elle s'en punit bien :
Thésée a pour son fils une rigueur extrême.

Une grosse Aricie, au teint rouge, aux crins blonds,
N'est là que pour montrer deux énormes têtons,
Que, malgré sa froideur, Hippolyte idolâtre.

Il meurt enfin, traîné par ses coursiers ingrats ;
Et Phèdre, après avoir pris de la mort aux rats,
Vient en se confessant, mourir sur le théâtre. (2)

---

(1) On fit aussitôt circuler ces vers, Dès le lendemain, dit Niceron, l'abbé Tallemant l'aîné apporta une copie à Madame Deshoulières, qui le reçut sans rien témoigner de la part qu'elle avait au sonnet ; et elle fut ensuite la première à le montrer, comme le tenant de l'abbé Tallemant.

(2) Reproduction dans Ed. des Gr. Ecrivains et Henry Lyonnet, **Les Premières de Jean Racine,** Paris, Delagrave, 1 vol. in-12°.

Hélas ce n'était plus la querelle des Jobelins et des Uranistes. Les amis de Racine, qui croyaient le sonnet du duc de Nevers, s'empressèrent de lui répondre du tac au tac, en se servant des mêmes rimes et en l'affublant du nom de Damon. Madame de Mazarin, sœur du duc de Nevers et de la duchesse de Bouillon, y trouvait aussi son petit paquet, avec une accusation d'inceste plutôt fondée. Les vers étaient vengeurs, audacieux, « rosses », pour ne pas dire terriblement insolents. Je doute qu'ils soient de Racine, ni même de Boileau. Les voici :

> Dans un palais doré, Damon, jaloux et blême,
> Fait des vers, où jamais personne n'entend rien.
> Il n'est ni courtisan, ni guerrier, ni chrétien ;
> Et souvent pour rimer il s'enferme lui-même.
>
> La Muse, par malheur, le hait autant qu'il l'aime ;
> Il a d'un grand poète et l'air et le maintien.
> Il veut jaser de tout et n'en juge pas bien.
> Il a pour le Phébus une tendresse extrême.
>
> Une sœur vagabonde aux crins plus noirs que blonds
> Va par tout l'univers promener deux tétons,
> Dont, malgré son pays, Damon est idolâtre.
>
> Il se tue à rimer pour des lecteurs ingrats,
> L'Enéide, à son goût, est de la mort aux rats ;
> Et, selon lui, Pradon est le Roi du théâtre. (2)

Il faut se rappeler pour comprendre ces vers le procès que le duc de Mazarin avait intenté en 1668 à sa femme, Hortense Mancini, et où il avait dénoncé

---

(1) Ibid. Ce second sonnet était l'œuvre du Chevalier de Nantouillet, du Comte de Firaque, du Marquis d'Effirat, de M. de Guileragnes et de M. de Manicamp, selon Brossette.

les galanteries du duc de Nevers et sa complicité dans l'évasion de sa sœur.

C'était fort spirituel, mais l'esprit peut coûter cher en ce temps quand il s'exerce aux dépens des grands seigneurs. « On attribue à Racine et à Despréaux, écrit Valincour dans une lettre, cette réponse trop satirique et trop maligne, puisqu'elle va jusqu'à attaquer les mœurs et la personne, ce qui leur attira de terribles inquiétudes (ils n'étaient absolument braves ni l'un ni l'autre et le montrèrent pendant les campagnes militaires comme historiographes) ; car M. de Nevers faisait courir le bruit qu'il les faisait chercher partout pour les faire assassiner. Ils étaient l'un et l'autre gens fort susceptibles de peur. » Il ne leur restait qu'à désavouer publiquement et hautement le sonnet incriminé ; tout cela pourtant leur valut la protection des Condés. A en croire Valincour, le duc Henri-Jules fils du grand Condé leur dit : « Si vous n'avez pas fait le sonnet, venez à l'Hôtel de Condé, où M. le Prince sçaura bien vous garantir de ces menaces, puisque vous êtes innocens ; et si vous l'avez fait, ajouta-t-il, venez aussi à l'Hôtel de Condé, et M. le Prince vous prendra de même sous sa protection, parce que le sonnet est très plaisant et plein d'esprit ». Et, selon Brossette, le grand Condé fit dire à Nevers qu'il vengerait comme faites à lui-même les injures qu'on s'aviserait de faire à deux hommes qu'il aimait.

En attendant Damon écumait. Si natura negat facit indignatio versum, et l'indignation et la rage aidant il met au monde un troisième sonnet roulant sur les mêmes rimes, où il agite le spectre de la bastonnade, et où il oublie quelque peu sa dignité, le noble duc :

> Racine et Despréaux, l'air triste et le teint blême,
> Viennent demander grâce, et ne confessent rien.

Il faut leur pardonner, parce qu'on est chrétien (il
                                    est touché au vif)
Mais on sçait ce qu'on doit au Public, à soi-même.

Damon, pour l'intérêt de cette sœur qu'il aime,
Doit de ces scélérats châtier le maintien :
Car il seroit blâmé de tous les gens de bien,
S'il ne punissait pas leur insolence extrême.

Ce fut une Furie, aux crins plus noirs que blonds,
Qui leur presta du pus de ses affreux têtons
Ce sonnet qu'en secret leur cabale idolâtre,

Vous en serez punis, satyriques ingrats,
Non pas en trahison, d'un sou de mort-aux-rats,
Mais de coups de bâtons donnés en plein théâtre.(1)

Il se garda bien de mettre sa menace à exécution,
autrement qu'en sonnet. Il aurait trouvé à qui parler :
le Roi lui-même qui venait de nommer Racine et Boileau
ses historiographes, et aussi Condé. Aussi nous ne pouvons que croire Brossette lorsque dans sa *Remarque* sur
l'*Épître VII* de Boileau il constate que « la querelle occa-
sionnée par le sonnet de Mme Deshoulières fut terminée
par des personnes de premier rang ». Boileau manifesta
sa rancune dans son *Épître VII*, lorsqu'il évoqua « des
sots de qualité l'ignorante hauteur ».

Qu'advient-il en attendant de la *Phèdre* de Racine ?
Nous l'avons quelque peu perdue de vue. Les premiers

---

(1) Reproduit dans les deux ouvrages cités. On sait que San-
    lecque, futur évêque de Bethléem fit un 4ᵉ sonnet (voir gr.
    écr. et Lyonnet) :
         Dans un coin de Paris, Boileau tremblant et blème
         Fut hier bien frotté, quoiqu'il n'en dise rien,
         Voilà ce qu'a produit son zèle peu chrétien,
         Disant du mal d'autrui, on s'en fait à soi-même

jours la cabale est victorieuse grâce à la location des
premières loges, mais le jugement du public se fait bientôt
entendre. Et Racine pouvait se consoler, si plus tard il a eu
connaissance de cette lettre de Valincour où le critique
de la *Princesse de Clèves*, remettait bien les choses au
point et montrait que la défaite passagère était due
à la malveillance : « Mais que pensez-vous, Monsieur,
du sort qu'eut la Phèdre de Racine aux cinq ou six premières représentations ? Vit-on jamais mieux ce que
c'est que la prévention, et jusqu'où la cabale est capable de porter les hommes les plus éclairés ? Car il est
bien vrai que pendant plusieurs jours Pradon triompha,
mais tellement que la pièce de Racine fut sur le point
de tomber, et à Paris et à la Cour. Je vis Racine au désespoir. Cependant, si jamais ouvrage parfait fut mis au
Théâtre, c'est sa Phèdre ; et s'il y eut jamais tragédie
impertinente et méprisable de tout point, c'est celle de
Pradon ». La seconde consolation qu'il a connue fut la
septième épître de Boileau adressée par le critique à
son ami. Il l'invite à ne pas attacher d'importance aux
morsures de l'envie et de la calomnie et place l'éternelle
beauté de *Phèdre* au-dessus d'une éphémère cabale qui
n'a aucun droit sur l'avenir :

> Le Parnasse françois ennobli par ta veine
> Contre tous ces complots sçaura te maintenir,
> Et soulever pour toi l'équitable avenir.
> Et qui, voyant un jour la douleur vertueuse
> De Phèdre malgré soi perfide, incestueuse,
> D'un si noble travail justement étonné,
> Ne bénira d'abord le siècle fortuné
> Qui, rendu plus fameux par tes illustres veilles,
> Vit naître sous ta main ces pompeuses merveilles ?

Quant à deux autres critiques, Donneau de Visé et
Subligny, la position qu'ils adoptent l'un et l'autre est
moins nette. Visé a repris le *Mercure galant* au début

de 1677 et il écrit avec beaucoup de justesse (T.I., p. 27-32) : « Les deux Phèdre ont attiré la curiosité de tout Paris, mais j'ai peine à concevoir d'où vient qu'on s'est avisé d'en vouloir juger par comparaison de l'une à l'autre, puisqu'elles n'ont rien de commun que le nom des personnages qu'on y fait entrer ; car je tiens qu'il y a une forte grande différence à faire, de Phèdre amoureuse du fils de son mari, et de Phèdre qui aime seulement le fils de celui qu'elle n'a pas encore épousé ». Il sera plus net encore au mois d'avril quand les connaisseurs ont définitivement abandonné la rue Mazarine pour l'Hôtel de Bourgogne : « M. Racine, constate-t-il, est toujours M. Racine, et ses vers sont trop beaux pour donner à la lecture le même plaisir qu'ils donnent à les entendre réciter au théâtre ». Il condamne par contre en termes mesurés la qualité de ceux de Pradon qui a travaillé trop vite et trouve sa tragédie de Phèdre inférieure à celle de son Hippolyte. Subligny est moins franc, et plus réservé. Mais dans sa *Dissertation sur les tragédies de Phèdre et Hippolyte* il reproche à Racine un Thésée trop crédule, une Phèdre trop effrontée et condamne le récit de Théramène. Il admire presque à contrecœur la beauté de l'œuvre, dont il écrit assez méchamment : « Je crois que M. Racine n'en a jamais fait aucune où il y ait tant de beautés et tant de défauts qu'en celle-là. » Il est vrai qu'il avoue y trouver « plus de matière d'admiration que de sujet de critique ». Sa critique de la forme nous paraît aujourd'hui contestable : « Le style en est fort et majestueux, si vous en ôtez les termes d'*impur*, d'*inceste*, d'*adultère*, de *chaste*, d'*Achéron*, *paternel* et *maternel* ». Nous ne l'approuverons pas non plus quand il trouvera la pièce de Pradon mieux intriguée, et plus apte à surprendre les esprits comme à exciter la curiosité. Il se rattrape heureusement en lui refusant les hautes pensées, le sublime, et l'heureux choix des incidents. Enfin

sa critique des vers ne peut que susciter notre sympathie: « J'avouerai sincèrement que je ne me suis point
attaché à retenir les méchants vers, parce qu'il aurait
fallu charger ma mémoire de la pièce entière, et qu'il n'y
a pas quarante vers supportables en tout ce poème. »

Si telles sont les appréciations des connaisseurs, faus-
sées parfois par la rivalité littéraire et les rancunes mes-
quines, le public, le grand public ne se trompa guère
qu'un mois. Il alla voir la pièce de Pradon pour apprendre de quelle façon le rival de Racine avait pu traiter
le même sujet, mais bientôt on déserta la rue Guénégaud,
pour aller en foule rue Mauconseil où se trouvait l'Hôtel
de Bourgogne. Aussi les vers suivants que l'on fit circuler
ne valent-ils en définitive que pour le mois de janvier
1677 :

> Du soin jaloux qui les occupe
> Le public seulement est devenu la dupe.
> Au lieu de se détruire, ils se servent tous deux.
> Chaque pièce, en effet, se trouve redevable
> De son succès trop favorable
> A la haine de chacun d'eux.

En tout cas si Racine vit ses ennemis arriver presque
à l'abattre il eut aussi la joie à propos de *Phèdre* de se
réconcilier avec Port-Royal. Boileau soumit la pièce à
l'examen du grand Arnauld. L'on connaît le mot vrai
ou faux sur la chrétienne à qui la grâce a manqué :
au dire du critique Geoffroy, peu favorable à Port-Royal,
Arnauld n'aurait approuvé *Phèdre* que parce que les
Jésuites le désapprouvaient : « Les Jésuites, affirme-t-il,
blâmoient la morale de *Phèdre*. Dans un de leurs exercices publics ils l'avaient condamnée ; il n'en fallut pas
davantage au janséniste Arnauld pour l'approuver et
la sanctionner. » Mais aussi bien que Louis Racine, Valincour atteste l'approbation d'Arnauld : « Arnauld admira
la tragédie de *Phèdre*, et convint que de pareils specta-

cles ne seraient pas contraires aux bonnes mœurs ». Ainsi
le vœu émis dans la dernière partie de la préface de
Phèdre que nous lisions plus haut est exaucé. Phèdre
réconcilie le théâtre et les mœurs, et mieux encore peut-
être permet au poète de faire sa paix avec ses maîtres.
A d'autres pourtant la moralité de Phèdre a paru moins
pure, et ce n'est pas sans un sourire que nous accueillons
ce passage de la dissertation de Subligny : « Un crime
tel que celui de Phèdre, ne donnant que de très méchan-
tes idées, ne devoit jamais remplir notre scène... J'ai vu
les dames les moins délicates n'entendre ces mots, dont la
pièce est farcie, qu'avec le dégoût que donnent les termes les plus libres, dont la modestie ne peut s'empêcher
de rougir ; et je trouverois M. Racine fort dangereux
s'il avait fait cette odieuse criminelle aussi aimable et
autant à plaindre qu'il en avait envie, puisqu'il n'y a
point de vice qu'il ne pût embellir et insinuer agréable-
ment après ce succès ». Et Subligny va au comble du
ridicule quand il reproche au poète d'avoir méconnu le
bel usage de la cour, dont il s'est parfois trop souvenu !

Qu'importe, Phèdre est là, avec toute l'âme de Racine,
elle la remplit si entièrement qu'après elle elle ne laisse
qu'un vide mal comblé par *Esther* et *Athalie*. Lui-même
a le sentiment de la supériorité de sa tragédie et il ne
croyait pas même l'avoir égalée dans ses tragédies sa-
crées. Brossette nous rapporte ce souvenir significatif de
Boileau : « Je demandai à M. Racine, dit M. Despréaux,
quelle était celle de ses tragédies qu'il estimait le plus.
Il répondit : « Je suis pour Phèdre, et M. le prince de
Conti est pour Athalie. « M. Despréaux nommait aussi
Phèdre la première, et Andromaque la seconde ».

La pièce parut sous le titre de *Phèdre et Hippolyte*, tragédie par M. Racine chez Claude Barbin avec un achevé
d'imprimer du 15 Mars 1677. Il y eut au moins une autre
édition la même année, une troisième en Hollande en

1678 avec la devise *quaerendo*, en attendant celle de 1680 publiée aussi chez Barbin. Racine donna lui-même en 1687 le seul titre de *Phèdre* à sa tragédie. Il eut de son vivant sa revanche de la cabale, lorsque les deux troupes de l'Hôtel de Bourgogne et de l'Hôtel de Guénégaud fusionnèrent en 1680. La réunion fut inaugurée le 25 août par une représentation de *Phèdre*, comme nous l'apprend le registre de La Grange. De même lorsque les comédiens français passent le lundi 18 avril 1689 à la rue des Fossés Saint-Germain des Prés, c'est Phèdre qu'ils jouent. C'est Phèdre encore lorsque le 23 avril 1770 ils s'installent aux Tuileries... Et de 1680 à 1955, c'est un triomphe de plus de mille deux cent soixante dix représentations à la Comédie Française. Racine ne se trompait pas, et s'il s'arrête après son chef-d'œuvre, ce n'est pas seulement parce que la Champmeslé est tombée dans les bras de Clermont-Tonnerre, ni qu'il est touché par la grâce, ni qu'il est absorbé par sa charge d'historiographe, si un nouveau sujet le tenait aux entrailles, rien n'aurait pu l'empêcher de l'écrire ; mais il semble qu'après la plus grande œuvre, accomplie, le poète ayant donné naissance au meilleur de lui-même, n'a plus qu'à mourir comme démiurge, au monde de la tragédie.

Comment a-t-il écrit un chef-d'œuvre, à quelles sources a-t-il puisé, de quelles qualités psychologiques, dramatiques et poétiques a-t-il témoigné, c'est ce que nous allons essayer de préciser.

Chapitre 3

LA LÉGENDE DE PHÈDRE ET HIPPOLYTE

Le sujet que Racine portait sur le théâtre était l'un des plus anciens que l'on pût trouver. La légende plongeait ses racines dans les lointains de la civilisation hellénique et remontait par-delà les temps aux mythes primitifs. Aussi est-il intéressant, sinon indispensable, de la voir se former et se développer avant d'atteindre les formes quasi définitives sous lesquelles Sophocle, Euripide, Ovide ou Sénèque nous l'ont fait connaître. Nous apprécierons mieux ainsi le chemin parcouru par Racine lui-même et la métamorphose d'un mythe pétrifié en sa chair et en son sang. Sans refaire le travail resté inédit d'un professeur d'Aix, M. Gros, sur *Phèdre à travers les âges*, nous voudrions en reprenant les études si attachantes de M. Séchan, de Louis Méridier et de M. Picard, de M. Winifred Newton sur *Le Thème de Phèdre et d'Hippolyte dans la littérature française* (Droz, 1939) pour ne point parler de celles de Willem, retracer la naissance des héros (1).

Remarquons dès l'abord que pour l'antiquité Hippolyte est le personnage principal. Il symbolise une figure idéale qui flatte l'imagination hellénique. Favori d'Artémis, victime du ressentiment d'Aphrodite et de l'amour

(1) On pourra se reporter avec fruit à l'**Histoire littéraire d'un couple tragique** de M. Jean Pommier faisant suite à ses **Aspects de Racine**, Paris, Nizet 1954, 1 vol. in-8°.

de Phèdre, il incarnera bientôt la jeunesse et la pureté persécutées.

C'est la petite localité de Trézène, en Argolide, baignée par les eaux du Golfe Saronique, surplombée par la presqu'île de Méthana, qui a vu naître la légende. Hippolyte reçoit à l'origine le culte dû à une divinité locale, culte attesté par Diodore de Sicile, Lucien et Pausanias. Pausanias nous apprend qu'il a été institué par Diomède, roi de Trézène à en croire l'Illiade. On lui a consacré un téménos. avec un temple où l'on conserve son antique image. Un prêtre nommé à vie prend soin du sanctuaire où chaque année des sacrifices sont célébrés et où les jeunes filles avant de se marier viennent faire l'offrande d'une boucle de cheveux. On a cru plus tard que ces honneurs étaient destinés à honorer la vertu d'Hippolyte, Artémis étant désireuse d'immortaliser sa mémoire. Mais il est certain que le culte des jeunes filles n'est pas une récompense donnée à un mortel, il suppose l'existence d'un dieu. Et les vers 1425 et suivants de l'*Hippolyte* euripidien ne font que reprendre un antique rituel. Il est difficile aujourd'hui de déterminer la signification, la valeur première de ce dieu et du culte à lui rendu. Les hypothèses germaniques et anglo-saxonnes nous convient à des débauches d'imagination. Pour Cox Hippolyte est le soleil déclinant et le taureau marin qui provoque sa mort symbolise la nuée orageuse. Pour Pott l'antagonisme de Phèdre et de sa victime est l'image du crépuscule et de la lutte victorieuse engagée par l'ombre contre la lumière. Pour certains, Hippolyte est l'étoile du matin et sa beauté si fraîche dans le ciel encore lunaire et nocturne aiguillonne les désirs passionnés de l'aurore brillante symbolisée par Phèdre. A moins encore que Phèdre ne soit une personnification de la lune dans sa poursuite du soleil, poursuite qui reste toujours déçue.

Dans toutes ces hypothèses, il n'y a rien de vérita-

blement solide. Tournons-nous plutôt vers le culte de
Trézène. Si Hippolyte est honoré par des jeunes filles
lui offrant leurs boucles avant leurs noces, l'état d'âme
des fiancés doit nous donner l'explication de son caractère dominant. Disons-le, avec Wilamowitz, Hippolyte
est l'expression des sentiments des vierges à la veille de
leur mariage. Ces mêmes jeunes filles allaient offrir leur
balle et leur poupée — elles étaient presque des enfants — à la déesse Artémis. Elles devaient renoncer à ce
qui avait fait jusque-là leurs joies les plus douces, pour
en connaître de plus graves. Chacune se résigne, non
sans tristesse, et « se rendant une fois encore dans le
sanctuaire coutumier, elle consacre une boucle de ses
cheveux sur l'autel, et fait à la divinité l'offrande fleurie
d'elle-même, tandis que ses compagnes chantent l'hymne
sacré qu'elle a chanté souvent elle aussi, mais qu'elle ne
pourra plus dire, l'hymne de la mort de la jeunesse et de
la pureté. » Ces dernières lignes empruntées à Wilamowitz à travers M. Séchan (1), sont la clef du héros. Celui-ci
n'est que le représentant de ces sentiments et tout nous
invite à adopter cette séduisante hypothèse. De là à ce
que ces cantilènes pleines de mélancolie aient été finalement interprétées comme des chants de deuil, il n'y a
pas loin. N'oublions pas du reste que l'on offrait parfois
aux morts des boucles de cheveux. Il y a une évolution,
une transposition, dont plusieurs exemples nous sont fournis par la mythologie grecque. Voyez Hyménaios. Il est
d'abord un chant de mariage, l'hyménée. Puis la croyance
populaire le fait un héros expirant à la fleur de l'âge
puis ressuscité par Asclépios, le dieu guérisseur. Celui-ci
ne pouvait à son tour qu'être mis en relation avec Hippolyte. Il a lui-même un sanctuaire à Trézène ; Epidaure

_____

(1) La légende d'Hippolyte dans l'antiquité, Revue des Etudes
     Grecques, 1911, t. 24, pp. 105-151.

n'est pas loin, et du temps de Pausanias on voyait encore à Épidaure une stèle rapportant qu'Hippolyte avait offert vingt chevaux à Asclépios. En effet il était couramment admis à Trézène qu'Hippolyte n'avait point péri et que même, c'est une version plus tardive, il avait été ravi au ciel, où on le voyait sous la forme apparente de la constellation du Cocher. Ce sont les chants de Naupacte ou Naupactica, poème épique attribué à Karkinos, qui nous parlent pour la première fois de la résurrection du chaste adolescent, dont on fera bientôt dépendre la mort de son amour pour la vertu.

Remarquons que cette version de la résurrection d'Hippolyte traversa la mer, passa en Italie et fut introduite à Aricie, un nom qui nous est familier, par une colonie trézénienne. Il y avait là un génie local régnant sur la forêt, Virbius ; les traits analogues entre la divinité grecque et la divinité italique prêtaient au syncrétisme : ne disait-on pas que Virbius avait été le premier prêtre de Diane à Némi et que le bois sacré où l'on voyait son image était interdit aux chevaux ? L'assimilation avec Hippolyte fut favorisée par un jeu de mots : on tira son nom de bis vir, vir bis, vivus, deux fois vivant ou ressuscité. Les poètes alexandrins du reste en vulgarisant la légende d'Hippolyte ressuscité ont certainement aidé l'imagination populaire au travail. Quoi qu'il en soit, Virbius fut un jour confondu avec Hippolyte. Diane, racontait-on, craignant qu'Hippolyte fût traité comme Esculape, foudroyé par Jupiter pour avoir rendu la vie au héros trézénien, Diane avait secrètement transporté son fidèle favori dans le bois d'Aricie, où, vivant sous le nom de Virbius, il demeurait caché.

Il faut voir avec Louis Méridier (1) dans cette légende

---

(1) Études et Analyse de l'Hippolyte d'Euripide, Paris, Mellotée, 1938, 1 vol. in-8°.

de la résurrection d'Hippolyte un compromis, une tentative pour concilier le caractère primitif du dieu avec la
tradition populaire qui, plus tard, l'avait fait descendre
à un niveau plus accessible : dieu protecteur de la vir-
ginité, il était devenu un héros virginal, ravi, tout jeune
encore, à la lumière, victime de sa chasteté. Il est temps
en effet que nous voyions apparaître Phèdre dont nous
n'avons pas encore parlé. Or le culte d'Aphrodite florissait à Trézène depuis fort longtemps et l'on sait que la
déesse y avait au moins trois sanctuaires. Il était inévitable qu'il entrât en conflit avec celui d'Hippolyte que
son caractère par contre reliait étroitement à Artémis,
également adorée et honorée à Trézène où le temple
d'Artémis Lykeia, voisin du théâtre, avait été selon la
tradition élevé par Hippolyte. Seulement il se passa un
certain temps avant que la déplorable légende du héros
prît corps. Il fallut attendre qu'il devînt le fils de Thésée.
Cette parenté établie est très explicable : n'est-ce pas
aux environs de Trézène et à Trézène que s'est développée la légende de Thésée. Né de l'union secrète d'Egée
avec la fille de Pitthée Thésée avait vu le jour à Trézène.
On sait qu'il a aimé une Amazone, c'est-à-dire une de
ces héroïnes à la fois guerrières et chasseresses mises en
rapport parfois avec Artémis et dont le caractère se trouvait proche ainsi de celui d'Hippolyte. On rappelait en
général l'amante de Thésée Antiope, mais la reine des
Amazones avait nom Hippolyte. On tint naturellement
à admettre qu'Hippolyte, aimée de Thésée, lui avait donné un fils nommé Hippolyte.

D'autre part, héros volage et don juanesque, Thésée
ne pouvait s'en tenir à une seule amante. Il avait enlevé
et ramené de Crète Ariane, la fille de Minos et de Pasiphaé. C'était une famille illustre, mais malheureuse, où les
femmes poursuivies par le courroux de Poséidon ou
d'Aphrodite, étaient condamnées à tous les égarements

amoureux. Il est vraisemblable que cette légende dédou-
blée ait provoqué celle de Phèdre, sœur d'Ariane :
M. Séchan et Louis Méridier signalent que le nom de Phèdre (la Brillante) rappelle celui d'Aeglé (la Lumière), qui,
suivant une légende de Locride, avait succédé à Ariane
dans la passion de Thésée.

Naturellement la colère d'Aphrodite tomba encore
une fois sur Ariane et sur Phèdre. Pausanias nous rapporte d'après une tradition locale de Trézène que Thésée,
sur le point d'épouser Phèdre, eut peur que son fils Hippolyte n'eût à souffrir du pouvoir des enfants qui lui naî-
traient de Phèdre, ou que lui-même ne prît le sceptre à
leur place. Aussi, voulant prévenir ce double danger, il
fit élever Hippolyte par Pitthée à Trézène même, dans
l'espoir qu'un jour il serait souverain du pays. Tout alla
bien jusqu'au jour où, après avoir mis à mort Pallas et
ses fils révoltés, il se rendit lui-même à Trézène avec
Phèdre, pour se purifier. A partir d'ici nous retrouvons
le thème classique : Phèdre voyant Hippolyte pour la première fois s'éprend de lui ; elle lui fait savoir son amour,
mais se voyant méprisée par le jeune homme, elle médite
sa ruine. Thésée trompé par ses calomnies, à ce qu'on
rapporte, demande à Poséidon de punir son fils. Il est soit
livré à un taureau marin, soit mis en pièces par ses propres chevaux. Il faut dire qu'une interprétation plus que
fantaisiste du nom d'Hippolyte (déchiré par les chevaux)
accrédita cette dernière légende.

Cette fable populaire persista longtemps dans la tradition locale de Trézène où tout rappelle constamment le
souvenir du héros. Pausanias se voit montrer sa maison
au deuxième siècle après Jésus-Christ. A présent le souvenir de Phèdre était inséparable de celui d'Hippolyte.
Leurs deux tombeaux n'étaient guère éloignés l'un de
l'autre. A peu de distance de là, au-dessus du stade qui
portait le nom d'Hippolyte, on voyait le temple d'Aphro-

dite. Elle était appelée Catascopia, la surveillante, parce
que de son sanctuaire Phèdre venait longuement contem-
pler celui qu'elle chérissait, alors qu'il se livrait à ses
exercices. L'on songe irrésistiblement devant ce détail
aux vers de la scène III du premier acte de Racine
où Phèdre languissante exprime ce vœu :

> « Quand pourrai-je, au travers d'une noble poussière,
>   Suivre de l'œil un char fuyant dans la carrière ? »

En cet endroit, disait-on, avait poussé un myrte : ses
feuilles conservaient encore les trous dont Phèdre les
avait percées dans son supplice amoureux, avec une
épingle de sa chevelure. Cette légende devait bien finir
à son tour par se mêler au culte primitif, et s'imposer au
rituel. Les vers 1428 - 1430 d'Euripide en sont la preuve,
puisque les jeunes Trézéniennes y rappellent en chantant
en l'honneur d'Hippolyte l'amour malheureux de Phèdre.

Jusqu'ici nous n'avons vu la légende que sous sa
forme rituelle et archéologique. Il serait temps de nous
demander à quelle époque se constitua la fable littéraire
des aventures de Phèdre et d'Hippolyte. S'il est difficile
de fixer une date précise, il est néanmoins probable
que les principaux détails de l'histoire humaine et non
plus divine d'Hippolyte furent rassemblés et coordonnés vers le commencement du VIe siècle avant Jésus-
Christ dans une œuvre poétique locale qui inspirera à
son tour Polygnote et les tragiques athéniens. Car avant
le VIe et le Ve siècle les témoignages sont fort peu nombreux. Phèdre est bien nommée au chant XI de l'*Odyssée*
parmi les femmes célèbres qu'Ulysse regarde passer dans
le royaume des trépassés. Elle est nommée par le poète
en même temps que Procris, l'épouse infidèle de Céphale,
et sa sœur « la belle Ariane, que jadis Thésée emmena
de Crète vers la colline de la sainte Athènes, mais sans
jouir d'elle, car auparavant Artémis la fit périr dans
Dia entourée par les flots, sur l'accusation de Dionysos. »

Sans doute le nom de Phèdre n'est ici accompagné d'aucun commentaire, mais il faut l'admettre, la place qui lui est assignée par le poète entre Procris et Ariane nous invite à la considérer comme une victime de l'amour. On peut par conséquent en déduire que le même poète connaissait l'histoire de Phèdre et d'Hippolyte. Mais peut-on conclure de là que l'histoire soit ancienne ? au contraire tout ce passage de l'*Odyssée* est d'une époque plutôt récente, la mention de Dionysos et d'Athènes le prouve : de fait il ne peut être antérieur au VIe siècle. Nous parlions cependant tout à l'heure des chants de Naupacte qui paraissent remonter au début du VIIe siècle et parlent déjà d'Hippolyte ressuscité par Asclépios. Mais le nom de Phèdre en est absent. Pausanias dit bien que ces chants furent composés en l'honneur des femmes et peut-être dans ces conditions Phèdre y a pu trouver une place aujourd'hui effacée. Mais comment lier l'avanture de Phèdre aux traditions de Naupacte ? Il est donc préférable d'admettre avec Louis Méridier que la résurrection d'Hippolyte n'était relatée dans le poème qu'à propos d'Esculape, le dieu guérisseur. Cette mention peut du reste laisser entendre que l'auteur n'ignorait pas la passion de Phèdre fatale à Hippolyte. Mais le légende de Phèdre et Hippolyte n'a pu de toute façon recevoir une réalisation littéraire avant le VIe siècle et avant l'hégémonie locale d'Athènes.

En réalité Athènes joua un plus grand rôle que Trézène, sinon dans l'élaboration de la légende primitive, du moins dans la fixation de sa forme définitive, et c'est ce qu'il nous faut voir avant d'aborder l'étude des formes littéraires de la légende dans l'antiquité. Quand la ville d'Athènes eut placé sous son hégémonie la tétrapole de Marathon, Thésée depuis longtemps honoré dans les bourgades de l'Attique septentrionale, comme à Trézène, fut annexé par les Athéniens en qualité de héros indigène. Au VIᵉ siècle nous le trouvons déjà parmi les anciens rois de la cité ; il est l'auteur glorieux du synoecisme. Cimon rapporte solennellement en 476-5 ses ossements de Scyros pour les déposer dans le Théséion. Mais Hippolyte même ne vient que tardivement prendre place parmi les héros attiques. L'interpolation de l'*Odyssée* déjà mentionnée suppose la connaissance de la fable et sa naturalisation comme légende athénienne. Mais elle est ignorée par les lyriques. Selon Plutarque, le fils de Thésée et de l'Amazone s'appelle chez Pindare Démophon et non Hippolyte. Il faut en outre noter qu'Hippolyte est absent de tous les monuments figurés représentant fort souvent l'histoire de Thésée dans la première moitié du Vᵉ siècle. Il est vrai que Phèdre figure parmi les femmes coupables dans une peinture du monde infernal faite par Polygnote pour la Lesché de Delphes entre 480 et 476, sous l'influence du poème trézénien dont nous avons parlé. Enfin au cours du Vᵉ siècle Hippolyte est admis à Athènes à titre officiel. Devant le sanctuaire de Thémis, sans doute sur la pente méridionale de la colline sacrée, un monument funèbre lui est élevé, entre l'Asclépéion et le temple d'Aphrodite ἐπὶ Ἱππολύτῳ, dont parlent les vers 32-33 d'Euripide : il se retrouvait, si j'ose dire, en famille comme à Trézène. Désormais et surtout à partir de la seconde moitié du IVᵉ siècle, la légende de Phèdre et d'Hippolyte inspire les artistes, sculpteurs, peintres sur vases et peintres proprement dits. La mode ne fait que croître jusqu'à l'époque romaine qui accueille la légende avec la même ferveur, puisqu'on la retrouve sur les peintures murales de Rome, d'Herculanum et de Pompéi. De littéraire le sujet devient plastique. Mais il faut noter que cette fable inconnue au lyrisme, tard venue dans les traditions attiques, dut sa vogue à la tragédie athénienne. Plutarque nous invite à l'affirmer lorsqu'il écrit « qu'il faut accepter la version donnée par

les tragiques des infortunes d'Hippolyte », ajoutant
« qu'elle n'a soulevé aucune objection chez les historiens ».

Nous ne dirons rien des deux tragédies d'Euripide
qui nous occuperons plus loin, mais il est évident que
l'histoire d'Hippolyte et de Phèdre ainsi illustrée par un
grand poète ne put susciter l'indifférence jusqu'au moment
où elle sera reprise par Ovide et par Sénèque. Euripide
eut un émule illustre qui l'avait pourtant précédé dans
la carrière tragique : c'est Sophocle, le seul qui après
lui ait porté la légende sur le théâtre attique. De sa
Phèdre nous ne connaissons malheureusement que fort
peu de chose : vingt-cinq vers environ, disséminés en onze
fragments. Ce qu'on entrevoit de l'action permet seulement d'affirmer que Thésée, absent pendant une partie
de la tragédie, revenait par la suite des enfers. C'est
peut-être la donnée du premier *Hippolyte* d'Euripide.
Nous ne savons guère quel caractère Sophocle donnait à
sa Phèdre. Il se peut cependant que son attitude fût
plus réservée que dans le premier *Hippolyte*. Les hardies-
ses de ce genre ne plaisaient guère à Sophocle et une
critique des *Grenouilles* d'Aristophane s'expliquerait mal
s'il avait été aussi hardi que son rival. Nous ne pouvons
rien dire de la date de la pièce. On pense en général
que *Phèdre* fut représentée après le premier *Hippolyte*.
Mais est-ce entre les deux drames d'Euripide ou après
le second Hippolyte ? Il y a bien le fragment 682 de
Phèdre qui est dirigé contre Euripide et proteste contre
les accusations dont les femmes sont victimes. Mais il
est impossible de déterminer le drame ici visé, pas plus
qu'on ne peut savoir si Euripide s'est inspiré de la tragédie de Sophocle, pour remanier sa conception de
Phèdre en écrivant le second *Hippolyte*. Après Sophocle,
Lycophron, selon Suidas, aurait composé une tragédie
d'Hippolyte, mais aucune indication ne nous est four-

nie sur le contenu de la pièce. Nous avons cependant,
grâce à quelques vers de l'*Enéide* de Virgile et des *Métamorphoses* d'Ovide des indications plus précises : les
Métamorphoses donnent un récit de la mort d'Hippolyte,
de sa résurrection et de sa fuite à Aricie « sous la figure
et le nom de Virbius ». Si ce récit est conforme à celui
d'Euripide, il semble impliquer un modèle alexandrin,
sans doute Callimaque. On sait que Callimaque se plai-
sait aux étymologies savantes et curieuses, aux transformations de noms, et c'est ce goût qu'on reconnaît
dans le détail relatif à la *conversion* du nom de Virgile
mentionne aussi lorsqu'il raconte la fin du héros. D'où
pouvait venir ce renseignement sinon des *Aitia* de Callimaque ? Un autre détail nous ramène encore aux *Aitia* :
au troisième livre des *Fastes*, Ovide, parlant des cultes
d'Aricie, rapporte qu'en souvenir du trépas d'Hippolyte
les chevaux étaient soigneusement écartés du bois sacré.
Virgile confirme cette assertion et son commentateur Ser-
vius nous dit précisément que Virgile suivait ici la tradition de Callimaque, dont les *Aitia* nous donnent le même renseignement. Il est donc plus que probable que la
légende d'Hippolyte et de Phèdre était rappelée dans
ce poème et que la résurrection du héros et sa métamorphose y étaient assez longuement traitées. La fable d'Asclépios ressuscitant Hippolyte est d'ailleurs répandue chez
les Alexandrins. Peut-être Lycophron peut-il s'éclairer par
Callimaque. En tout cas les œuvres de l'un et de l'autre
montrent la persistance de la légende traitée par Euripide.

Il est vrai que le côté divin s'efface de nouveau et
l'intérêt se reporte sur le côté purement humain de la
légende. A partir du IIIᵉ siècle, plusieurs récits se succèdent qui sont autant de variations sur le thème de l'amour
coupable. Les auteurs s'inspirent d'Euripide qui jouit d'un
grand prestige auprès des écrivains galants. Hermesianas
raconte dans sa *Leontium* la passion incestueuse de Leu-

cippos pour sa sœur ; Euphorion narrait celle de Clymé-
nos pour sa fille Harpalycé. Parthénios s'attache à la
fable de Périandre aimé par sa mère. Il faudrait encore
citer la fable de Cleobaca et d'Antheus, de Laodice et
d'Acamas, diverses anecdotes d'Apulée, d'Héliodore ou
de Xénophon d'Ephèse.

Nous avons appris avec Kalkmann à reconnaître les
rapports unissant les deux Hippolyte à la quatrième
Héroïde, à la *Phèdre* de Sénèque, comme aussi aux
histoires de Scylla, de Byblis et de Myrrha, telles que
nous les voyons dans les *Métamorphoses* d'Ovide et la
Ciris. Mais ses imitateurs n'ont pas tous suivi directement
la tradition du poète. Il faut bien admettre dans ces
conditions l'existence d'une ou plusieurs versions alexan-
drines de l'aventure de Phèdre et d'Hippolyte. Les écrivains hellénistiques avaient adapté à leur goût pour la
galanterie héroïque l'ancienne légende qui devenait pour
eux un beau conte d'amour. C'est ainsi que fut trouvée
la forme chère à la poésie élégiaque de l'épître, et c'est
un Alexandrin à coup sûr qui le premier fit faire par lettre la déclaration de Phèdre à Hippolyte. Ainsi élaborée
la légende passa dans la littérature latine. Sous l'influence
d'Euripide et de ses imitateurs alexandrins Ovide compose
sa quatrième *Héroïde*, épître que constitue en style parfois alambiqué la fameuse déclaration de Phèdre à Hippolyte. Ovide raconte encore la destinée du héros dans
la quinzième de ses *Métamorphoses* et le troisième livre
de ses *Fastes*. Les Silves de Stace mentionnent brièvement
la mort du héros. On trouve des allusions à Hippolyte
dans les *Carmina* d'Horace, dans le *De Natura Deorum*
et le *De Officiis* de Cicéron ; mais c'est Virgile qui devait
au septième livre de l'*Enéide* rappeler la légende, reliée
désormais aux cultes latins d'Aricie, où l'on retrouve
Hippolyte après sa transformation en Virbius. Ce sont les
vers 761-782, qui marquent le point terminal de la cons-

truction mythique : « Au nombre de ces guerriers parut le beau Virbius ; illustre fils d'Hippolyte et d'Aricie, élevé par sa mère dans les bois sacrés d'Egérie, vers ce rivage où se voit encore aujourd'hui un autel célèbre, consacré à Diane. Hippolyte si l'on en croit la renommée, ayant été, par l'artifice de sa belle-mère, immolé à la colère de Thésée, Diane, touchée du malheur de ce jeune prince, traîné et mis en pièces par ses propres chevaux, le rappela à la vie, après avoir guéri ses blessures par le secours de certaines herbes médicinales. Mais Jupiter, indigné qu'un mortel plongé dans les ombres des enfers fût revenu à la lumière, foudroya l'inventeur de cet art fils d'Apollon, et le précipita dans l'abîme du Styx. Diane, pour garantir Hippolyte du courroux du maître des dieux, le cacha dans une forêt et le confia à la nymphe Egérie, qui lui fit couler obscurément le reste de ses jours, inconnu à toute l'Italie, sous le nom de Virbius. On a soin d'éloigner les chevaux et du temple de Diane et du bois qui lui est consacré, parce que les coursiers d'Hippolyte, effarouchés à la vue d'un monstre de la mer, le renversèrent de son char, et le firent périr cruellement. Son fils ne laissait pas de se plaire à exercer dans la plaine des chevaux fougueux, et à combattre sur un char. » Virgile résume tout ce que nous avons appris du héros et de l'héroïne au cours de l'antiquité. Nous réservons Sénèque pour une étude plus approfondie de sa tragédie. Mais dès à présent, nous pouvons voir comment un sentiment tout virginal est venu se concrétiser dans un dieu local, qui par les phénomènes normaux de l'affabulation mythique, a groupé autour de lui d'autres héros et d'autres dieux, Artémis, Aphrodite, Esculape, Thésée et Phèdre pour donner naissance à l'un des plus beaux thèmes littéraires de l'antiquité gréco-latine, thème qui par Sénèque et les humanistes italiens va passer dans la littérature française et susciter plusieurs tragédies de l'inceste et de l'adultère. Mais si dans la légende et la littérature antique Hippolyte tient le principal rôle, sauf chez Sophocle et Sénèque, si dans les tragédies de la Renaissance et d'avant 1677 la première place ne revient pas toujours à Phèdre, il appartiendra à Racine de donner à l'épouse coupable et torturée tout le relief psychologique dont sa sensibilité est capable, d'en faire l'officiante et la protagoniste du drame de la conscience qui se joue devant nos âmes et devant nos cœurs. Nous verrons aussi que le dieu obscur apporté en Hellade par les migrations doriennes et identifié avec Hippolyte, issu mystérieusement d'aspirations virginales dans le pays trézénien, était susceptible de s'enrichir des plus belles conquêtes spirituelles, et dans le personnage de la reine coupable d'inceste par intention, criminelle par faiblesse, d'unir l'idéal de pureté païenne au remords presque chrétien. La naissance et le développement de ces légendes et de ces mythes, leurs extraordinaires croisements nous font voir l'histoire de notre progrès spirituel et moral, de notre ingéniosité artistique et de notre sensibilité, d'une manière si saisissante et si inattendue que nous avons quelque peine à parcourir en sens inverse le chemin que nous avons parcouru à travers les transformations et les métamorphoses. Nous sommes partis d'Hippolyte pour rencontre Phèdre, et de la création abstraite et idéalisée des jeunes filles de Trézène nous en sommes arrivés à l'être le plus charnel et le plus humain de la création racinienne.

Chapitre 4

LES MODÈLES ANTIQUES

a) - Euripide

Nous avons vu que le thème de Phèdre et Hippolyte s'est surtout imposé à l'imagination des poètes, depuis qu'Euripide s'était par deux fois attaché à ce sujet. L'inceste et la calomnie, ce sont les deux données qui avaient séduit l'émule d'Eschyle et de Sophocle. Il y eut deux *Hippolyte* du même auteur si nous nous reportons à l'argument de la pièce qui nous est parvenue. On nous rappelle en effet dans cette courte notice qu'une autre tragédie du même nom avait été consacrée au même sujet par Euripide. De cette pièce perdue seuls subsistent dix-neuf fragments, au total cinquante vers. Le second *Hippolyte*, nous apprend l'*Argument*, est très sensiblement postérieur au premier, car ce qui blessait les convenances et avait été de ce fait critiqué, le poète l'avait fait disparaître. (1) La vie anonyme d'Euripide nous apprend d'ailleurs que celui-ci trahi par sa première femme flétrissait douloureusement toute l'impudence et l'impudeur féminine. L'indication serait vague, et ne vaudrait guère, puisque le second *Hippolyte* que nous possédons,

_____

(1) Voir l'Introduction et le Texte de l'édition des Universités de France, Paris, Les Belles Lettres.

aux vers 642 et sq. stigmatise aussi l'inconduite des femmes. Mais le vers 1043 des *Grenouilles* d'Aristophane nous apporte une indication précieuse. Le comique appelle Phèdre du nom brutal de πόρνη, prostituée, et la place auprès de Sthénébée. Ce qui nous laisse supposer que livrée à sa passion néfaste elle ne gardait aucun frein et provoquait elle-même son beau-fils à l'inceste. Il n'y a là rien qui puisse nous étonner dans la première manière d'Euripide : *Phénix* et *Sthénébée* reposent sur les mêmes données. En particulier cette dernière s'éprenant de Bellérophon, hôte de son époux Proetos et ne parvenant pas à commettre l'adultère, l'accusait de lui avoir fait violence.

Les fragments du premier drame euripidien nous font conjecturer que Phèdre invoquait le secours d'Hécate, lui demandant la réussite de ses philtres. Peut-être selon l'hypothèse de Haagens la pièce commençait-elle par une scène où s'adonnant à ces pratiques magiques, elle laissait éclater son tourment amoureux. Dans le fragment 433 elle se vante d'avoir pour maître l'invincible et audacieux Eros. Le chœur et la nourrice, à en croire le fragment 440 tentant de s'opposer à son penchant impétueux, elle répond que le succès naît de l'audace, non de la vertu. C'est donc une réaliste au mauvais sens du terme. D'ailleurs elle ne se fait pas faute d'alléguer les propres dérèglements de Thésée. Le pudique Hippolyte devant ses déclarations intempestives ne pouvait que se voiler la face, d'où le titre *Hippolyte voilé* donné à cette première pièce. Thésée qu'on ne voyait pas dans la première partie de la pièce devait se montrer dans la seconde, de retour sans doute des Enfers, au moment où Phèdre rendue furieuse par des échecs répétés et craignant pour elle-même un châtiment méditait de perdre son beau-fils. Elle accusait à coup sûr elle-même Hippolyte auprès de Thésée, le faisait périr sous les imprécations du père offensé. Mais

Phèdre était-elle vivante au moment où la calomnie se faisait jour ? Ce n'est pas absolument certain. Cependant il semble naturel que la reine vivant encore à ce moment se tue en apprenant l'horrible fin de sa victime. Ce résumé montre les points qui n'ont pu être éclaircis à propos du premier *Hippolyte* ; la *Phèdre* de Sénèque en est certainement issue. Notamment pour excuser sa passion coupable, elle invoque les infidélités de Thésée, la puissance de l'amour. Elle rencontre d'abord la résistance de la nourrice, et elle-même elle fait sa déclaration à Hippolyte. Ce sont là des analogies évidentes, qui nous invitent à compléter l'*Hippolyte voilé* connu par de maigres fragments au moyen de la tragédie de Sénèque. Notamment la scène où Hippolyte témoigne à la reine son mépris, dégaîne son épée pour la frapper, mais jette son arme en la quittant, puis celle où la reine se présente avec cette épée devant Thésée revenu, pour calomnier le jeune homme, enfin la confession après la mort d'Hippolyte et sa propre mort semblent venir en droite ligne de l'*Hippolyte voilé*. Chez Sénèque encore la scène se passe à Trézène et non à Athènes. Il en devait être de même pour la pièce d'Euripide. Nous avons pour confirmer la version de Sénèque un autre document : c'est le fragment d'Asclépiade de Tragile conservé à propos du vers 321 du chant XI de l'*Odyssée* par une scholie. Cet auteur qui écrivit des τραγῳδούμενα au IVe siècle nous donne un récit des faits qui ne s'accorde pas avec tous les détails de Sénèque sans doute, mais présente la même succession des événements ; Phèdre voit ses aveux rejetés par Hippolyte, elle le calomnie auprès de Thésée ; Hippolyte meurt victime des imprécations paternelles et enfin Phèdre se tue. Les spectateurs athéniens en définitive pouvaient être scandalisés de voir s'étaler avec cette hardiesse les déclarations d'une femme qui venait s'offrir ; aussi la pièce eut-elle vraisem-

blablement un succès fort mitigé. Euripide en fut quitte
pour reprendre plus tard le même sujet et l'argument de
l'*Hippolyte* porte-couronne nous indique que la nouvelle
tragédie fut représentée sous l'archontat d'Epameinon,
la quatrième année de la quatre-vingt septième Olym-
piade, autrement dit en 428. Périclès venait tout juste
de mourir de la peste et il faut voir une allusion à la
disparition du grand Athénien dans les vers 1465-1466
de notre drame. Cette fois-ci ce fut le succès. Euripide
eut le premier prix, Iophon le second et Ion ne fut classé
que troisième. Si l'on accorde que l'*Hippolyte voilé* fut
joué en 432 il fallut quatre ans à Euripide pour reprendre son sujet et le traiter de nouveau selon les règles des
bienséances. La scène se passe à Trézène devant le
palais de Thésée. Nous voyons au Prologue Aphrodite
résumer l'action et en expliquer les ressorts. Il se trouve
qu'Hippolyte, fils de Thésée, est le seul à lui refuser le
culte qui lui est dû ; elle doit donc le poursuivre de sa
vengeance, et elle prendra comme instrument du châtiment qu'elle médite Phèdre, femme de Thésée. N'a-t-elle
pas en effet inspiré à Phèdre un amour criminel et incestueux pour son beau-fils ; elle se promet encore de faire
connaître les faits déformés à Thésée, quitte à lui faire
savoir ensuite la vérité. Phèdre sauvera en effet son honneur, mais sa vie est condamnée dès à présent. Aphrodite annonce encore l'arrivée d'Hippolyte et sa mort
imminente qui doit survenir le jour même, puis elle se
retire. En compagnie de ses chasseurs Hippolyte arrive
sur la scène ; il rend hommage à Artémis, mais refuse
toujours d'honorer Aphrodite.

Il laisse la scène aux chœurs des femmes trézéniennes. Elles ont entendu parler des souffrances de Phèdre
et voudraient en connaître la cause. C'est à ce moment
qu'on apporte Phèdre étendue sur sa couche. Sous les
encouragements du Coryphée la nourrice adjure Phèdre

de lui révéler la cause de son mal. Phèdre lui fait dire le
nom d'Hippolyte, et elle avoue après son amour. Cela la
calme un peu. Elle explique les circonstances de sa passion dans un long discours et déclare qu'elle est résolue
à mourir. La nourrice voulant l'empêcher de mettre son
projet à exécution l'invite à consentir à cet amour et lui
fait espérer un philtre magique qui viendra à bout de
son mal. La nourrice la laisse. Mais Phèdre entend Hippolyte dans le palais qui accable la nourrice d'injures ; elle
sait que celle-ci a révélé son secret à l'insensible. Ils quit-
tent le palais, et la nourrice ayant rappelé à Hippolyte
son vœu de silence, il prononce une longue tirade contre
l'impudeur des femmes. Phèdre pleine de honte et de
fureur accable la nourrice sous ses reproches et la chasse
de sa présence. Le Chœur veut garder le silence et Phèdre
s'en va pour se donner la mort. Nous apprenons par une
servante après le chant du Chœur que Phèdre s'est pen-
due. Or voici que Thésée rentrant d'exil trouve dans la
main de Phèdre morte des tablettes accusant Hippolyte
de l'avoir violentée. Aussitôt Thésée invoque Poséidon
qui lui a promis d'exaucer trois vœux, et lui réclame le
trépas d'Hippolyte. Celui-ci tente de se disculper, mais
il ne veut pas enfreindre son serment du silence, et partant, ne peut convaincre son père de son innocence. Il
prend le chemin de l'exil et le Chœur chante les caprices
du destin et le sort immérité que le héros va subir. Voici
en effet un messager qui vient nous annoncer la mort
imminente d'Hippolyte victime de la catastrophe dont il
nous fait le récit. Thésée donne l'ordre qu'on apporte
son fils. Déjà bouleversé il l'est encore davantage quand
la déesse Artémis vient lui révéler l'innocence d'Hippolyte
et la machination d'Aphrodite, dont lui-même, sa femme
et son fils ont eu à souffrir. Alors entre Hippolyte soutenu par ses serviteurs, il entre et se plaint, mais Artémis
le console et, lui expliquant la cause de son infortune,

elle lui promet de le venger. Mais elle ne manque pas
non plus de l'inviter à se réconcilier avec son père, et
Hippolyte obéit avant de mourir.

Telle est l'action fortement modifiée, on le voit, de
l'*Hippolyte porte-couronne*. Non seulement l'action, mais
ce qui est plus important encore, les caractères. Il s'agissait notamment de réformer celui de Phèdre. Cette fois-ci
l'amour de la reine n'est pas seulement donné comme
une conséquence, un effet de la volonté toute-puissante
d'Aphrodite : l'originalité psychologique consiste en ce
que tout en étant la victime de la passion incestueuse
qui la dévore et qui la remue jusqu'au délire, Phèdre, à
la fois malheureuse et pitoyable, reste chaste. Elle a mé-
dité la condition humaine des femmes, elle a examiné
les raisons qui peuvent jeter le désordre dans les cœurs
et dans les foyers, elle connaît le discrédit qui s'attache
à son sexe. Aussi est-ce pour son époux et pour ses enfants qu'elle est décidée à préserver sa pureté, et non par
simple peur du scandale : l'honneur a chez elle pour
fondement une pudeur fière, et cette pudeur ne cesse
de lui présenter comme une souillure coupable sa passion
involontaire : « Mes mains sont pures, déclare-t-elle au
vers 317 ; c'est mon cœur qui est souillé. » C'est pourquoi la conscience, le sentiment de sa chute, si elle se
réalisait, lui serait intolérable : « Pour nous, amies, dit-elle
encore aux vers 415 et suivants, c'est justement ce qui nous
tue : la crainte d'être un jour convaincue de déshonorer
mon mari, et les fils que j'ai mis au monde. Ah ! puissent-
ils, avec le franc-parler de l'homme libre, habiter floris-
sants l'illustre Athènes, et se glorifier de leur mère !...
Une seule chose, dit-on, dure autant que la vie : c'est de
posséder une âme juste et bonne. Quant aux mortels per-
vers, le temps les révèle à son heure, en leur présentant
son miroir comme à une jeune fille. Qu'on ne me voie
jamais figurer parmi eux ! » Aussi est-ce de toutes ses

forces qu'elle a longtemps résisté à cet envoûtement terrible et funeste ; elle a toute sa lucidité pour retracer avec exactitude, dans une analyse sentie, les péripéties de cette lutte douloureuse. Trahie par ses forces, elle embrasse la seule résolution honorable : la mort. Malgré l'interprétation ingénieuse de Wilamowitz je ne crois pas ici, avec Louis Méridier, qu'on puisse mettre en doute la sincérité de ses protestations, ni même supposer que sa volonté fléchisse au cours de la tragédie.

Elle a bien une défaillance dans le demi aveu qu'elle laisse échapper sur la scène, mais songeons qu'elle est alors malade, à demi consumée par la fièvre, c'est presque du délire, son âme et son imagination restent chastes. Seule l'insistance de la nourrice qui la supplie avec une tendre violence peut lui arracher l'aveu dont elle a honte. Bien qu'elle soit épuisée par le combat qu'elle a dû soutenir avec elle-même et avec la vieille esclave, elle repousse avec horreur sa proposition. Elle a la science de son cœur, lorsque, la suppliant après de se taire, elle allègue que son âme bouleversée par l'amour est à la merci de la première surprise. Elle se met bien en garde contre une trahison de sa volonté par ses sens malades. Si la nourrice lui laisse deviner assez explicitement que le but des philtres qu'elle prépare est de réaliser son union amoureuse avec Hippolyte : v. 513-515 : « mais il faut obtenir de l'aimé quelque marque, une parole ou un lambeau de vêtement, pour fondre deux êtres dans une même jouissance », elle cesse à ce moment d'être elle-même, si la question qui suit implique un acquiescement : « Cette drogue, est-elle un onguent ou un breuvage ? » Seulement il nous paraît douteux que Phèdre se résigne enfin à sa défaite. Selon la remarque de Louis Méridier « les vers 513-515 sont une interpolation et Phèdre abusée par la nourrice ne voit dans le philtre promis qu'un moyen de guérir sa passion, non de l'assouvir. » Nous ne saurions comprendre sans cela son attitude d'après ni surtout les vers 518 et 520 : « J'ai peur que tu ne me paraisses trop habile », etc. Mais l'esclave imprudente la trahit. Hippolyte l'accable publiquement de son mépris injurieux. Elle craint, bien qu'innocente, d'être atteinte aux yeux de Thésée d'un déshonneur qui rejaillirait sur ses enfants. Il ne lui reste plus donc qu'à mourir. Or la mort peut-elle désormais préserver sa gloire ? ne doit-elle pas réfuter d'avance les accusations d'Hippolyte, car elle ne sait pas qu'il est capable de se taire et de respecter le serment du silence. Elle désire également entraîner dans sa perte celui qui en la dédaignant a insulté son pauvre cœur. Et de fait la vengeance, la dénonciation mensongère qu'elle imagine risque fortement de diminuer la sympathie que nous ressentons pour elle. Mais elle ne se commande plus : menée par Aphrodite, elle nous fait songer qu'elle n'est pas libre : innocente, elle croit rendre « coup pour coup » ; jugeant le déshonneur plus cruel que la mort, elle ne peut se voir traitée de femme sans pudeur par Hippolyte. Aussi nous redirons volontiers avec un critique moderne : « Loin de considérer ce dernier geste de Phèdre comme une vilenie indigne de la haute tenue morale que nous admirions en elle, nous mesurons par lui, à l'instant où disparaît la reine, la profondeur de ses souffrances et les exigences de sa fierté. » D'un bout à l'autre Phèdre reste bien fidèle à elle-même, et à son idéal de pureté.

Elle n'est cependant que le second rôle de la tragédie. Le premier c'est celui d'Hippolyte. Le poète a eu pour son héros une prédilection évidente. Riche et original le personnage a une place privilégiée non seulement dans les drames euripidiens, mais dans le théâtre antique. Euripide a mêlé des éléments empruntés à la réalité contemraine, ses propres méditations morales sur la vie et les souvenirs d'une très ancienne légende qui les auréole de

merveilleux. Hippolyte est l'image idéale du jeune Grec.
Son éducation à la fois en gymnastique et en musique
le fait un exemplaire d'humanité, un type supérieur de
Καλὸς Κἀγαθός. Il chasse dans les bois suivi de sa meute,
il est le prince dompteur de chevaux de race passant
au galop de ses équipages. Il ne considère comme
valable que la couronne des vainqueurs aux grands jeux
helléniques. Musicien et artiste, gentilhomme dédaigneux
du pouvoir, il a des amis choisis partageant son idéal, et
ses aspirations. Il s'applique surtout à l'étude de la
vertu, la σωφροσύνη. Mais il ne la place pas dans une mo-
dération équilibrée, il veut la chasteté absolue. L'amour
pour lui est une souillure, la femme est l'ennemie. Son
ascétisme est le dernier élan de l'âme élue qui n'a de
joie que dans sa propre contemplation et dans son déta-
chement du monde qu'elle domine par sa perfection. Au
fond c'est un orgueilleux. Cet idéal n'est pas sans doute
celui de la société athénienne du Ve siècle, mais il est
une forme de sa piété. C'est elle qui lui fait observer
son serment et sacrifier sa vie. Piété et vertu paraissent
ainsi hors de la commune mesure. Car, troisième trait
de caractère, Hippolyte est un mystique. En qualité
d'épopte, il va à Athènes pour assister aux mystères
d'Eleusis. Nous apprenons par Thésée aux vers 952 et
suivants qu'il est affilié à la secte des Orphiques, qu'il suit
un régime végétarien, et qu'il cherche dans les livres orphiques les inspirations d'un culte orgiastique. N'oublions
pas d'ailleurs que la divinité à laquelle il se consacre
répond à son rêve de pureté parfaite : c'est Artémis, la
déesse vierge par excellence. Une véritable tendresse
mystique unit la divinité et son servant. Il ne lui rend
pas seulement un culte, il n'orne pas seulement son autel
de fleurs immaculées, il est celui qui entend la voix d'Artémis dans les bois solitaires. En somme Euripide semble
revenir à la conception primitive faisant d'Hippolyte un

dieu de la jeunesse virginale, et nul doute qu'il se soit inspiré des antiques traditions du sanctuaire trézénien. Ainsi l'Hippolyte dépasse cette société grecque du Ve siècle à laquelle nous serions d'abord tentés de le rattacher. Ses aspirations morales, sa ferveur religieuse sont d'une autre qualité et par l'union de ces caractères sa figure reste à la fois idéale et singulièrement vivante. Car héros de la pureté, il est aussi homme. Le poète a souligné en lui les défauts qui dérivent de sa jeunesse ou de sa vertu. La jeunesse lui a donné l'emportement et l'imprudence. Sa piété est exclusive et agressive : voyez son attitude à l'égard d'Aphrodite, déesse de l'amour. Il est un jeune homme fanatisé, sûr de détenir la vérité, ivre de son rêve de surhomme, raisonneur qui se croit impeccable. Sûr de sa supériorité il ne ménage pas ses sarcasmes ni même ses réflexions injurieuses à la nourrice, à Phèdre et à tout le sexe. Même aux accusations de son père il oppose une défense hautaine, une âme consciente de sa peu commune valeur. Ainsi par ces travers Euripide nous fait accepter sa mort, en atténuant notre sentiment de révolte devant son sort injuste.

Nous dirons peu de chose de la nourrice, sinon que personnage essentiel à la tragédie, elle subordonne tous ses sentiments, tous ses soucis au salut de sa maîtresse. Personnage de basse condition, instable moralement, elle est en somme l'instrument de la mort d'Hippolyte.

Thésée reste le personnage le plus faible et le plus inconsistant de la pièce. Fidèle à sa légende, il se montre ici crédule, impulsif, emporté, quitte à regretter ensuite amèrement son erreur. Il est le grand voyageur et même dans l'action de cette tragédie il reste d'une importance passagère, et presque présent d'un bout à l'autre, nécessaire à l'action, il n'a pas de personnalité. En revanche, il y a davantage à dire des deux rôles d'Aphrodite et d'Artémis dont les apparitions encadrent la pièce ; même en n'entrant pas dans des considérations générales sur l'intérêt que pouvait prendre le public athénien à ces interventions, même en ne les reliant pas avec la tradition tragique et les habitudes propres à Euripide, nous sommes obligés de reconnaître les intentions du poète qui sont évidentes. Nous, modernes, nous voudrions juger inutiles de telles apparitions qui n'ont, semble-t-il, rien à voir dans la marche de l'action. Le prologue d'Aphrodite par exemple n'apporte rien d'essentiel à l'exposition. On pourrait même juger maladroites les prédictions qui l'accompagnent puisqu'elles font disparaître une partie de l'intérêt en annonçant la mort de Phèdre et celle d'Hippolyte. D'autre part Euripide aurait pu éclairer Thésée au dénouement par un autre moyen que l'apparition d'Artémis. Mais ne faut-il pas d'emblée reconnaître qu'Aphrodite devait paraître au début de la pièce pour expliquer le caractère de Phèdre, tel qu'il se présente dans la tragédie ? Il n'y a en un sens que ce moyen pour nous rendre sensible le fait que Phèdre est seulement la victime innocente de la jalousie divine. Même en prédisant la mort des deux héros du drame, la déesse ménage notre intérêt puisqu'elle nous laisse ignorer comment se produira cette double mort. Par ailleurs, même si la révélation finale pouvait être provoquée par un moyen différent, il appert que l'action du drame rend nécessaire et inévitable une action surnaturelle. Sans Phèdre qui est morte, la nourrice et le chœur, à supposer qu'il ne fût pas lié par son serment, n'auraient pas une autorité suffisante pour imposer à Thésée la vérité qu'il ne saurait croire. Ne faut-il pas encore une divinité pour lui dévoiler à lui et à Hippolyte la noire machination d'Aphrodite.

D'autres nécessités existaient d'une pareille conclusion. La tradition et la légende de Trézène commandaient de donner au fils de Thésée les traits héroïques que renforce

la présence de la déesse. Méridier remarque que « dans »
le premier *Hippolyte* où la vérité était peut-être révélée
par Phèdre elle-même après la mort de son beau-fils,
Artémis se montrait aussi à la fin de la pièce pour pro-
mettre à son favori les plus grands honneurs.

Enfin Euripide a encore d'autres visées. Il y a une
recherche d'un effet artistique ou peut-être une pensée
philosophique dans les apparitions divines opposées et
symétriques aux deux extrémités du drame. N'est-ce
pas ainsi élargir la perspective, amplifier la tragédie :
aux menaces lugubres du Prologue, répond l'apothéose,
la transfiguration de la fin provoquée par la présence
d'Artémis. Nous ne pouvons qu'être sensibles à la poésie
de cette dernière scène où la tristesse poignante se change
en une sérénité céleste, en s'épurant et en s'apaisant peu
à peu : « Pour toi, infortuné, dit Artémis, en retour de tes
maux les honneurs les plus grands dans la ville de Trézène je te les octroierai : les jeunes vierges avant leurs
noces couperont pour toi leur chevelure ; et, à travers
les âges, tu recueilleras le plus large tribut de larmes dou-
loureuses. Toujours ta pensée inspirera les chants des
jeunes filles, et il ne tombera pas dans le silence de
l'oubli, l'amour que Phèdre a eu pour toi... Toi, fils du
vieil Egée, prends ton fils dans tes bras, serre-le sur ton
cœur. — Hippolyte après son départ. Toi aussi, je salue
ton départ, ô vierge bienheureuse... Ah ! voici sur mes
yeux descendre les ténèbres ! O mon père, prends-moi,
et redresse mon corps. — Thésée (tenant son fils dans ses
bras) : Las ! mon enfant ! que fais-tu donc de mon malheur ?
— Hippolyte : Je suis mort ; j'aperçois les portes infernales. — Thésée : Laisseras-tu mon âme avec une souillure ? Hippolyte : Non, puisque je t'absous du crime de
ma mort.

Ainsi le poète nous rappelle d'un bout du drame à
l'autre que l'action peut se réduire par delà même les

volontés humaines au conflit de deux volontés divines.
Ce faisant, quelle est son intention ? Elle n'est nullement
pieuse. En nous faisant voir dans les hommes des jouets
des dieux, il met en valeur leur égoïsme et leur injuste
cruauté, et proteste au nom de la philosophie contre les
croyances populaires. Il est évident que pour Aphrodite,
Euripide ne cache nullement son intention. N'est-elle pas
une déesse jalouse, cupide d'honneurs, qui pour se venger ne craint pas de frapper une victime innocente en
causant son désespoir et sa mort ? Le prologue même met
en valeur son manque de dignité divine. Du dieu elle
n'a conservé que la prescience mais en réalité son abjecte
cruauté la place fort au-dessous des hommes. Malgré les
apparences Artémis ne vaut guère mieux. Car en profi-
tant de la sympathie dont bénéficie son adorateur, et du
rôle qu'elle joue au dénouement lorsqu'elle déclare la vérité et réconcilie le père et le fils, elle n'est pas d'un niveau moral supérieur. Elle est guidée par les mêmes ins-
tincts et les mêmes lois. Elle aussi attend et réclame sa
part d'honneur et puisqu'Aphrodite a fait tuer celui
qu'elle aime elle se vengera d'Aphrodite en frappant son
favori Thésée. Voilà ce à quoi l'esprit philosophique d'Euripide répugne, si pour la foule des Athéniens, Hippolyte
n'a que son juste salaire dans la mort, puisqu'il a bravé
la puissance d'Aphrodite et négligé son culte, en revanche
pour Euripide l'Hippolyte qu'il a créé, niant l'amour charnel, passionné d'une pureté libératrice du corps est le
symbole de notre aspiration à l'idéal, de notre lutte
contre des lois inéluctables du monde physique. En succombant à ces lois auxquelles nul ne peut se soustraire
il triomphe dans la mort, puisqu'elle lui confère une im-
mortalité conquise par la douleur.

Telle est la pièce qui devait fournir à Racine une
source essentielle de son inspiration dramatique. Nous
aurons à étudier de quelle façon l'*Hippolyte porte-cou-*

ronne fut utilisé pour notre *Phèdre*. Bornons-nous pour le moment à y voir un modèle en un sens irremplaçable, car même la *Phèdre* de Sénèque ne pourrait pas lui être substituée. On sait combien d'encre a fait couler la comparaison entre la tragédie antique et la tragédie moderne. Si Brumoy dans son *Théâtre des Grecs* imprimé en 1730 ne garde qu'une secrète préférence pour le modèle grec, si La Harpe par contre dans une boutade célèbre de son *Lycée* prétend que Racine a non seulement peu d'obligation à Euripide, mais a remplacé les plus grandes fautes par les plus grandes beautés et qu'il faut bien pardonner au tragique grec son ouvrage, puisque nous lui devons celui de Racine, en revanche les partisans d'Euripide ne manquent pas en France. Ainsi l'abbé Batteux, dans les *Observations sur l'Hippolyte d'Euripide et la Phèdre de Racine* qu'il lit à l'Académie des inscriptions le 9 février 1776, fait ressortir la différence essentielle entre les deux chefs-d'œuvres en faveur d'Euripide : « Phèdre criminelle, écrit-il, et Hippolyte vertueux, tous deux malheureux, sont mieux placés dans Euripide que dans Racine, parce qu'il est dans la nature et dans l'ordre que quand la vertu malheureuse se trouve en concurrence avec le crime malheureux l'intérêt dominant et l'affection principale soient pour la vertu qui n'a pas mérité son malheur, plutôt que pour le crime qui a mérité le sien. » Cette préférence fondée sur la bienséance morale, Schlégel devait la manifester à son tour dans sa *Comparaison entre la Phèdre de Racine et celle d'Euripide* qu'il publiait en français à Paris en 1807. Le malheur est que le critique allemand se laisse guider par ses préventions contre notre pays plutôt que par un souci littéraire. Avant d'avoir pris parti pour le poète grec, il ne craint pas de déclarer : « Sachant d'un côté qu'Euripide a été le poète favori de ses contemporains, admettant de l'autre, comme nous le devons certainement, que Racine était l'auteur le plus habile et le plus exercé dans la pratique du théâtre français, et qu'il réunissait dans la culture de son esprit les traits les plus saillants et les plus raffinés du siècle de Louis XIV, notre parallèle de l'original et de l'imitation contiendra nécessairement un jugement indirect sur la valeur comparative du siècle d'Euripide et de celui de Racine. » Lourdement Schlégel dévoilait son jeu, et il n'obtint qu'un résultat, c'est qu'en 1811 il fut expulsé de Genève et de Coppet par le baron Capelle, préfet du Léman : « Je demandai, nous dit Madame de Staël dans *Dix années d'exil*, ce qu'avait fait M. Schlegel contre la France ; le préfet m'objecta ses opinions littéraires, et entre autres une certaine brochure de lui, dans laquelle, en comparant la Phèdre d'Euripide à celle de Racine, il avait donné la préférence à la première. » Schlégel devait se montrer plus juste dans son *Cours de littérature dramatique*.

Geoffroy dans son édition des œuvres de Racine de 1808 a expliqué sa préférence pour Euripide beaucoup plus finement. Son jugement est fondé sur la méthode que Mme de Staël généralise dans *De la littérature* : « La conception du poète grec, à son avis est plus forte, plus tragique, plus faite pour plaire dans tous les temps et tous les pays ; mais le développement de la passion de Phèdre, qui eût été pour les Grecs un défaut, a tant de charmes pour les Français, il est si conforme à l'esprit et au goût de notre nation... qu'on ne peut se défendre d'une secrète prédilection pour Racine : c'est le jugement du cœur plus que de l'esprit. » On ne peut restreindre plus galamment la portée universelle de la *Phèdre* française. Ceci dit et malgré le poids d'un tel parallèle entre les deux chefs-d'œuvre il ne faut pas en abuser. On peut éviter évidemment bien des erreurs en regardant séparément chacune des deux pièces. Laissons à l'une la transparence, la lumière sereine des beaux marbres grecs, laissons-nous gagner par la flamme de l'autre, en sondant ses profondes perspectives. Sainte-Beuve préconisait la méthode sympathique ; reprenons-la sans arrière-pensée, même en abordant la *Phèdre* de Sénèque.

———

Chapitre 5

LES MODÈLES ANTIQUES

b) - Sénèque

Racine avait un second modèle antique dans la *Phèdre* de Sénèque dont les deux tragédies d'Euripide, la *Phèdre* de Sophocle et la quatrième *Héroïde* d'Ovide peuvent avoir inspiré la structure et la psychologie. On pense de nos jours que l'*Hippolyte voilé* ou la *Phèdre* de Sophocle ou encore ces deux pièces à la fois lui ont particulièrement servi. Nous allons voir par l'analyse de la tragédie latine quelles sont les différences essentielles entre les œuvres du poète grec et du poète philosophe latin. La *Phaedra* comporte cinq actes (1). Le premier qui va du vers 1 au vers 357 nous fait connaître que la scène se passe à Athènes. Dans un morceau lyrique Hippolyte parle aux chasseurs de son escorte pour organiser des battues depuis Marathon jusqu'au Cap Sunium. Il invoque ensuite Diane chasseresse en lui demandant son aide. A peine a-t-il quitté la scène que Phèdre apparaît avec la nourrice et déplore sa destinée, en particulier le nouvel abandon de Thésée qui est allé ramener Proserpine des Enfers. Hélas d'autres chagrins la tourmentent

---

(1) Voir Introduction et texte de l'édition Hermann (Collection des Universités de France, Paris, Les Belles Lettres.)

aussi en lui enlevant repos et sommeil. Elle est victime
de Vénus, comme sa mère Pasiphaé qui du moins aimait
avec un espoir. La nourrice essaie de lutter contre ce
sentiment répréhensible, en lui conseillant d'étouffer sa
passion à son commencement. Elle ne doit pas déshonorer
sa famille. Même si l'absence de son époux est définitive,
qu'elle redoute Minos : son amour pour Hippolyte pourrait
provoquer un crime incestueux. Phèdre donne bien raison à
la nourrice, mais que peut-elle contre sa passion ? Qui peut
échapper à l'amour qui subjugue même les dieux ? Mais la
nourrice rétorque que c'est notre faiblesse qui fait de
l'amour un dieu, et aussi une opulence excessive. Il faut
craindre le retour de Thésée. La nourrice s'efforce encore
d'enlever à Phèdre ses espoirs et ses illusions. Devant
sa résistance, elle supplie, montrant ses cheveux blancs,
rappelant le sein qui l'a nourrie. La reine déclare alors
qu'elle échappera au crime en se tuant. Epouvantée la
nourrice à ce moment cède : elle tentera de fléchir le
jeune homme. Le Chœur d'Athéniens se fait entendre,
chantant la puissance de l'amour sur Apollon et sur
Jupiter, reprenant les légendes de Léda, d'Europe, d'Hercule et d'Omphale, montrant l'universelle royauté du Dieu.

Nous voici au second acte qui couvre les vers 358
à 834. La nourrice revient pour décrire au chœur l'agitation de Phèdre et les effets physiques du mal. Les portes
du palais laissent alors passer Phèdre couchée sur son
lit qui demande à ses femmes d'être délivrée de ses voiles ; elle rêve de porter le carquois et le javelot, comme la mère d'Hippolyte. La nourrice invoque Hécate pour
toucher Hippolyte, mais voici que vient le héros. Il demande à la nourrice la raison de sa tristesse. Elle lui
réplique que le royaume est dans la prospérité et l'engage à jouir des plaisirs sans mépriser Vénus, en se
conformant aux lois naturelles. Hippolyte lui répond
par un long discours à la gloire de la solitude et des

bois. La femme, dit-il en substance, est la cause de tous
les maux, aussi l'a-t-il en horreur. Cependant Phèdre
survient. Elle s'évanouit à la vue d'Hippolyte. La nourrice quitte la scène quand Phèdre revient à elle. Hippolyte l'engage à lui confier ses soucis. Phèdre refuse le
nom de mère qu'il lui a donné. Elle se veut sa sœur ou
son esclave. Qu'il prenne le sceptre et elle lui obéira
toujours. Hippolyte proteste en disant son espoir de revoir
Thésée. Phèdre lui découvre toute sa passion et tombe
à ses genoux. Saisi d'horreur le prince appelle la foudre
de Jupiter sur la coupable et sur lui-même. Il maudit
la reine, il tire même son épée, mais se retire en la jetant. Alors reparaît la nourrice. Il faut pour sauver la
reine attaquer le héros en prétendant qu'il a voulu attenter à l'honneur de Phèdre, comme pourrait le prouver
le glaive abandonné. Ici prend place le second chant
du Chœur, à la gloire d'Hippolyte, qui annonce des machinations redoutables et l'approche de Thésée.

De fait c'est le roi d'Athènes qui va inaugurer le
troisième acte comprenant les vers 835 à 958. Epuisé, il
est sorti des Enfers grâce à Hercule et il arrive pour
apprendre par la nourrice que Phèdre veut mourir. Il se
fait ouvrir le palais, interroge la reine qui ne veut pas
d'abord parler. Il faut qu'il menace de mettre la nourrice à la torture pour qu'elle se décide à lui dire qu'elle
a souffert les violences d'un séducteur. Quand il lui
demande son nom, elle montre l'épée que Thésée reconnaît. Il maudit longuement son fils, flétrit son hypocrisie
et invoque Neptune qui lui a promis d'exaucer trois de
ses vœux pour qu'il extermine Hippolyte le jour même.
Le Chœur alors se lamente sur ce que la vertu reste
sans récompense et le crime sans châtiment au profit
du hasard et du vice. Il signale la venue d'un messager
qui pleure.

C'est donc par le récit à Thésée de la mort d'Hippolyte que commence le IVe acte allant du vers 991 au vers 1122. A peine le héros a-t-il quitté Athènes que la mer s'est soulevée pour vomir un monstre effroyable, moitié taureau, moitié dragon. Hippolyte a beau rester intrépide au milieu de l'effroi de sa suite, il n'en reste pas moins que le monstre poursuit son char qu'emporte l'attelage et qui se brise sur les rochers, en mettant le conducteur en lambeaux. Thésée n'a plus qu'à pleurer son fils et à maudire la fortune. Le Chœur peut alors méditer sur l'inconstance de la destinée humaine et vanter la médiocrité. Thésée ne vient des Enfers que pour une épreuve plus cruelle. Mais voici Phèdre, éperdue et armée de l'épée, car nous sommes enfin au Ve acte qui commençant au vers 1156 s'achève au vers 1279. La Reine invective Neptune, et Thésée. Elle pleure la beauté d'Hippolyte et annonce que sa propre mort vengera celle du héros qu'elle retrouvera ainsi pour lui être unie dans le trépas. Elle déclare son mensonge et sa calomnie fatale à Hippolyte. Son sang apaisera les mânes de l'innocent. Elle se perce de l'épée et meurt. Thésée invoque l'Erèbe et le Tartare ; voulant expier son propre crime il demande pour lui-même les derniers supplices, le vautour de Tityos ou la roue d'Ixion. Il serre sur son cœur les restes sanglants d'Hippolyte. Il ordonne des lamentations, fait préparer un bûcher pour les restes de son enfant et une tombe pour le cadavre de Phèdre.

Telle est la version romaine de la légende que Sénèque donne au théâtre latin. Nous pouvons y reconnaître de nombreuses réminiscences d'Euripide. Quand la reine dit au premier acte que ses tourments d'amour lui font oublier les offrandes réservées aux dieux, elle rappelle les suppositions du Chœur dans la parodos d'Hippolyte. Elle veut poursuivre les bêtes fauves, le javelot à la main, comme la Phèdre grecque dans la scène du délire. Au second acte, comme au vers 221 d'Euripide, elle veut tenir le javelot thessalien et porter le carquois. Ce sont les vers 337-338 de la tragédie athénienne qui permettent l'évocation de Pasiphaé et son amour pour le taureau de Crète. Quand la nourrice affirme que vouloir résister au mal est le premier degré de l'honneur et connaître l'étendue de sa faute, le second, on pense à la confidence de Phèdre aux Trézéniennes. La vieille esclave chez Euripide fait valoir l'empire universel de l'amour et la reine l'imitera chez Sénèque. La nourrice chez Sénèque reprend dans son entrevue avec le héros la même idée développée notamment par le premier chant du Chœur chez Euripide... Comme dans le drame grec Thésée arrive à l'improviste, il s'étonne de l'accueil qui lui est réservé et des lamentations qu'il entend. L'accusation de Phèdre lui inspire des réflexions indignées sur l'hypocrisie de son fils: Il se souvient également que Neptune lui a promis d'exaucer trois vœux et il le supplie de faire périr le coupable le jour même.

Si de ces quelques détails cités parmi tant d'autres nous passons à l'ensemble, les similitudes entre les deux tragédies paraissent évidentes. La donnée est la même. Phèdre, l'épouse de Thésée, est éprise de son beau-fils. Hippolyte, le chaste et le pur, repousse cet amour criminel. Pour se venger la reine l'accuse d'avoir attenté contre son honneur. D'où la malédiction qu'exauce le dieu des mers. Thésée chez l'un et l'autre poète apprend trop tard l'innocence d'Hippolyte et sa propre faute. Néanmoins les différences sautent aux yeux. La scène n'est plus à Trézène, mais à Athènes, le chœur est formé d'Athéniens et non plus de Trézéniennes. Phèdre s'abandonne à sa passion, et c'est la nourrice qui doit lui parler de prudence et de devoir. Ce n'est pas la nourrice qui intercède pour Phèdre auprès d'Hippolyte, mais Phèdre elle-même qui lui déclare son amour. Alors que c'est la nourrice qui après le départ d'Hippolyte répand le bruit de la violence amoureuse, c'est Phèdre ici qui, le glaive abandonné à la main, dénonce son beau-fils à Thésée. Hippolyte a déjà succombé quand le messager fait son récit, et ce n'est qu'en apprenant la mort de sa victime que Phèdre dit au roi la vérité, avant de se tuer d'un coup d'épée sous ses yeux. En revanche Phèdre faisant l'aveu de sa passion à Hippolyte, la démarche de la reine accusant le jeune homme auprès du roi, son suicide après la mort du héros, semblent venir de l'*Hippolyte voilé*. Mais en ce qui concerne l'*Hippolyte porte-couronne*, les changements sont considérables. Des scènes entières d'Euripide ont été supprimées ou modifiées, d'autres introduites. Ainsi le monologue d'Aphrodite, le chant des chasseurs, l'invocation d'Hippolyte à Artémis et sa conversation avec le vieil esclave, les réflexions chagrines de la nourrice accompagnant Phèdre hors du palais, n'existent plus chez Sénèque. Pas plus que la longue scène où Phèdre d'abord égarée par le délire puis revenue à elle se laisse peu à peu arracher l'aveu. Les confidences de la reine au chœur, la scène où la nourrice luttant contre sa maîtresse la gagne à l'idée de ses philtres, n'existent plus. De même la scène où Phèdre chasse la nourrice et annonce son propre suicide au chœur sous le sceau du secret est absente. De même encore le bref dialogue où le coryphée annonce au roi la mort de Phèdre et les lamentations de Thésée sur le corps de son épouse, et surtout la scène pathétique où Thésée et Hippolyte s'affrontent ont disparu. Le fait le plus important à mon sens, c'est d'avoir réduit l'intervention divine au seul Neptune. Dans Sénèque, Diane (Artémis) ne se montre pas plus que Vénus Aphrodite. Quand le messager annonce la catastrophe, la raconte, le héros est déjà mort, et de ce fait disparaissent les dernières scènes du second *Hippolyte*, toute l'apothéose finale. Cette perte est compensée par des apports intéressants plus ou moins tirés de l'*Hippolyte voilé*. D'abord le long entretien où la nourrice essaie d'amener le héros à l'amour, l'intervention de Phèdre, l'aveu qu'elle fait de son amour au héros, la colère d'Hippolyte qui veut la tuer, et s'enfuit en jetant son arme, le monologue de Thésée exprimant sa joie d'être revenu des Enfers, l'entrevue de Phèdre et de Thésée et la dénonciation de la reine contre son beau-fils, au cinquième acte l'arrivée de Phèdre, ses invectives contre le roi, ses plaintes sur Hippolyte, ses protestations d'amour, son aveu et son suicide ; en dernier lieu l'invocation finale de Thésée se maudissant lui-même, appelant sur lui-même les plus grands châtiments et rassemblant enfin les lambeaux de son fils.

Mais le changement des caractères est encore plus significatif que celui des scènes. Sans doute les personnages sont les mêmes. Hippolyte est bien présenté par Sénèque et par Euripide comme un chasseur et un cavalier détestant les femmes, se glorifiant de sa chasteté, dédaignant pouvoir et richesse. Mais il a perdu ici toute richesse mystique, ce qui lui donnait une physionomie si prenante. Sa vertu n'est plus celle du dévot des mystères, de l'ascète orphique, mais la sagesse du philosophe stoïcien, dont il a au vers 916 l'extérieur négligé. — En revanche le caractère de Thésée est bien plus attachant. Il parle en souverain et en maître quand il parle de livrer la nourrice à la torture. Il est bien comme chez Euripide le père qui éclate contre son fils, et le mari affectueux. Mais il ne demeure pas ici froid et plein de mépris devant l'infortune d'Hippolyte. Sa mort lui fait quitter le ressentiment du père et de l'époux outragé pour le remplir de tendresse : il maudit au vers 1120 le sort d'avoir exaucé ses vœux abominables et pleure d'avoir tué son fils, avant d'apprendre son innocence. — Quant à la nourrice elle n'a de commun avec celle d'Euripide que le goût des réflexions sentencieuses, et son mouvement spontané pour intervenir auprès d'Hippolyte et sauver sa maîtresse de la mort. Mais chez Sénèque la nourrice soutient au nom du devoir une lutte opiniâtre contre les faiblesses de la reine. Elle symbolise l'honneur, et tout en étant une esclave, n'a ni les sentiments ni le langage de la femme du peuple. Par là son brusque revirement paraît moins vraisemblable.

Naturellement c'est le caractère de Phèdre qui a subi de profondes modifications. La reine sans doute n'a pas perdu toute pudeur, elle voit sa faute et hésite devant l'aveu en présence d'Hippolyte. Comme chez Euripide sa dénonciation calomnieuse est inspirée par le désir de se venger et le souci de sa sécurité, et finalement elle se donne la mort. Cependant si la Phèdre de l'*Hippolyte porte-couronne* lutte désespérément contre le désordre des sens, chez Sénèque, comme dans le premier Hippolyte, la reine suit sa passion coupable et essaie même de justifier ses égarements. Elle hait Thésée infidèle, qui excuse son crime par ses trahisons et elle ne se préoccupe guère de l'honneur de ses enfants. Elle n'attend pas le résultat de la tentative faite par la nourrice pour se traîner aux pieds d'Hippolyte. Elle va pour accréditer sa calomnie jusqu'à se parjurer en attestant Jupiter et le soleil aux vers 888 et suivants. Quand elle se donnait la mort dans la pièce d'Euripide, c'était pour échapper à ses tourments et au déshonneur, et non pour mieux accréditer son imposture par son suicide, tout en évitant une confrontation. Ici c'est le désespoir amoureux autant que le remords qui produit son geste, après une scène où éclate toute sa passion violente. On comprend dans ces conditions que la tragédie de Sénèque porte le titre de *Phèdre*. Elle est en effet le personnage principal, alors qu'elle n'a que la seconde place dans les deux Hippolyte d'Euripide. L'*Hippolyte porte-couronne* est apparenté avec raison par Louis Méridier au mystère, c'est une pièce conduite par deux divinités contraires. Sénèque nous maintient sur le plan purement humain. On nous rappelle bien à plusieurs reprises la puissance de Vénus, comme le caractère fatal de la passion de Phèdre, Hippolyte est bien la victime du pouvoir de Neptune. Mais ni Vénus ni Diane n'apparaissent. Le héros n'est plus un adorateur mystique de Diane. Sa chasteté repose sur d'autres données, et Diane n'est pour lui que la protectrice des chasseurs.

L'action en revanche est déterminée chez Euripide et chez Sénèque par le jeu naturel des caractères qui laisse au hasard une part aussi petite que possible. Mais les moments successifs de l'action ne sont pas toujours enchaînés l'un à l'autre avec un soin aussi rigoureux. Ainsi le Chœur a entendu Phèdre déclarer son amour au héros, il a vu la scène du glaive. Il n'est pas lié par un serment. Qu'est-ce qui l'empêche alors de faire connaître la vérité au roi trompé, d'arrêter la terrible malédiction ? L'invraisemblance nous frappe d'autant plus qu'Euripide l'a évitée avec talent.

La structure de la tragédie attique a été en apparence préservée. Les épisodes sont coupés par des chants du chœur ou cantica, écrits sur des mètres lyriques. Mais dans ce cadre emprunté le drame n'est hellénique que d'apparence. Il faut rappeler que les tragédies de Sénèque n'étaient sans doute pas destinées à la scène, mais à des lectures publiques. Ainsi Phèdre, au lieu de s'adresser à un vaste auditoire en plein air écoutant les légendes nationales, n'intéresse qu'un public restreint, des lettrés rassemblés dans une salle pour écouter la lecture d'un poème composé non point par un poète, mais par un philosophe stoïcien, et espagnol de naissance.

Louis Méridier attribue à cette origine espagnole le goût de Sénèque pour les spectacles d'horreur. Chez

Euripide l'effet pathétique dû à l'exhibition des misères physiques est réduit au cadavre de Phèdre et à la venue d'Hippolyte ensanglanté. Mais *Phèdre* va beaucoup plus loin, aussi loin qu'une pièce du Grand-Guignol. Non seulement la reine se donne la mort en présence de Thésée, mais on apporte au roi les lambeaux épars du corps d'Hippolyte que le père éploré essaie de remettre en place. Sénèque n'aurait pu garder une pareille scène si véritablement il avait destiné sa *Phèdre* au théâtre. Et ceci nous permet d'expliquer une autre caractéristique de la pièce : la grande place tenue par le monologue qui se substitue trop souvent au dialogue que nous attendons. Ainsi la pièce commence par un long monologue de quatre-vingt quatre vers, que le héros Hippolyte débite d'une seule haleine. Le débat entre Thésée et son fils est remplacé par un long monologue de Thésée. Malgré les émotions violentes qu'il exprime, il ne peut être comparé ni pour l'intérêt psychologique, ni pour la valeur dramatique, à la querelle qu'Euripide nous place sous les yeux. Quand Phèdre se montre pour la dernière fois, Thésée ne dit que trois vers, tout le reste de la scène se trouve rempli par les invocations de la reine à Neptune, ses invectives contre son époux, ses appels à Hippolyte, enfin l'aveu final. Thésée qui vient de l'entendre sans l'interrompre ne profère ni un mot ni un cri devant son suicide. Il n'ouvre la bouche que pour un monologue de quarante-et-un vers où il s'adresse tour à tour aux Enfers, aux monstres marins, à Neptune, à Hercule, à lui-même, aux Ombres, à Sisyphe, à Pirithoüs, à la Terre, au Chaos, à Pluton, sans une pensée devant Phèdre morte. Après trois vers du chœur il reprend encore la parole pour un discours de trente-cinq vers. Malgré leur agitation qui donne l'impression du mouvement, il faut bien reconnaître que l'emploi du procédé est monotone et fastidieux.

Par ailleurs en signalant le silence du chœur devant l'imposture de Phèdre et la malédiction de Thésée, nous devons reconnaître que le chœur de *Phèdre* n'est relié à l'action que par un lien très lâche. Rien ne justifie sa présence, on ne sait pourquoi il est devant le palais royal, et cela prouve encore que Sénèque n'est pas un homme de théâtre.

Par contre il est un moraliste étudiant les démarches de l'âme, les analysant avec une précision délicate. Aussi ses dons d'observateur délicat se font-ils jour dans le drame. Nous trouvons des remarques subtiles, comme celle des vers 143-144 « un amour criminel est pire qu'une passion monstrueuse : l'une est imputable au Destin, l'autre à la corruption de l'âme » ou encore aux vers 256-257 la nourrice dit à la reine, qui veut mourir : « Tu me parais digne de vivre par cela seul que tu te juges digne de la mort ». Le défaut de ces réflexions saute aux yeux : ce sont des sentences d'ordre général ne donnant aucune indication psychologique sur tel trait de caractère ou de sentiment. Comme le dit Louis Méridier, « ce sont les propos d'un philosophe, qui, du dehors, raisonne sur le cas des personnages en le rattachant à certaines lois morales, non ceux des acteurs du drame qui projettent à l'extérieur les mouvements de leur âme ».

D'où un défaut plus grave. L'art des nuances ne valant que pour les sentences, les personnages restent tout d'une pièce, on ne les voit guère évoluer, mais changer au contraire avec une rapidité déconcertante. Si l'on excepte la gradation assez bien observée du dialogue de Phèdre avec Hippolyte, de la scène où elle l'accuse devant Thésée, on est obligé de reconnaître que le reste du temps, l'effet se trouve étrangement brusqué. Ainsi la nourrice au premier acte s'est évertuée à détourner la reine d'une passion coupable ; elle a allégué le retour possible de Thésée, sa colère, l'insensibilité d'Hippolyte,

le courroux de Minos ; elle lui montre ses cheveux blan-
chis par l'âge et le sein qui l'a nourrie. Mais il suffit
que la reine lui apprenne qu'elle veut mourir pour que
cessant de l'exhorter au devoir, comme ces sophistes qui
développent le pour et le contre, elle l'engage à mépriser l'opinion et prend sur elle d'approcher Hippolyte pour
le fléchir. N'est-ce pas méconnaître les conditions dramatiques et psychologiques ? Cette méconnaissance se manifeste encore autrement chez Sénèque. Nous avons
parlé tout à l'heure des lieux communs, des généralisa-
tions. Ils provoquent de véritables dissertations : la nourrice emploie douze vers aux vers 204-215 pour nous prouver que des richesses excessives engendrent toutes les
passions. Hippolyte nous fait un cours de philosophie et
d'histoire en soixante-et-onze vers pour lui montrer les
avantages de la solitude et de la vie champêtre. Il est
trop évident que le poète pense moins à nous faire connaître son héros, qu'à développer avec éclat un lieu commun. Ce n'est plus Hippolyte que nous voyons, mais
Sénèque.

C'est lui encore qui se plaît à de trop minutieuses
descriptions, en sacrifiant effet dramatique et vraisemblance. Sans parler des chœurs arrêtons-nous par exemple au premier discours d'Hippolyte, où, sous prétexte
de donner des ordres aux chasseurs, il se plaît à décrire
toute l'Attique. Après des considérations sur les molosses,
les chiens de Crète et de Laconie, il énumère les engins
de la chasse. Invoquant Diane, il passe en revue le do-
maine de la déesse et les bêtes qu'elle poursuit. Nous
pouvons louer l'érudition de l'auteur, mais non son sens
dramatique. Même aux moments les plus pathétiques,
Sénèque ne peut résister au désir de décrire et d'enjo-
liver. Décrit-il l'agitation de Phèdre, il ne se contente
pas de quelques traits expressifs. *Phèdre* aux vers 387
et suivants nous fournit des détails plus précis et plus

rares : « Elle demande à ses esclaves d'écarter ses vête-
ments chamarrés de pourpre et d'or, ses voiles de Tyr à
la couleur éclatante, et ses étoffes de la sérique, elle ne
veut ni colliers ni perles de l'Inde, ni parfums d'Assyrie ».

Ce travers s'étale en particulier dans le récit du messager. Aux neuf vers d'Euripide pour décrire la mer soulevée s'opposent les vingt-cinq de Sénèque qui ne résiste
pas par ailleurs à la tentation de nous faire un portrait
minutieux du monstre devant Thésée qui manifeste plus
d'impatience pour connaître les particularités de la bête
que pour se livrer sans restriction à la douleur : « Quelle
forme, demande le roi, avait cette masse énorme ? et
le messager de lui répondre : « c'était un taureau qui
portait haut sa tête sombre : ses oreilles se hérissent ; ses
cornes ont deux couleurs, celle qu'on voit au chef du trou-
peau et celle du veau marin. Ses yeux bleus lancent des
flammes. Sa nuque épaisse porte des muscles énormes,
ses larges naseaux se gonflent avec bruit... Ses vastes
flancs sont semés de taches de feu. » Je vous fais grâce
du reste. Malgré leur mérite ces hors-d'œuvre ne sont pas
à leur place : ils nous choquent, ils nous apparaissent
comme une dissonance dans l'harmonie tragique. Le goût
d'ailleurs n'est pas le propre de Sénèque. Il a pour
moindre défaut l'enflure, l'emphase. Son imagination le
fait tomber même dans le ridicule. On a pu voir en son
Hippolyte un capitan ou un matamore quand il s'exclame
d'une voix tonnante devant le monstre : « ce vain épou-
vantail ne brise point mon courage. Vaincre des tau-
reaux est pour moi une tâche héréditaire ». Mais ce
sont les vers 1257 et suivants qui nous laissent le plus
mauvais souvenir, lorsque le poète nous représentant
Thésée s'évertuant à reconstituer à l'aide de membres
en morceaux le corps d'Hippolyte : « Voici la place de
sa main droite... voici où il faut replacer sa main gauche...
Je reconnais le signe empreint sur son flanc gauche...

Laissez un père compter les membres de son enfant et reformer son corps ».

Le style a les qualités propres au latin et à la prose de Sénèque. Il est concis, plein, vigoureux. Il abonde en maximes comme celle du vers 139 : « L'approche de la délivrance donne du courage au vieillard », ou celle du vers 249 : « La volonté de guérir est un commencement de guérison ». Mais l'expression vise trop à l'éclat. Phèdre ne déclare-t-elle pas aux vers 102-103 que son mal grandit et s'enflamme, comme le feu qui s'échappe en bouillonnant des profondeurs de l'Etna ? C'est le règne de l'Hyperbole. Hippolyte aux vers 568-573 proclame : « Que l'eau s'unisse au feu ; que la Syrte mouvante offre aux barques une passe favorable ; la mer d'Hespérie verra de ses bords les plus lointains se lever la lumière du jour, et les loups offriront aux daims leurs caresses avant que mon âme vaincue s'adoucisse envers la femme ! » Thésée veut dire simplement que son fils n'échappera pas à sa vengeance, lorsqu'il s'écrie aux vers 930 et suivants : « Quand les terres les plus reculées de l'univers mettraient entre nous l'étendue de l'Océan ; quand tu habiterais les antipodes ; quand, réfugié aux dernières limites du monde, tu franchirais l'horrible empire du pôle ; quand, dépassant le séjour des hivers et des frimas, tu laisserais derrière toi les menaçantes fureurs du Borée glacé, tu seras puni de tes crimes ».

On le voit, la *Phèdre* de Sénèque est bien éloignée de la perfection de l'Hippolyte d'Euripide, dont la liberté d'allure, le sentiment de la vie, l'accent humain portent la marque du génie grec et des œuvres attiques. Il faut y ajouter les dons propres à Euripide : le don du mouvement, de la progression dramatique, l'art de l'observation; l'analyse des caractères riches et complexes, le pathétique puissant et délicat, l'aptitude à la réflexion philosophique, enfin la vision poétique. Faut-il dire que Sénèque ne donne ici qu'un reflet de son modèle, que sa pièce nous apparaît comme une sorte d'exercice oratoire, avec d'heureuses trouvailles psychologiques sans doute, mais où l'érudition, la virtuosité descriptive ou oratoire tiennent trop de place ? Au fond nous ne serions pas éloignés de penser que le principal intérêt de la *Phèdre* latine est de nous faire connaître le destin du premier Hippolyte. Et c'est aussi, nous le verrons, ce que lui empruntera notre Racine. Sachons aussi gré à Sénèque de n'avoir donné à la légende aucune signification religieuse : sa tragédie, malgré ses défauts, demeure une étude psychologique et même pathologique de la passion amoureuse. Une héroïne comme celle qu'il nous décrit, puissante, vigoureuse, amoureuse, n'a pas la noblesse et la pudeur de celle de l'*Hippolyte porte-couronne*, mais elle reste aussi humaine. Malgré ses imperfections, d'autre part, la pièce de Sénèque sera plus constamment connue que celle d'Euripide. C'est elle qui sera montée la première entre 1488 et 1492 par Sulpicius Verulanus avec l'appui du cardinal Raphaël Riario. C'est elle qu'on traduit d'abord en italien, comme le prouve un manuscrit de 1458, et c'est d'elle encore que Francesco Picio da Montevarchi donne une version italienne en 1497. On la jouera sous ces nouveaux habits à Ferrare au carnaval de 1509 en attendant que d'autres traducteurs humanistes se mettent au travail, en particulier Lodovico Dolce en 1560. Nous saurons bientôt que l'œuvre de Sénèque, si inférieure à celle d'Euripide, ne sera pas d'une moindre importance par le développement du thème dans le théâtre français et que c'est en suivant la voie ouverte par les Italiens que nos humanistes prendront d'abord Sénèque pour modèle, de préférence à Euripide, en traduisant et en imitant sa tragédie.

Chapitre 6

PHÈDRE ET HIPPOLYTE DANS LA LITTÉRATURE
FRANÇAISE AVANT RACINE JUSQU'A
BIDAR ET PRADON

La légende de Phèdre et Hippolyte vue surtout à travers Sénèque et Euripide va avant Racine alimenter notre littérature, de la Renaissance au XVIIᵉ siècle. Mais il serait faux de penser que le Moyen âge l'a ignorée ou n'a pas connu des thèmes analogues.

A vrai dire c'est le thème de la belle-mère coupable que l'on trouve dans le cadre oriental des Quarante Vizirs et du Livre de Sendabad. Il nous est venu grâce à une version latine, traduite en français dès le XIIIᵉ siècle. Du XIIIᵉ siècle à la Renaissance, cette légende orientale jouit d'une extrême faveur dans toute l'Europe. C'est l'historien Septim Sapientium Romae qui sert ici de véhicule. Plusieurs éditions latines paraissent à la fin du XVᵉ siècle, et la plus ancienne version française, à Genève en 1492. On comptera huit traductions dans notre langue, et neuf de la versio Italica. Je rappellerai encore dans un autre genre *La Châtelaine de Vergi* dont les personnages offrent avec Thésée, Phèdre, Hippolyte une ressemblance troublante. On y trouve même la préfiguration de l'Aricie de Racine. Si on ajoute à ce poème du XIIIᵉ siècle les lais de Lanval et de Graelent on aura une vue approximative de ce que ce genre d'histoire pouvait avoir de populaire en France.

Pourtant il nous faut attendre jusqu'en 1573 pour voir un poète tragique donner un *Hippolyte* français : c'est Robert Garnier. (1) On a pensé qu'en reprenant le thème transmis par Sénèque, l'auteur avait fait fond sur un bruit qui voulait que la mort prématurée à 23 ans d'Elisabeth d'Espagne, fille de Henri II, en 1568, ait été tragique. Mais il vaut mieux penser qu'il s'en est tenu à Sénèque. Il en a suivi de près le développement en ses cinq actes. Il a supprimé certains épisodes du modèle qu'il a remplacés par des discours de sa création.

Son premier acte commence par un prologue où l'ombre d'Egée, père de Thésée, raconte certains exploits de son fils, et prévoit son malheur tout proche, ainsi que la mort d'Hippolyte, suscitée par Phèdre. Hippolyte, après lui, vient énumérer les mauvais présages qui lui annoncent une grande infortune et pris les dieux de l'en exempter.

Le dialogue entre Phèdre et la nourrice commence le second acte et le remplit tout entier.

Au troisième nous voyons la nourrice tenter sa démarche auprès d'Hippolyte, Phèdre se déclarer à lui, et la nourrice se décider à accuser le héros.

L'accusation prend place au quatrième acte. Elle est suivie d'un monologue où la nourrice s'accuse elle-même et dit sa mort prochaine.

Enfin le cinquième acte contient le trépas tragique d'Hippolyte, la mort de Phèdre et le désespoir de Thésée. Garnier en l'occurence a fait pieuve d'imitation originale. D'abord il a réuni deux actes en un, en comblant la lacune qui en résultait par un monologue. Si nous considérons le détail de sa tragédie, nous voyons combien

---

(1) Voir R. GARNIER, **Œuvres,** éd. R. Lebègue, Paris, Les Belles Lettres. 2 vol. in-8°.

son ingéniosité est grande. Laissant de côté la scène de
chasse, il fait débuter sa pièce par la scène de prophétie,
suggérée peut-être par l'*Agamemnon* de Sénèque. Les
exploits de Thésée ont été puisés dans les *Vies parallèles*
de Plutarque. Le monologue d'Hippolyte est de son invention, mais c'est sans doute le premier épisode de Sénèque qui inspire le chant du chœur célébrant les plaisirs
de la chasse.

Dans le deuxième acte Garnier offre un exemple
caractéristique de sa méthode. Le poète a gardé presque entièrement le dialogue de la nourrice et de Phèdre,
mais il y a développé les plaintes de la reine dans son
premier monologue, car elle nous exprime des idées nouvelles : l'amour, selon elle, est inspiré par les dieux et ne
se doit pas borner au mariage. Elle s'en prend à la liberté
dont profite l'homme, défend les libres amours des bêtes,
et taxe Thésée d'infidélité. La nourrice défend l'époux
assez faiblement et soutient que l'absence et même l'infidélité de Thésée ne peuvent excuser Phèdre. Mais toute
la suite de la scène est de Sénèque, y compris le chantage
sentimental de la reine, et le chœur est presque entièrement original.

Au troisième acte, Garnier va d'abord se montrer
plus personnel : il omet la scène où Phèdre veut s'habil-
ler en chasseresse, et la remplace par un monologue de
la reine lançant un appel passionné à Hippolyte. La nourrice développe le monologue du second épisode de Sénèque. Mais la prière à Diane de la nourrice est placée
ici sur les lèvres de Phèdre. La scène entre la nourrice
et Hippolyte suit Sénèque, mais omet la deuxième partie
de la scène latine, une tirade contre la civilisation et la
guerre provoquée par les femmes. Toute la scène de
l'épée est reprise du modèle, l'originalité se marquant
encore dans le chœur final de l'acte.

Le quatrième acte reprend les entrevues de la nourrice avec Thésée, de Thésée avec Phèdre ; Garnier se montre plus original dans le monologue de Thésée invoquant Neptune contre son fils. C'est surtout le monologue de la nourrice s'accusant d'être l'instrument de la mort d'Hippolyte qui est frappant, comme le chœur qui développe cette idée : il appartient aux dieux de juger nos actions.

Le cinquième acte vaut surtout par un monologue de Phèdre qui s'accuse et exprime son remords. La reconstitution des membres d'Hippolyte a été heureusement omise, et d'ailleurs Phèdre et Thésée sont bien supérieurs à certains points de vue à leurs prototypes. Garnier ne se rapproche d'Euripide que par le lyrisme. Mais il a en commun avec Sénèque son goût des discours sentencieux : trois monologues, celui de Phèdre au 3e acte, celui de la nourrice au 4e, celui de Phèdre encore au 5e sont particulièrement importants et typiques.

Hippolyte — et par là le poète français se dégage encore de son modèle — est le premier personnage tragique de la pièce. Mais si Garnier a bien compris que la tragédie de Sénèque est une étude de la passion, il n'a pas jugé le sujet, la mort prématurée d'un jeune homme causée par la femme dédaignée, d'un tragique suffisant. Suivant Aristote, il a voulu introduire une péripétie dans l'action, suggérant que Neptune pourrait refuser d'exaucer le vœu de Thésée. Du coup Hippolyte est le premier personnage tragique, ainsi que nous le disions à l'instant : car, comme on l'a déjà affirmé « la possibilité de l'intervention de Neptune ne permet qu'un faible espoir en ce qui concerne Hippolyte ; quant à Phèdre, il lui suffit, au moment de son repentir, d'avoir voulu la mort de celui qu'elle aime, pour ne plus pouvoir supporter la vie. Le caractère de philosophe stoïque que nous avons reconnu au héros de Sénèque est ici quelque peu adouci, mais il est toujours plus moral que religieux. Par contre, le caractère violent et licencieux de la Phèdre latine est atténué par les deux monologues de l'héroïne et celui de la nourrice. La culpabilité est diminuée ; aussi passionnée que chez Sénèque, la reine nous paraît moins violente, plus humble. C'est le souci de son honneur qui l'incite à se tuer et surtout son seul regret en mourant est de ne pas avoir la « grâce » d'Hippolyte :

> Oyez moi hardiment, je veux vous requerir
> Pardon de mon mesfait, devant que de mourir.

En cela, la première Phèdre française se montre supérieure à ses ancêtres antiques par ces dernières paroles qu'elle prononce.

Si le caractère de Thésée nous paraît ici encore conventionnel, — décidément, dans la légende, c'est le grand sacrifié —, celui de la nourrice en revanche est peint avec réalisme : elle est bien de sa condition, contrairement à ce qu'elle était chez Sénèque : naturelle et familière, elle l'est autant par ses idées que par son langage.

On le voit, si Sénèque est repris par Garnier, ce n'est pas sans changements, sans modifications à la conception du thème. A Garnier revient le mérite d'avoir naturalisé la légende et de l'avoir portée le premier sur la scène française.

Nous ne dirons presque rien de la *Marsilie* ou de l'*Innocence descouverte* de Jean Auvray, maître chirurgien à Rouen, qui, parue en 1609 et réimprimée en 1628, semble une lointaine parodie de l'*Hippolyte* de Garnier. (1) La scène et les personnages sont romains. L'héroïne est Marsilie, deuxième femme du chevalier romain Phocus, qui aime son beau-fils Fabrice. Un personnage grossier,

---

(1) Voir W. NEWTON, op. cit. pp. 34-36.

le serviteur Thomas, complète le rôle de la nourrice. La pièce s'achève en tragi-comédie.

En revanche nous nous arrêterons à l'*Hippolyte* de l'Angevin Guérin de la Pinelière. Né vers 1615, il serait mort en 1642 ou 43. On ne connaît de lui que trois œuvres : *La Foire Saint-Germain*, sans doute imitation de la *Galerie du Palais* de Corneille, *Le Parnasse*, satire contre les jeunes poètes assiégeant les acteurs du Marais et de l'Hôtel de Bourgogne, enfin notre tragédie. Elle fut publiée en 1635 et dédiée à Monsieur de Bautru, introducteur des ambassadeurs. Une préface sur la pièce du sieur de Hautgalion la précédait et nous apprenait que le succès sur la scène avait été considérable.

L'action se passe à Athènes. Elle est énoncée dans un prologue de Vénus « en l'air dans un chariot attelé de Cignes ». Nous retrouvons les cinq actes. Au premier Hippolyte donne des ordres pour la chasse et Phèdre se déclare amoureuse ; au second la nourrice après une tentative infructueuse auprès de la Reine se décide à voir Hippolyte, qu'elle n'arrive pas à fléchir ; l'aveu de Phèdre à Hippolyte prend presque tout le troisième acte ; au quatrième, Phèdre l'accuse devant Thésée qui demande à Neptune de le venger ; enfin au cinquième nous avons le récit de la mort d'Hippolyte, la constatation de son innocence suivie de la mort de Phèdre et les remords de Thésée.

La Pinelière n'a eu donc, il le reconnaît lui-même, que Sénèque comme modèle ; se contentant d'ajouter « aux inventions de Sénèque quelques-unes des siennes, aussi bien toutes ses pensées ne se pouvaient accommoder à la Françoise ». Il sait que le sujet a été traité par Euripide, mais il ne paraît pas connaître l'*Hippolyte porte-couronne*. Il n'y a guère non plus de trace de Garnier. Sans doute comme Garnier il a resserré en un acte deux actes de Sénèque, et inventé un monologue de Phèdre pour remplir

le vide du premier acte. Par contre il est resté fidèle à la
scène de chasse. Les deux premiers actes suivent assez
fidèlement Sénèque ; mais au début du troisième, La Pinelière a tiré de quelques vers de Sénèque une scène où
Phèdre s'habille pour la chasse. Entre cette scène et celle
de l'aveu de Phèdre à Hippolyte La Pinelière en a placé
une autre de son invention : deux filles d'honneur nous
apprennent qu'elles ont deviné l'amour de Phèdre pour
son beau-fils. La scène de l'aveu est suivie d'une nouvelle
où, appelés par les cris de la nourrice, les gardes et les
filles d'honneur accourent auprès de la reine et écoutent
la nourrice accuser Hippolyte. Phèdre appuie la calomnie par ces vers à sa fille d'honneur :

> Ha, ma pauvre Hesione, ha, faut-il que mon corps
> De cet homme brutal ait souffert les efforts ?

L'initiative de La Pinelière se donne encore libre cours
au début du quatrième acte. D'abord nous avons une
scène de remplissage : Thésée revenu des Enfers décrit
à son confident Lycrate l'aspect du royaume infernal.
Elle est imitée des vers 656-727 d'une autre pièce de
Sénèque, *Hercule furieux.* Jusqu'au dénouement le modèle est assez fidèlement suivi. Dans un monologue et
devant le cercueil ouvert d'Hippolyte, Phèdre nous dit
sa douleur de l'avoir perdu. Lycrate essaie d'empêcher
la mort de la reine. La dernière scène de Sénèque est
fort à propos supprimée et remplacée par une autre où
Thésée, réconforté par Lycrate, dit son horreur et son
remords, et invite les grands de ce monde à se méfier
de leur entourage.

Il faut bien avouer que La Pinelière est surtout médio-
cre quand il s'éloigne de l'original latin, au contraire
de celle de Garnier. Son mérite consiste dans son effort
d'adaptation d'un sujet antique à la scène française.
L'atmosphère antique a assez malencontreusement dis-

paru. Il n'y a pour ainsi dire pas d'allusions mythologiques. Il a voulu au contraire donner à sa pièce une
atmosphère moderne. Il a respecté la nourrice, mais les
compagnons de chasse d'Hippolyte sont devenus « un
Lieutenant des chasses », qui joue aussi le rôle de messager au 5ᵉ acte et préfigure Théramène. Thésée a pour
confident un courtisan, Lycrate. Phèdre est pourvue de
deux filles d'honneur. Par ces personnages s'instaure une
ambiance de cour. Phèdre elle-même cesse d'être l'amante
pathétique et simplement passionnée pour donner furieusement dans la métaphore et la langueur précieuse. Elle
s'exprime en ces termes à la troisième scène du premier
acte :

> Il est vrai que l'amour fane souvent les roses
> Qui sont sur un beau teint dans la jeunesse écloses,
> Mais il flatte l'esprit et bannit les douleurs.
> N'est-ce pas proprement faire du miel des fleurs. (1)

Elle décrit Hippolyte d'une manière qui confine au ridicule :

> Entre tous les humains il est comme une rose,
> Seule entre cent buissons tout fraîchement éclose ;
> Et ce rare vainqueur se remarque entre tous
> Comme un chêne orgueilleux entre de petits houx.(2)

Notons que si La Pinelière ne change guère la conception
dramatique de Sénèque, il ne fait paraître le héros qui
donne son nom à la pièce que trois fois. An contraire
Phèdre a un rôle beaucoup plus long et acquiert de ce
fait une place dominante. L'unité de temps est observée.
Le lieu de la scène se limite à deux endroits. Mais les
scènes sont mal reliées entre elles et les entrées et sorties
des personnages mal réglées.

Les caractères des personnages en particulier ne sont

---

(1) Cité par W. NEWTON, voir pp. 36-45.
(2) Cité par W. NEWTON.

guère en progrès. Hippolyte, Thésée, la nourrice ne diffèrent guère des modèles latins. Phèdre est banale, conventionnelle. Elle se prête bien facilement à la ruse de la nourrice. Elle reproche à Thésée la mort d'Hippolyte et paraît croire qu'il en est plus responsable qu'elle-même. Elle le traite de « père injuste, et pire encore que moy ». On dira que c'est assez féminin. Elle se tue à la fin, non par remords, mais parce qu'Hippolyte n'est plus de ce monde :

> Tu n'as pas partagé mes ardeurs insolentes,
> Mais je veux partager tes douleurs violentes,
> Nous aurons en ce point tous deux un mesme sort. (1)

Partageant ainsi le sort du héros, elle confine au romanesque héroïque. Telle est l'œuvre bâclée en quinze jours d'un jeune auteur de vingt ans. Cet *Hippolyte* est important parce qu'il continue le mouvement repris par Rotrou et inauguré par Garnier de monter sur le théâtre français des tragédies de Sénèque. Corneille lui-même dans sa *Médée* suit le mouvement. Grâce à Sénèque le rôle de Phèdre dominera dans les tragédies de notre scène, et la portée philosophique, religieuse et morale d'Hippolyte, perd de ce fait du terrain. Le sujet devient ici plus contemporain par l'atmosphère, l'introduction de l'étiquette de cour, la réduction du rôle du surnaturel à l'intervention de Neptune.

Je passerai assez rapidement sur des sujets historiques assez proches du nôtre, traités l'un par François de Grenaille en 1639, l'autre par Tristan l'Hermite en 1645. Grenaille a repris un récit donné par le Père Caussin dans sa *Cour sainte* en 1624 : l'histoire de Crispe et de Fauste, fils et femme de l'empereur Constantin. Constantin

---

(1) Cité par W. NEWTON.

a eu deux enfants de Minervine sa première femme : Crispe et Hélène. Il a épousé en secondes noces Fauste fille de l'empereur Maximien. Fauste s'éprend de Crispe et lui découvre son amour ; il menace de tout apprendre à son père si elle insiste, et part de la cour. Fauste furieuse change son amour en haine et l'accuse devant son mari. Constantin devant la fuite de son fils croit à la culpabilité. Il envoie à sa poursuite un messager chargé de le faire mourir. On reçoit à la cour la nouvelle de son trépas, et Fauste repentante témoigne de son remords et de l'innocence de Crispe. Constantin alors donne l'ordre de l'étouffer dans son bain. Tel est le sujet trouvé par Grenaille dans la *Cour sainte*. Sa tragédie de *l'Innocent malheureux ou la Mort de Crispe* est une de ses premières œuvres. Ce jeune défroqué a suivi à la fois le récit du *Père Caussin* et le thème de Phèdre et Hippolyte. Les caractères sont conventionnels et raides. Il n'est jamais question ici de l'absence de Constantin, de sorte que Fauste est moins excusable que Phèdre persuadée de la mort de Thésée. Elle se déclare elle-même sans l'intervention de la nourrice. Crispe est accusé non d'avoir violenté sa belle-mère, mais d'avoir cherché à la séduire, comme Hippolyte chez Gilbert, Bidar, Pradon et Racine. Enfin la mort de Crispe est accomplie sans intervention surnaturelle et Fauste meurt par ordre de l'empereur. Hormis ces modifications importantes, rien ne sépare Crispe de la Phaedra de Sénèque.

Si nous passons maintenant à Tristan l'Hermite, nous devons constater qu'il avait fait précéder sa tragédie de *la Mort de Crispe, ou les Malheurs domestiques du grand Constantin* par une *Idylle sur la mort d'Hippolyte* en 1637, dédié à M. de Lorme, médecin ordinaire du roi. L'histoire d'Hippolyte y est racontée en quelques stances, la description de la catastrophe occupe le meilleur du poème tandis que la fin raconte la résurrection du poème selon les mythes latins. Le récit de la catastrophe est inspiré sans doute de Sénèque, mais aussi pour quelques traits de La Pinelière. En tout cas le fait que Tristan compose un poème sur Hippolyte pourrait nous montrer qu'il a eu ce sujet dans l'esprit quand il a donné *la Mort de Crispe*. Mais il faut se hâter d'ajouter que dans la tragédie nous ne retrouvons aucun souvenir de Phèdre et Hippolyte. En revanche ce qui la rend plus intéressante c'est la jalousie de Fauste pour Constance, adorée de Crispe. Elle a un soupçon de cette passion au premier acte, son soupçon devient certitude au second. Elle dénonce l'amour de Crispe et de Constance à l'empereur au 4ᵉ acte ; elle se décide à perdre Constance et au 5ᵉ acte elle attend la nouvelle de la mort de sa rivale, à qui elle a envoyé des gants empoisonnés. On lui apprend la mort simultanée des deux amants et Constantin vient ordonner à Fauste de mourir en lui reprochant la mort de son fils. De fait nous ne connaissons surtout qu'un acte qu'on puisse rapprocher de la *Phaedra* de Sénèque. C'est le premier, quand Fauste s'entretient de son amour pour Crispe. Il n'y a point de scène où Fauste se déclare à son beau-fils, et si celui-ci meurt au dénouement, c'est plutôt par accident. Le vrai sujet de la pièce d'ailleurs n'est pas la mort de Crispe, ni celle de Fauste, mais le sort de Constance et de Licine. La seule manifestation de l'amour de Fauste pour Crispe est sa jalousie pour Constance, c'est elle que nous suivons tout au long et qui inspirera peut-être à Racine un trait caractéristique de son personnage de Phèdre. Ici encore nous retrouvons l'atmosphère de la cour et du XVIIᵉ siècle. Crispe est à la mode et fait des portraits. En somme le mérite de Tristan est d'avoir introduit l'élément de la jalousie qui paraîtra désormais dans toutes les tragédies sur Phèdre. Par là sans doute devons-nous considérer *la mort de Crispe* de Tristan comme le premier modèle et la première source des tragédies épurées qui vont à présent nous occuper. (1)

Gabriel Gilbert qui semble avoir vécu entre 1620 et 1680 est le troisième de nos poètes dramatiques à traiter le sujet de Phèdre et Hippolyte. Il fit paraître en octobre 1646 à Paris sa pièce intitulée *Hippolyte* ou *Le Garçon insensible*, qu'il dédia à la Duchesse de Sully. Il est possible qu'il ait été guidé dans le choix du thème par le succès que rencontra la tragédie de Tristan l'Hermite. La sienne fut donnée sur la scène de l'Hôtel de Bourgogne en 1645 ou 1646. La conception antique est ici profondément modifiée comme le montre l'analyse de la pièce : la scène se passe à Athènes, dans le Palais du Roi, où Phaedre, qui n'est encore que fiancée à Thésée, bien que les Athéniens la croient sa femme, languit alors que Thésée fait le siège de Mégare. Remarquons déjà que Pradon reprendra la version de Phèdre fiancée à Thésée. — On vient annoncer la victoire de Thésée. Mais Phaedre avoue son amour pour Hippolyte qui vient de tuer un monstre. Au second acte autre modification profonde : Hippolyte accusé d'insensibilité s'en défend : s'il en montre, c'est que seule Phèdre est attrayante pour lui. Or Achrise, confidente de Phaedre, vient lui faire des avances ; pensant qu'elle les fait pour son propre compte, il les repousse. Achrise se promet de se venger. Au troisième acte toujours des changements aussi importants : Phaedre parle elle-même à Hippolyte, lui offre sa main et le trône de Crète à partager avec elle. Hippolyte l'assure qu'il l'aime aussi, mais refuse, par crainte de Thésée. Phaedre alors s'empare de son épée pour se suicider. Elle compte se tuer si elle ne peut empêcher son mariage avec Thésée. Arrive Thésée au 4e acte, victorieux. Phaedre lui déclare

---

(1)   Voir W. NEWTON, op. cit. pp. 52-58.

que leur union est devenue impossible. Il demande pourquoi à Achrise. Celle-ci de montrer l'épée d'Hypolite en
accusant le jeune héros d'avoir voulu séduire Phaedre.
Thésée crie vengeance aux dieux. Hippolyte vient féliciter
son père de sa victoire, celui-ci lui fait part de l'accusation ; le jeune homme essaie de se défendre, sans accuser
Phaedre, mais il n'arrive pas à convaincre son père de
son innocence et il est exilé d'Athènes. Il ne sera pas
question des vœux et de la promesse de Neptune et du
monstre. Au 5e acte Phaedre sollicite de Thésée la grâce
d'Hippolyte, mais Thésée ne veut rien savoir. On annonce
alors que Phaedre s'est tuée, après avoir déclaré Hippolyte
innocent, et qu'Achrise, auteur de l'accusation, s'est jetée
dans la mer. La pièce s'achève sur les remords de Thésée.

Pour la première fois, un poète tragique français
fait appel non seulement à Sénèque, mais encore à
Euripide : l'aveu de Phaedre à Achrise de son amour
pour Hippolyte (1, 2) et l'entrevue de Thésée et Hippolyte
(IV, 3), l'accusation et la défense inutile d'Hippolyte, ses
adieux sont imités de la tragédie grecque. Il est vrai
que la dette envers Sénèque est plus grande. Nous sommes à Athènes comme dans la tragédie latine. Thésée
absent est considéré comme infidèle. Aristie et Achrise
remplacent au second acte la nourrice dans son entrevue
avec Hippolyte. De même Sénèque a inspiré la scène
entre Phaedre et Achrise (acte III, scène 1), la scène de
de la déclaration de Phaedre à Hippolyte, l'épisode de
l'épée, utilisé ici bien différemment, l'entrevue entre Thésée et Phaedre, la vengeance des dieux, le récit de la
mort d'Hippolyte, et la mort de Phaedre par l'épée. Tous
les détails que Garnier aurait pu suggérer se trouvent
dans Plutarque : le désir d'émancipation de Phaedre, les
allusions à Ariane, l'insistance de Phaedre sur l'infidélité
de Thésée. La Pinelière de son côté a fourni peut-être
l'idée non seulement de nommer les confidents, mais de

les associer à l'action. Thésée revenant victorieux de la
guerre peut rappeler le Constantin de Grenaille, la sensibilité d'Hyppolite, malgré le titre de Garçon insensible,
peut venir aussi de la même source, comme le fait qu'il
est accusé non plus d'avoir violenté sa belle-mère, mais
d'avoir cherché à la séduire. Le remords de Phaedre
provoquant sa mort a sans doute la même origine. N'oublions pas que la Phèdre d'Euripide meurt pour son honneur et celle de Sénèque par amour. Phèdre est aussi
tant soit peu jalouse de Céphise, comme Fauste l'est de
Constance. Enfin les tragédies italiennes de Trapolini et
de Francesco Bozza de 1576 et 1578 ne sont peut-être
pas étrangères à la conception dramatique de Gilbert.
Celui-ci en tout cas a réussi à composer une tragédie
homogène et unie. La répartition des données tragiques
à travers les cinq actes est judicieuse : le premier acte
sert d'exposition et nous apprend l'amour de Phaedre pour
Hippolyte, le second nous montre les avances d'Achrise
à Hippolyte ; au troisième c'est la déclaration de Phaedre en personne ; le quatrième est celui de l'accusation et
le cinquième renferme la mort d'Hippolyte et de Phaedre.
L'originalité de Gilbert a pu être saisie par l'analyse,
qui révèle son respect des bienséances. La mode veut
qu'on édulcore les sujets scabreux. La seule tentative de
garder l'inceste comme ressort de l'action est ce vers
de Phaedre à la scène II de l'acte III : « Je ne puis
l'épouser sans commettre un inceste ». Il est vrai qu'en
ôtant à Phaedre son caractère distinctif Gilbert ôte à sa
pièce son meilleur intérêt, et complique son action avant
qu'on aboutisse au dénouement tragique de l'antiquité.
« L'action, écrit M. Winifred Newton, ne se dénoue que
par des malentendus. » Avant de s'adresser elle-même à
Hippolyte, Phaedre lui envoie Achrise, pour connaître ses
sentiments, et c'est Achrise qui, outragée par le mépris
d'Hippolyte, croyant qu'elle parle pour son propre compte,

l'accuse auprès de Thésée, à l'insu de Phaedre. Puis lorsque Thésée invoque la vengeance céleste, il n'est plus parlé des vœux que Neptune devait exaucer. Thésée ne sait pas si le dieu répondra à sa demande. Le dénouement dépend aussi du silence de Phaedre à la scène II du 4e acte, pendant son entrevue avec Thésée. Tout cela sent l'artifice.

N'oublions pas de remarquer l'introduction de la jalousie dans le caractère de Phaedre, mais alors que Phaedre est ici jalouse de Céphise, amante de Thésée, Racine avec un sens psychologique indéniable la rendra jalouse de l'amante d'Hippolyte. Aussi il n'est pas étonnant que son amour pour Hippolyte ne soit pas la passion de la Phèdre antique, mais une émotion inaccoutumée dans un cœur de mondaine. Ne dit-elle pas elle-même à ce sujet :

> ...Pour parler de mon feu,
> Qui dit amour c'est trop, amitié c'est trop peu.
> Nul nom n'exprime bien la douleur qui me presse,
> Je veux plus qu'une mère, et moins qu'une maîtresse.(1)

Cette Phaedre est donc étrange ; elle n'est pas coupable, elle n'est pas incestueuse, elle n'accuse pas Hippolyte. Pourtant elle n'appelle pas notre sympathie. Elle réclame pour elle la liberté dont elle ne veut pas pour Thésée et propose à Hippolyte une fuite honteuse. Elle n'a pas le courage de reprocher à Thésée ses fautes, mais elle les dit à qui veut l'entendre. Le personnage est faible, instable, avec des éléments contradictoires. J'en dirai autant d'Hippolyte. Il n'a rien du mystique, rien du philosophe stoïque, il n'est plus le favori de Diane, mais un homme de cour, un héros mondain. Malgré le sous-titre de la pièce, il n'est pas un ennemi du sentiment amoureux. Ce

---

(1) Cité par W. NEWTON.

sont les attraits de Phaedre qui le rendent insensible aux autres beautés de la cour. L'idée du jeune homme amoureux de sa belle-mère sera reprise d'ailleurs par Zola au XIXᵉ siècle. Achrise est étrange, ombrageuse, bizarre, jusqu'en son suicide.

Toute l'ambiance légendaire du thème a disparu d'autre part. C'est à peine si Phaedre se vante d'être du sang des dieux. Mais le fait est surtout flagrant pour Thésée. Il n'est plus le héros qui descend aux Enfers et qu'honore l'amitié d'Alcide, mais simplement un guerrier victorieux sur le point de se marier, agissant assez raisonnablement malgré l'humeur violente et cruelle que lui attribue Phaedre. Il craint que Phaedre n'ait appris son aventure avec Céphise, et cette peur ne manque pas de le rendre ridicule et même comique. Toutefois au dénouement il assume la responsabilité de la mort de son fils, et éprouve du remords pour celle de Phaedre. Ici encore il faut remarquer le déplacement du centre de l'intérêt qui se portait naguère sur Hippolyte. Désormais c'est vers Phaedre et si on hésite à dire qu'elle est le premier personnage tragique, on peut voir un équilibre, comme le suggère M. Newton entre le destin de Phaedre et celui d'Hippolyte. Racine au contraire nous ramènera à Phèdre. Quoi qu'il en soit la pièce de Gilbert marque une date importante dans le thème de Phèdre et Hippolyte : elle annonce la Phèdre de cour, telle que nous la montreront Bidar et Pradon, et laisse présager la Phèdre de Racine, par la jalousie que sent l'héroïne pour Céphise. Ainsi partis de Sénèque, et s'en tenant d'abord presque exclusivement à lui, nos auteurs dramatiques, après Garnier et La Pinelière, rajeunissent le thème légendaire par les apports contemporains et par la légende de Fauste et de Crispe, avant que Racine ravive la source première et retourne en partie à Euripide.

Chapitre 7

LA TRAGÉDIE ÉDULCORÉE

L'*Hippolyte* **de Bidar**
et la *Phèdre et Hippolyte* **de Pradon**

Nous avons constaté que la légende de Phèdre et Hippolyte passée des littératures grecque et latine dans la littérature française a subi à partir de Gilbert des modifications profondes. Seront-elles maintenues par les auteurs contemporains de Racine que tentera le même sujet ? C'est la question à laquelle nous essayerons de répondre en étudiant l'*Hippolyte* de Bidar et surtout la *Phèdre et Hippolyte* de Pradon.

Mathieu Bidar né en 1649, mort en 1727, est un conseiller du roi au bailliage de Lille. C'est deux ans avant Racine qu'il donne en 1675 sa tragédie d'*Hippolyte*, la seule qu'il ait composée en cultivant par ailleurs la philosophie, la musique et la poésie. Il n'existe que trois exemplaires de sa pièce. Le frontispice nous apprend qu'elle fut représentée à Lille par les « Comédiens de Son Altesse Sérénissime, Monseigneur le Prince », peut-être la troupe du prince d'Orange. Tout comme Gilbert, Bidar délaisse la conception de la légende antique : au premier acte, Phèdre fiancée simplement à Thésée, confesse à Barsine sa confidente l'amour qu'elle ressent pour Hippolyte ; elle diffère son mariage avec Thésée, sous prétexte qu'elle lèse les intérêts de sa sœur Ariane ; par contre

elle se résout à avouer son amour à Hippolyte. Cet aveu
occupe le second acte. Mais Hippolyte amoureux et
aimé de la princesse Cyane repousse ses avances et lui
conseille la fidélité à Thésée. Hippolyte ensuite ne trouve
rien de mieux que d'apprendre à Thésée que Phèdre ne
l'aime plus, et Thésée le charge d'intervenir en sa faveur
auprès de sa fiancée. Au 3ᵉ acte, Phèdre qui a pres-
senti que Cyane est aimée d'Hippolyte, écrit un billet
destiné par ses mensonges à brouiller les deux amants.
Elle donne le billet à Cyane qui croit Hippolyte infidèle
et l'accuse d'emblée sans lui donner le temps de se justifier. Phèdre se montrant à nouveau incite Hippolyte à fuir
avec elle. Celui-ci devine ses machinations, l'oblige à les
avouer et s'en va plein de fureur. Phèdre alors décide de
se venger. Au 4ᵉ acte Barsine tente encore vainement
de ramener le jeune prince à Phèdre. La princesse hors
d'elle l'accuse devant le roi d'avoir voulu la séduire et
d'avoir cherché à attenter à la vie de Thésée. Cyane,
trompée par le billet mensonger, ajoute ses plaintes à
la calomnie, de sorte qu'Hippolyte ne trouve rien pour
se défendre. Sans doute, resté seul avec Cyane, et avant
son départ, lui explique-t-il tout en lui demandant d'établir son innocence. Cyane le fait bien au cinquième acte,
mais il est trop tard, car Thésée a appelé la vengeance
divine sur son fils. Bientôt Arbate, confident d'Hippolyte,
vient faire le récit de la mort d'Hippolyte emporté tragiquement. Phèdre confesse enfin qu'elle est coupable,
s'empoisonne, puis quitte la scène où elle ne peut décem-
ment mourir. On apprend aussi sa mort, suivie de près
par celle de Cyane, qui s'est transpercée d'une épée ;
quant à Thésée, il meurt dans les bras d'Arbate, sous le
coup de la douleur et du remords.

Winifred Newton (1) a le premier constaté que si l'on

_____

(1) Ce chapitre, comme le précédent, lui doit beaucoup.

supprime l'épisode d'Hippolyte et de Cyane, la distribution de la matière tragique dans l'œuvre de Bidar est déjà celle de Racine : au premier acte l'aveu de Phèdre à sa confidente ; au deuxième, son aveu à Hippolyte lui-même ; au troisième, sa décision de se venger d'Hippolyte ; au quatrième l'accusation contre Hippolyte ; au cinquième sa mort, la reconnaissance de son innocence et la mort de Phèdre.

Bidar, comme Gilbert dont il accepte les données essentielles, a abandonné l'idée de l'amour incestueux pour ne garder que la jalousie comme ressort de l'action. En effet l'attitude du public envers les sujets scabreux n'a pas changé depuis trente ans. La meilleure preuve en est fournie par les pièces dont le sujet est analogue à celui de Phèdre. Ainsi le sujet de Stratonice et Antiochus fournit en 1657 à Du Fayot une nouvelle Stratonice où Stratonice est représentée comme la femme de Séleucus, mais Quinault reprenant le thème en 1660 fait de Stratonice la fiancée de Séleucus qui ne l'aime pas. Thomas Corneille dans sa tragi-comédie d'*Antiochus* suit en 1666 le même exemple. Quinault encore en 1671 opère la même modification dans sa tragédie de *Bellérophon* où Sténobée jusque-là femme de Proetus n'y paraît plus que comme sa fiancée.

Par ailleurs quelles sources a pu utiliser Bidar ? Il semble ignorer Euripide, peut être connaît-il Sénèque, mais à coup sûr il a lu Gilbert dont il accepte les données : Phèdre n'est que la fiancée de Thésée et leur mariage doit se célébrer le jour même. Mais il diffère de son modèle sur deux points essentiels : Thésée n'est plus absent et Phèdre ne l'accuse plus d'immoralité, ce qui rehausse le roi à nos yeux, mais le réduit aussi au rang de soupirant de Phèdre.

Comme chez Garnier, La Pinelière et Gilbert la scène se passe à Athènes. La tragédie débute par un dialogue entre Phèdre et Barsine, comme chez La Pinelière et Gilbert. La scène II où Thésée vient voir Phèdre, qui désire différer leur mariage, est certainement inspirée de Gilbert. Celle d'Hippolyte et Cyane au commencement du 2e acte est inventée par Bidar, mais la crainte mortelle obsédant le héros pourrait bien provenir de Garnier et de son monologue d'Hippolyte, au 1er acte de sa tragédie. En revanche les entrevues de Phèdre et Hippolyte sont probablement inspirées de Gilbert. Mais l'héroïne de Bidar accomplit deux démarches auprès de celui qu'elle aime. La Phèdre de Gilbert ne confesse pas directement son amour, elle propose à Hippolyte de fuir avec elle pour régner sur la Crète. La Phèdre de Bidar avoue dès la première entrevue et propose la fuite à la seconde. Bidar en un sens est plus près de la conception antique, il reprend, sans le savoir, cette idée de Sénèque selon qui Phèdre semble aimer Hippolyte en raison de sa ressemblance avec Thésée ; même à partir du 4e acte il suit de près l'action antique : Phèdre en personne porte l'accusation contre Hippolyte et proclame ensuite à la fin l'innocence du héros. Nul doute d'autre part que Bidar n'ait fait des emprunts à des pièces analogues aux siennes, comme le *Bellérophon* de Quinault. Sténobée, fiancée de Proetus, est amoureuse de son ami Bellérophon, qui aime lui Philanoé, sœur cadette de Sténobée. Sténobée, avertie de l'amour de Bellérophon pour Philanoé, calomnie celui qu'elle aime auprès de son fiancé et de sa sœur. Elle fait arrêter Bellérophon, qui sortant de la ville avec ses gardes rencontre un monstre ravageant le pays. Il l'attaque. On apprend la nouvelle de sa mort, et Sténobée s'accuse et se tue. La nouvelle, il est vrai, était fausse, et Bellérophon vainqueur revient à Philanoé. L'idée de la jalousie de l'héroïne qui n'est pas nouvelle et qui a été utilisée par Tristan vient peut-être aussi de Quinault. Sa tragédie de *Bellérophon* est fondée en effet

sur la jalousie de Sténobée à l'égard de sa sœur Philanoé.
L'épisode des deux rivales présentes au récit de la catastrophe qui provoque la mort d'Hippolyte paraît bien provenir de la pièce de Quinault où Tiurante fait le récit
du combat devant Sténobée et Philanoé. L'attitude et la
mort de Phèdre semblent calquées sur l'attitude et la mort
de Sténobée. L'épisode d'Hippolyte et de Cyane pose un
autre problème. Nous connaissons déjà Hippolyte ou Crispe
amoureux. Cyane elle-même a de nombreux modèles
dans le théâtre antérieur : Constance dans la tragédie
de Tristan ; Philanoé dans celle de Quinault ; Atalide
dans le Bajazet de Racine. Le personnage même et son
état civil ont été sans doute fournis par l'Ariane de Thomas Corneille. Cyane princesse de Naxe est la même que
celle de l'Ariane, dont la scène se passe à Naxe et Cyane
est nommée parmi les princesses susceptibles d'être le
nouvel amour de Thésée. Il y a d'ailleurs dans l'œuvre
de Bidar de nombreuses allusions à Ariane. On a remarqué qu'une autre ressemblance ou plutôt un autre point
de contact entre les deux œuvres est l'offre faite par
Thésée à Cyane (V, 1) du mariage avec Pirithoüs ; Ariane
(II, 4) cherchait aussi à marier Phèdre avec ce dernier.

A côté des sources livresques, viennent s'inscrire des
influences plus vivantes : celle de la vie sociale contemporaine. L'atmosphère de cour y règne, accentuée encore
par l'absence de toute allusion mythologique ou légendaire.

Si des sources nous passons aux caractères, nous
devons reconnaître la place primordiale donnée à Phèdre ;
même absente de la scène, elle est présente dans la pensée des autres personnages. Elle ne justifie pas ici son
amour par l'infidélité de Thésée. Si elle éprouve du
remords d'avoir trahi son père, sa sœur, et enfin Thésée,
les moyens qu'elle emploie pour détacher Hippolyte de
Cyane et le ramener à elle, suppriment notre sympathie

envers elle. Son discours de l'acte I, scène 3, nous apprend que Cyane ne peut assez souffrir, puisqu'elle empêche Hippolyte de l'aimer elle-même ! Elle avoue son amour à Hippolyte sans honte et sans détour : « Hé bien, c'est vous que j'aime ! » Après avoir été refusée par le héros pour la seconde fois, elle est transportée de colère. Mais elle reconnaît à la scène I du 4e acte :

> Dieux ! si je n'avais pas ma flamme descouverte
> Je n'aurais jamais pu consentir à sa perte. (1)

Elle avoue après la catastrophe que « pour l'avoir trop aimé, elle luy cause sa mort ». Au début de la tragédie c'est en elle-même qu'elle semble trouver la raison de ses malheurs, pour avoir trahi sa sœur. Mais à la fin c'est au destin qu'elle reproche son infortune et elle meurt par remords d'avoir causé la mort d'Hippolyte. Phèdre passionnée, intrigante, perfide et cruelle n'a pas la conscience en repos, et elle en souffre.

Hippolyte est plus conventionnel. C'est le héros du grand siècle, avec de grands airs et des mœurs polies. Il n'est ni important ni intéressant, pas plus d'ailleurs que Cyane. En revanche Thésée a subi, grâce à Bidar, de curieux changements. Ce n'est plus un demi-dieu, mais un soupirant de Phèdre, dont il se montre très amoureux et dont il a peur d'être haï. Il craint à chaque instant de perdre celle qu'il aime, et ce n'est pas sans ridicule qu'il charge à la scène 5 du 2e acte Hippolyte d'intercéder auprès d'elle en sa faveur. Il est vrai que le Thésée antique au moment de l'accusation contre Hippolyte va revivre un moment. Il exile son fils et prie « ces dieux vengeurs des crimes, Qu'ils punissent l'ingrat des feux illégitimes ». Son erreur reconnue et après la mort de Phèdre,

---

(1) Cité par W. NEWTON.

il a des propos de la dernière banalité et sa mort à la fin de la tragédie n'est guère justifiable. Remarquons aussi que le personnage de la nourrice a complètement disparu. Il est remplacé par Barsine, confidente très conventionnelle. En dernier lieu si nous considérons la structure de la tragédie, il faut reconnaître que les scènes sont bien liées et l'intrigue assez habilement conduite. Mais il manque à l'œuvre, plate et froide, le souffle de la vraie passion. Le seul mérite de Bidar, c'est d'être revenu en imitant Gilbert, et peut-être à travers Garnier et La Pinelière, à certains traits de la source originale. Nous sommes encore loin de Racine, malgré les deux ans qui séparent les deux pièces. Mais les quelques semaines qui se placent entre notre chef-d'œuvre et la *Phèdre et Hippolyte* de Pradon accentuent encore l'éloignement.

Nous ne reviendrons pas ici sur le personnage de Jacques Pradon (que nous avons eu l'occasion de présenter) ni sur les circonstances qui ont entouré la composition et la représentation de sa pièce. Nous les avons vues plus haut. Mais nous rappellerons que Pradon a fait sa tragédie sur les données de Gilbert et de Bidar.

Hippolyte au premier acte veut abandonner Trézène pour éviter Phèdre, il annonce son départ à Aricie et lui déclare qu'il l'aime. Phèdre de son côté avoue à sa confidente Aricie son amour pour Hippolyte, le fils de son fiancé Thésée. Le deuxième acte nous montre Aricie suppliant Hippolyte de partir, et Phèdre le priant de rester. Il est vrai que celle-ci fuit pour fuir la présence de Thésée, dont on annonce le retour. Celui-ci revenu fait le récit de ses exploits. Au troisième acte Phèdre diffère son mariage avec le roi, et apprenant l'amour réciproque d'Hippolyte et d'Aricie, menace la vie de sa confidente. Thésée, sans qu'il y ait eu dénonciation calomnieuse, soupçonne son fils, qui a refusé la main d'Aricie, d'être amoureux de Phèdre, et au quatrième acte se

résout à le bannir. Phèdre sur ces entrefaites a emprisonné Aricie ; Hippolyte vient plaider pour celle-ci et
se fait surprendre par Thésée aux genoux de sa fiancée
Phèdre. Il bannit alors son fils et demande à Neptune
d'accomplir son vœu. Aricie au début du 5e acte, libérée
par Phèdre, révèle la réalité à Thésée, qui veut par des
ordres rappeler son fils, mais il est trop tard. Voici qu'on
donne la nouvelle de la mort du héros et aussi de celle
de Phèdre qui, après l'avoir suivi hors de la cité, s'est
tuée sur son cadavre. Telle est la *Phèdre et Hippolyte* de
Pradon.

Les sources antiques semblent avoir été utilisées à
travers les poètes français ayant traité le même sujet.
Racine est le fournisseur de Pradon. Le lieu de la scène,
Trézène, est un point de contact avec Euripide, mais
surtout avec Racine. Les deux tragédies commencent en
effet par une scène entre Hippolyte et son confident, où
l'on rappelle l'absence mystérieuse de Thésée et où le
jeune héros parle de partir à la conquête de la gloire.
C'est cette décision d'Hippolyte qui l'amène, chez Racine
comme chez Pradon, à déclarer son amour à Aricie. Dans
la scène qui suit, Phèdre apprend à Aricie son amour
pour Hippolyte, comme Phèdre l'apprend à Oenone dans
la scène correspondante de Racine. Pour Pradon comme
pour Racine, le départ projeté d'Hippolyte sert d'excuse
à Phèdre pour chercher une entrevue avec celui qu'elle
aime. Bientôt après on nous informe du retour de Thésée.
Chez Racine c'est Théramène qui dit déjà à Hippolyte
que Thésée a été vu en Epire. La fuite de Phèdre à la
venue de Thésée est vraisemblablement une imitation de
Racine, à moins que Gilbert n'ait inspiré le même mouvement. La Phèdre de Pradon demande par deux fois à
Thésée d'être indulgent pour son fils. Nous retrouvons la
même démarche chez Gilbert et chez Racine. Chez Pradon, Aricie apprend elle-même à Thésée l'amour qu'Hip-

polyte éprouve pour elle et la culpabilité de Phèdre.
Dans Racine, c'est Aricie qui affirme l'innocence du héros,
et fait souçonner la vérité à Thésée.

Le personnage d'Aricie lui-même est dû à Racine, malgré l'affirmation de Pradon dans sa *Préface* qui cite pour
se justifier de l'avoir introduit les tableaux de Philostrate,
mais il s'est servi aussi d'autres tragédies de Racine. La
situation d'Aricie, confidente de Phèdre et amante d'Hippolyte, ne rappelle-t-elle pas celle d'Atalide dans *Bajazet* ?
La scène 6 de l'acte III de *Bajazet* où Roxane commence
à deviner l'amour réciproque de Bajazet et d'Atalide n'est
peut-être pas étrangère à la scène I du 3e acte de Pradon, où Aricie se laisse surprendre par Phèdre. La ruse
de Phèdre (III, 4) pour apprendre les sentiments réels
d'Hippolyte rappelle celle de *Mithridate* (III, 5) pour surprendre les sentiments de Monime. Mais les emprunts
aux prédécesseurs de Racine ne sont pas moins nombreux.
A Gilbert, il doit avec la donnée de la pièce ce sentiment
d'Hippolyte qui se croit menacé d'une catastrophe. L'hé-
sitation du héros à partir n'est pas sans analogie avec
ce qu'on trouve dans la tragédie de Grenaille, quand
Fauste empêche le départ de Crispe, ou dans l'œuvre
de Quinault, lorsque Bellérophon hésite à quitter Philanoé. Au deuxième acte Phèdre chez Pradon espère
qu'Hippolyte ressent pour elle des sentiments récipro-
ques ; n'est-ce pas le même espoir qui berce Sténobée,
l'héroïne de Quinault ? La scène où Thésée fait le récit
de ses exploits et invite Hippolyte à l'imiter vient en
partie de Gilbert ; de même l'infidélité de Thésée qu'allègue Phèdre, et le désir de l'héroïne de retarder son mariage ont leur pendant chez Gilbert et chez Quinault
dont Sténobée avait aussi cherché à retarder son mariage. L'idée de Thésée de marier son fils à Aricie et de
célébrer un double hyménée provient peut-être de Bidar.
Le refus de la main d'Aricie par Hippolyte est copié sur

le refus par Bellérophon de la main de Philanoé. Hippolyte qui prie Phèdre de garder son amour pour Thésée, ne fait qu'imiter l'Hippolyte de Bidar. Enfin, Garnier, La Pinelière, Gilbert et Bidar se réunissent au 5e acte pour fournir les traits saillants du récit de la catastrophe.

En d'autres termes la tragédie de Pradon rassemble de nombreux éléments tirés de ses prédécesseurs ou de ses contemporains. Comme dans toutes les tragédies épurées la jalousie sert de ressort à l'action. Mais s'il faut établir les différences essentielles qui existent entre l'œuvre de Pradon et celle de ses prédécesseurs, il y a lieu de constater qu'elles sont dues à la nouvelle situation du personnage d'Aricie. Etant l'amante d'Hippolyte, a-t-on remarqué, Aricie en tant que confidente de Phèdre, ne peut être chargée de la calomnie contre Hippolyte, et Pradon n'a pas voulu attribuer la calomnie à Phèdre elle-même, déjà héroïne suffisamment odieuse. Pour parvenir à ses fins, dans la situation par lui créée au dénouement antique, Pradon a dû peindre un Thésée très soupçonneux, qui peut se passer d'un calomniateur. Mais comment expliquer ce trait de caractère inconnu à la légende antique et à la tradition française ? C'est bien simple. Thésée en rentrant de sa guerre contre Pallas a entendu un oracle à Délos. Cet oracle (III, 2) prédisait au roi qu'une personne qui lui était chère lui prendrait celle qu'il aimait. De là à se créer un état d'esprit disposé aux intrigues, propice aux sous-entendus de Phèdre il n'y a qu'un pas. Thésée donc est persuadé dès la scène 2 du troisième acte qu'Hippolyte est amoureux de Phèdre. Le fait que celui-ci refuse la main d'Aricie et soit trouvé à genoux devant Phèdre à l'acte IV, scène 4, en réalité pour plaider la cause de son père, ne font que confirmer les craintes de Thésée qui invoque les dieux dans la sixième scène du 4e acte. Le délai entre les premiers soupçons de Thésée et la réalisation de sa vengeance peuvent ridiculiser son personnage.

Par ailleurs le personnage de Phèdre n'est pas moins singulier. Imitant pour ainsi dire Roxane, Phèdre explique à Aricie, à la scène 3 du 1er acte, qu'elle prépare un coup d'état pour s'emparer du trône de sorte que s'il veut régner, Hippolyte doit l'épouser. Elle n'accuse pas expressément Hippolyte. Car elle se venge du dédain de celui-ci, en enfermant Aricie et en menaçant la vie de la jeune princesse. Phèdre, à vrai dire, n'a pas perdu l'espoir de fléchir le cœur d'Hippolyte et c'est en le tourmentant qu'elle compte parvenir à ses fins. Hippolyte part-il pour l'exil, elle le suit et, après la catastrophe, elle se tue sur son cadavre. Mais elle n'avoue nulle part sa culpabilité et n'affirme jamais elle-même que le héros est innocent. Pradon a voulu sans doute peindre ainsi une héroïne vouée à la passion, mais le résultat obtenu est tout différent : nous avons sous les yeux une femme intrigante et dévergondée.

Hippolyte et Aricie ne valent guère mieux. Ils sont typiquement conventionnels. La mort du prince est le sujet de la tragédie, mais que de traits ridicules pour y parvenir. Résolu à partir dès le commencement de la tragédie, il se laisse facilement retenir. Deux ou trois fois il déclare à Phèdre qu'il regrette de ne pouvoir lui rendre ses sentiments, et pour finir il se met à genoux, dans la posture de l'amoureux pour plaider la cause de son père. Il refuse la main d'Aricie qu'il aime, sans raison valable, et il s'en va à la scène V du 4e acte après avoir comiquement déclaré à Thésée :

> Mon silence, seigneur, et ma stupidité
> Ne sont point un effet de ma timidité.
> Je vous quitte, et dans peu vous pourrez me connoître.

Tel fils, tel père. Thésée, nous l'avons dit, ne manque pas non plus de comique. Sa colère ne reçoit aucune justification et la violence de la catastrophe est disproportionnée par rapport aux intrigues qui l'ont précédée. Il ne trouve que les propos les plus banaux quand on lui annonce la mort de son fils. Notons toutefois que comme Hippolyte il se croit l'objet de la colère des dieux.

Pradon a donc ici du rôle des dieux une conception nouvelle, ou plutôt conforme à la tradition antique. Il ne va pas pour cela plus loin. Le surnaturel ne trouve guère de place dans sa tragédie, si l'on met à part l'intervention de Neptune, et il ne nous ramène jamais à la mythologie, même par allusion. En réalité la tragédie de Pradon n'a pas la valeur que les adversaires de Racine ont essayé de lui donner. Troisième et dernière étape au XVIIe siècle de la tragédie épurée, elle nous montre ce que peut devenir un thème traditionnel entre les mains d'un auteur pitoyable et sans intelligence, qui cherche à plaire à un petit nombre d'auditeurs. Aussi avec M. Newton j'appliquerai volontiers à la *Phèdre et Hippolyte* de Pradon ce jugement de M. Gros sur la Stratonice de Quinault : « Certains détails sembleraient prouver, en effet, qu'... il avait un souvenir très net des œuvres de ses prédécesseurs. Il s'est, sans aucun doute, inspiré d'eux ; il a suivi la voie qu'ils avaient ouverte ; il s'est de plus en plus, avec eux, éloigné des textes anciens ».

Nous avons donc circonscrit la légende de Phèdre et Hippolyte dans la littérature française, après l'avoir connue dans les œuvres d'Euripide et de Sénèque. Mais il suffit de comparer la tragédie de Garnier avec celle de Gilbert, de Bidar et de Pradon, pour constater combien les idéals littéraires ont évolué de 1573 à 1678, ou même simplement entre 1573 et 1646. Les trente ans qui séparent les œuvres de Bidar et de Gilbert ont peu changé les goûts littéraires mais ont donné une certaine correction à la technique de la tragédie. Peut-on croire que la tragédie de Racine qui représente le point culminant du

XVIIᵉ siècle français n'a pas subi les influences des pièces qui l'ont précédée ? Et pourtant depuis Gilbert, quelles différences dans le thème transmis par l'antiquité et repris par la Renaissance ! Quelles modifications radicales ! Le sujet en devient méconnaissable : de l'atmosphère morale et mythologique de Sénèque et d'Euripide, nous sommes passés à la vie de cour aux sentiments plus ou moins édulcorés. Les données tragiques modifiées bouleversent aussi la conduite de l'action. L'amour incestueux est banni de la scène et la jalousie, si nous exceptons l'œuvre de Gilbert, devient la passion directrice des événements tragiques. Le point de départ est donc nouveau, et c'est en partant de là qu'on veut aboutir au dénouement traditionnel. Pour ce faire les dramaturges doivent surmonter les embarras de composition dramatique en chargeant l'action d'épisodes et d'intrigues compliquées. D'où la faiblesse de construction qui résulte pour chacune de ces tragédies. Désormais Phèdre est bien le personnage principal, celui qu'avait voulu faire régner la tragédie de Sénèque, mais la nourrice disparaît et fait place à des confidentes. L'introduction des bienséances fausse la tradition du mythe.

Que va faire Racine devant ce double héritage, celui de l'antiquité et de la Renaissance et celui du XVIIᵉ siècle ? Va-t-il donner une Phèdre expurgée, recherchera-t-il l'atmosphère de son temps, fera-t-il parler et vivre ses personnages comme des courtisans, ou au contraire ira-t-il par delà Bidar, Gilbert, La Pinelière, Garnier s'abreuver aux sources véritables, au pur hellénisme d'Euripide, à la vigueur sentencieuse et philosophique de Sénèque ? Et il a choisi. Il a opté pour l'antiquité, pour la tradition légendaire et mythologique contre la tradition moderne. Il a fait revivre les créations du théâtre grec et latin. Mais va-t-il pour cela négliger entièrement ses devanciers français ? N'y avait-il rien à prendre chez eux, en vertu du principe de l'imitation originale ? Ce serait mal connaître Racine que de le supposer et nous verrons la prochaine fois que notre poète faisant appel à l'*Hippolyte porte-couronne* d'Euripide et à la *Phaedra* de Sénèque n'est pas resté sourd à certaines suggestions de Gilbert et de Bidar, de Grenaille et de Tristan, et même peut-être de Garnier et de La Pinelière pour ne citer que ceux-là. Il ne fera pas fi non plus de l'atmosphère de son propre temps. Il est vrai que ce n'est pas la cour surtout qui l'intéresse, mais d'autres problèmes plus profonds, d'autres milieux qu'il a connus pour y avoir vécu. Au fond l'originalité de Racine sera dans l'organisation des éléments empruntés à la légende antique et française de Phèdre et Hippolyte. Son génie leur prête un sens nouveau, une portée inédite, et grâce à l'inspiration qui l'habite et qui ne l'abandonne pas d'un bout à l'autre de son poème, il aura la gloire de fixer pour toujours la forme de la légende de la reine incestueuse et du prince calomnié au point que l'idée que nous nous faisons de leur destinée tragique sera désormais inaltérable, et Phèdre et Hippolyte existeront non pas pour avoir été à l'origine une forme du culte trézénien et du rêve hellénique, mais pour avoir hanté la sensibilité et l'imagination d'un poète unique qui les a faits enfants de sa propre chair et de sa poésie par toute la pensée douloureuse, par toute la méditation humaine et toute l'aspiration divine qu'il y a mises. Nous dirons avec le philosophe : la matière n'est pas nouvelle, mais la disposition de la matière est nouvelle, mieux, l'esprit qui l'aime et qui poursuit une tradition plus que millénaire, l'atteint, la recrée et la dépasse dans un élan authentiquement original.

Chapitre 8

LES SOURCES DE PHÈDRE
ET L'UTILISATION DES SOURCES

De toutes les tragédies que nous avons étudiées, la *Phèdre* de Racine ne précéda que celle de Pradon. Donc toutes, de l'*Hippolyte* d'Euripide à celui de Bidar, sont susceptibles de lui avoir servi, et l'on sait que les adversaires du poète ne se sont pas fait faute d'utiliser l'argument. Mais il est un fait incontestable, c'est le retour aux modèles antiques quelque peu délaissés par ses devanciers. L'auteur lui-même nous convie à les désigner comme les premières sources de la tragédie, si nous en croyons la préface. On sait que Bernardin dans son édition des œuvres du poète suggère qu'un passage des *Amours de Théagène et Chariclée*, le roman grec qui fut la lecture préférée de Racine adolescent, a pu fournir la première idée du poème. Mais il est plus exact d'affirmer avec Thierry Maulnier que « la légende grecque abordée avec la *Thébaïde*, reprise avec *Andromaque*, puis avec *Iphigénie*, donna aussi le meilleur de *Phèdre*. » Or par quel auteur Racine a-t-il pu la connaître, sinon par Euripide lui-même, qui lui a enseigné le sujet d'Iphigénie ? « Voici encore une tragédie dont le sujet est pris d'Euripide ». L'affirmation de la préface est formelle. « Quoi que j'aie suivi, continue-t-il, une route un peu différente de celle de cet auteur pour la conduite de l'action, je n'ai pas laissé d'enrichir ma

pièce de tout ce qui m'a paru plus éclatant dans la
sienne. » Selon lui sa dette la plus importante envers le
tragique grec est le caractère même de Phèdre, qui n'est
ni tout à fait coupable, ni tout à fait innocente : « Quand
je ne lui devrais que la seule idée du caractère de Phèdre, je pourrais dire que je lui dois ce que j'ai peut-être
mis de plus raisonnable sur le théâtre... Elle est engagée,
par sa destinée et par la colère des dieux, dans une
passion illégitime, dont elle a horreur toute la première.
Elle fait tous ses efforts pour la surmonter ».

Outre le caractère de Phèdre et le thème général
Racine doit à Euripide deux scènes : la scène deux du
premier acte où Oenone arrache à l'héroïne le secret du
mal qui la consume, et la scène deux du quatrième acte
entre Hippolyte et Thésée après l'accusation portée contre le jeune prince.

La part de Sénèque dans l'élaboration de *Phèdre*
n'en est pas moins certaine. D'abord l'idée de faire de
l'héroïne le personnage principal vient de lui. Sénèque
avait déjà commencé de mettre Phèdre au premier plan,
voulant tirer de sa passion les effets de terreur et de
pitié. Racine s'autorise de son exemple pour faire passer
Hippolyte au second plan. Comme à Euripide il lui a
emprunté principalement deux scènes qui valent par leur
originalité dramatique. C'est en suivant Sénèque que
Racine met Phèdre en présence d'Hippolyte à la scène V
du 2e acte et place dans sa bouche l'aveu de son amour
pour le fils de Thésée. D'autre part Sénèque lui suggère
encore de faire revenir Phèdre sur le théâtre à la dernière scène du 5e acte, pour confesser son crime, avant
d'expirer, au malheureux Thésée. Le récit de la mort
d'Hippolyte vient au 5e acte à la fois d'Euripide et de
Sénèque, et par surcroît, de la XVe *Métamorphose* d'Ovide,
que nous avons eu l'occasion de mentionner.

Pour le personnage d'Aricie, Racine donne comme
source Virgile : « Cette Aricie n'est point un personnage
de mon invention. Virgile dit qu'Hippolyte l'épousa, et en
eut un fils, après qu'Esculape l'eut ressuscité. » Mais Virgile dans les vers 761-762 du livre VII de l'*Enéide* ne
parle pas du mariage d'Aricie avec Hippolyte. Il donne
simplement le nom du fils qui est Virbius. Il est vrai que
Racine ajoute : « J'ai lu encore dans quelques auteurs
qu'Hippolyte avait épousé et emmené en Italie une jeune
Athénienne de grande naissance, qui s'appelait Aricie,
et qui avait donné son nom à une petite ville d'Italie. »
A qui peut-il faire allusion ? Il y a bien Ovide qui parle
au livre III des *Fastes*, vers 263, de la forêt Aricine. Mais
il existe une meilleure référence. C'est celle d'une traduction publiée en 1615 des *Tableaux* de Philostrate qui
florissait au 1er et au 2e siècle après J.-C. Nous lisons en
effet dans cette version : « On estime que ce lieu fut ainsi
appelé d'une belle jeune demoiselle de la contrée d'Attique, nommée Aricie, de laquelle Hippolyte s'étant ena-
mouré, l'emmena en Italie, où il l'épousa. » Dans sa
préface de *Phèdre et Hippolyte*, Pradon précisément
déclare avoir tiré son épisode d'Aricie des *Tableaux* de
Philostrate.

Donc Racine complète les données d'Euripide et de
Sénèque en s'attachant à suivre la fable antique. Un autre
exemple typique de ce que j'avance est sa composition
du personnage de Thésée. Sa source essentielle, il l'indique encore nettement : « J'ai même suivi l'histoire de
Thésée, telle qu'elle est dans Plutarque. » Il considère le
récit de l'historien grec comme strictement propre au but
qu'il poursuit lui-même : « C'est dans cet historien que
j'ai trouvé que ce qui avait donné occasion de croire
que Thésée fût descendu aux Enfers pour enlever Proserpine était un voyage que ce prince avait fait en Epire
vers la source de l'Achéron, chez un roi dont Pirithoüs

voulait enlever la femme, et qui arrêta Thésée prisonnier, après avoir fait mourir Pirithoüs. » C'est le chapitre X
de la *Vie de Thésée* dans les *Vies Parallèles* auquel il se
réfère ici ; nous y lisons en effet après que Thésée se vit
attribuer par le sort la jeune Hélène de Lacédémone :
« Afin de rendre la pareille à Pirithoüs, selon qu'il avait
esté accordé entr'eux, il s'en alla quand et luy pour
ravir la fille d'Aedoneus Roy des molossiens, lequel avait
surnommé sa femme Proserpiné, sa fille Proserpine et son
chien Cerberus, contre lequel il faisait combattre ceux qui
venoient demander sa fille en mariage, promettans la
donner à celuy qui demeureroit vainqueur : mais estant
lors averty, que Pirithous estoit venu non pour requerir
sa fille en mariage, ains pour la ravir, il le fit arrester
prisonnier avec Theseus : et quant à Pirithous, il le fit
incontinent desfaire par son chien, et fit serrer Theseus
en estroite prison. » L'expression arrêter prisonnier semblerait indiquer que Racine, au lieu d'utiliser le texte
grec, s'est servi de la traduction d'Amyot que je viens
de vous donner.

Telles sont les sources antiques de la *Phèdre* de
Racine. Nous avons vu combien après 1645 ces sources
étaient en voie de disparition. Seuls avaient subsisté du
sujet traité par Euripide et par Sénèque les noms des
personnages et la manière dont Hippolyte trouve la mort.
Racine en reprenant les données premières presque dans
leur intégrité, en plein règne des bienséances, avec tout
le tragique et tout le terrible qui y étaient attachés, montrait une singulière audace. Aussi n'est-ce point sans raison qu'il se prémunit contre une accusation éventuelle
d'impudeur : « ce que je puis assurer, c'est que je n'ai
point fait de tragédie où la vertu soit plus mise en jour
que dans celle-ci. Les moindres fautes y sont sévèrement
punies. La seule pensée du crime y est regardée avec
autant d'horreur que le crime même. »

Pourtant il n'a pu se résoudre à garder les données les plus brutales de ses devanciers antiques. Lui aussi sacrifie aux bienséances, mais aux bienséances psychologiques plutôt que sociales. Il a donc adouci certains traits se rapportant à Phèdre et à Hippolyte. Pour la première, il y avait un moyen bien simple, c'était de la dispenser de calomnier elle-même le héros : « J'ai même pris soin de la rendre un peu moins odieuse qu'elle n'est dans les tragédies des anciens, où elle se résout d'elle-même à accuser Hippolyte. J'ai cru que la calomnie avait quelque chose de trop bas et de trop noir pour la mettre dans la bouche d'une princesse qui a d'ailleurs des sentiments si nobles et si vertueux. Cette bassesse m'a paru plus convenable à une nourrice, qui pouvait avoir des inclinations plus serviles, et qui néanmoins n'entreprend cette fausse accusation que pour sauver la vie et l'honneur de sa maîtresse. » Pour Hippolyte la rectification porte sur une question de forme qui avait son importance : « Hippolyte est accusé, dans Euripide et dans Sénèque, d'avoir en effet violé sa belle-mère : *vim corpus tulit*. Mais il n'est ici accusé que d'en avoir eu le dessein. J'ai voulu épargner à Thésée une confusion qui l'aurait pu rendre moins agréable aux spectateurs. »

L'originalité de Racine dans l'utilisation des sources antiques se borne-t-elle là ? Il y a mieux. On a déjà remarqué que la façon dont Racine conçoit son sujet est diamétralement opposée à celle d'Euripide, pour qui Phèdre était un instrument destiné à précipiter la tragédie d'Hippolyte. Or nous avons déjà pu constater que le plan de la tragédie de Bidar correspond à peu près à celui de Racine. Excepté le troisième, chacun des actes de la tragédie que nous étudions encadre une grande scène, et il se trouve que la scène correspondante se rencontre dans l'acte correspondant de l'*Hippolyte* de Bidar. Conclurons-nous à la coïncidence ou à l'emprunt ? Je vous laisse à choisir, mais je me hâte d'ajouter que l'inspiration de ces grandes scènes vient d'Euripide et de Sénèque, et qu'elle ne peut venir de Bidar qui n'en connaît point. Ainsi dans la conception générale de l'œuvre, il ne semble guère qu'on puisse parler d'imitation de modernes, de sources récentes ou contemporaines. En sera-t-il de même dans le détail, c'est ce qu'un examen minutieux de *Phèdre* permettra de préciser.

Lorsque Phèdre nous apparaît pour la première fois dans la troisième scène du premier acte, elle finit par se confier à Oenone. Elle se sent déjà coupable par intention avant l'aveu, mais après sa confidence à Oenone son sentiment de culpabilité s'accroît. Or chez qui trouvons-nous un trait analogue ? Dans la Fauste de Tristan ; celle-ci en effet dans la première scène du second acte croit qu'elle n'est pas criminelle, tant que ses pensées restent inconnues. Il est vrai que le second aveu de Phèdre, celui qu'elle fait à Hippolyte, est dû indirectement à Plutarque : « Le bruit de la mort de Thésée, fondé sur ce voyage fabuleux, donne lieu à Phèdre de faire une déclaration d'amour qui devient une des principales causes de son malheur, et qu'elle n'aurait jamais osé faire tant qu'elle aurait cru que son mari était vivant. » Cette absence de Thésée d'autre part a paru trop longue à Hippolyte. Le sort de son père l'inquiète, il trouve pesante sa propre inactivité et enfin il se décide lui-même à partir. Ces deux circonstances de la mort de Thésée et du départ d'Hippolyte rendent essentielle l'entrevue du héros avec Phèdre. Or dans le Crispe de Grenaille, à la scène sixième du premier acte et à la scène première du 2ᵉ acte, la même intention de départ est manifestée, mais alors que cet épisode n'a aucune suite dans la tragédie de Grenaille, ici au contraire il est essentiel. En marquant son intention de s'en aller, Hippolyte fournit non seulement une excuse à sa belle-mère,

mais encore trouve pour lui-même la raison d'une entrevue avec Aricie qu'il aime.

Cet amour d'Hippolyte pour Aricie nous amène à parler de la transformation essentielle que subit son personnage, et qui est due non aux anciens, mais évidemment
aux modernes, à Grenaille, à Tristan, à Bidar, entre autres. De là aussi l'introduction du personnage d'Aricie.
Racine est formel sur ce point : « Pour ce qui est du personnage d'Hippolyte, j'avais remarqué dans les anciens
qu'on reprochait à Euripide de l'avoir représenté comme un philosophe exempt de toute imperfection : ce qui
faisait que la mort de ce jeune prince causait beaucoup
plus d'indignation que de pitié. J'ai cru lui devoir donner quelque faiblesse qui le rendrait un peu coupable
envers son père, sans pourtant lui rien ôter de cette
grandeur d'âme avec laquelle il épargne l'honneur de
Phèdre et se laisse opprimer sans l'accuser. J'appelle faiblesse la passion qu'il ressent malgré lui pour Aricie,
qui est la fille et la sœur des ennemis mortels de son
père. »

Ainsi finit le premier acte où nous avons pu constater deux emprunts importants à des modernes. L'acte
deuxième contient à la scène II la déclaration d'Hippolyte
à Aricie, qui s'est révélée dans la scène première comme
la rivale de Phèdre en politique. Or cette déclaration
rappelle celle d'Hippolyte à Cyane dans la première
scène du deuxième acte de la tragédie de Bidar. Seulement si Hippolyte se déclare à Aricie presque au même
endroit qu'Hippolyte à Cyane, il faut noter la différence
entre les deux épisodes. Il n'est pas impossible d'ailleurs
que la scène 4ᵉ analogue entre Bellérophon et Philanoé,
au deuxième acte de la tragédie de Quinault, ait été
utilisée par Racine. Et nous avons naturellement ensuite
la fameuse scène de l'aveu de Phèdre à Hippolyte. Ce
qui y est caractéristique du point de vue des sources est

la nouvelle version de l'épisode de l'épée. On se rappelle que dans Sénèque, c'est Hippolyte qui la dégaine. Mais dans Racine c'est Phèdre. Cette heureuse rectification ne serait-elle pas due à la deuxième scène du 3ᵉ acte de Gilbert, qui fait également tirer par Phèdre l'épée du héros ?

Au commencement du troisième acte, Phèdre est impuissante à cacher l'espoir qui s'est glissé dans son cœur. Elle fait faire par Oenone une seconde démarche auprès d'Hippolyte, en lui prescrivant de faire « briller la couronne à ses yeux ». Il y a deux démarches de la part de Phèdre chez Sénèque : d'abord la nourrice tente de le fléchir, puis Phèdre vient lui avouer son amour. Le même mouvement et le même ordre de faits se retrouvent dans Garnier, La Pinelière, et même Gilbert. Or le premier changement dont cet épisode est l'objet a pour auteur Bidar. Sa Phèdre a deux entrevues avec Hippolyte, et nous apprenons, au début du quatrième acte qu'elle a, pendant l'entr'acte, envoyé sa confidente Barsine faire une dernière tentative pour le fléchir. La tragédie de Bidar a donc pu suggérer cette espèce d'inversion effectuée par Racine ; cependant, la Phèdre racinienne ne voit Hippolyte qu'une seule fois, et l'entrevue entre Oenone et Hippolyte n'aura jamais lieu, par suite de l'arrivée de Thésée.

Que dire, de la façon dont Phèdre fuit son époux quand il arrive, à la scène IV du 3ᵉ acte ? Ne rappelle-t-elle pas la fuite de la Phèdre de Gilbert devant Thésée, quand à la scène II du 4ᵉ acte, il l'interroge sur les raisons précises de son infortune. Bien mieux, Racine n'aurait-il pas pris aussi à Gilbert (acte III, scène II) cette idée que nous trouvons chez lui, à l'acte III, scène 5, vers 929-931 : avoir confié, pendant l'absence de Thésée, Phèdre à Hippolyte ? Il y a là encore un rapprochement troublant.

L'accusation contre Hippolyte, on s'en souvient, sera formulée par Oenone devant Thésée au cours de l'entr'acte. Dans la tragédie de Gilbert, les données sont différentes, puisqu'elle est faite sur la scène. Mais soulignons que c'est Achrise, confidente de Phèdre, qui y accuse Hippolyte. Ainsi Gilbert a suggéré peut-être, à Racine, le moyen d'éviter à son héroïne une action odieuse, en l'attribuant à un personnage de second plan. De même Racine ne suit ni Garnier, ni la Pinelière qui prétendent, comme Sénèque, qu'Hippolyte est accusé d'avoir violenté sa belle-mère. C'est François de Grenaille qui lui a montré le chemin dans sa *Mort de Crispe* de 1639, lorsqu'il fait accuser Crispe d'avoir cherché à séduire sa belle-mère. Son exemple sera imité par Gilbert, Bidar et Racine.

Nous en arrivons à la scène entre Thésée et son fils, où le père attaque et où le fils essaie de se disculper. Racine a fait encore ici un emprunt à Gilbert. Le chaste jeune prince garde le silence par délicatesse quand une parole de plus condamnerait Phèdre. Nous nous rappelons en effet qui si l'Hippolyte d'Euripide n'accuse pas Phèdre, c'est parce qu'il est lié par un serment. Au contraire l'Hippolyte de Gilbert formule ainsi sa règle de conduite, à la scène 3 du 4e acte :

> Suivons la bienséance, et non pas la colère,
> Souvenons-nous que Phèdre est femme de mon père,
> Cachons sa passion, oui n'en descouvrons rien,
> Et sauvons notre honneur sans lui ravir le sien.

Phèdre, entendant les éclats de la colère de Thésée contre Hippolyte, subit un choc moral. Elle éprouve du remords, et par un revirement bien amené, Racine, à la scène 4 du 4e acte, la fait intercéder en faveur du fils auprès du père. De même Grenaille fait accomplir une démarche semblable par Fauste auprès de Constantin ; il est vrai que cette démarche est hypocrite, puisqu'elle ne vise à rien moins qu'à aigrir l'empereur contre son fils. Mais Gilbert reprend la même idée, et c'est avec un cœur sincère que sa Phèdre va plaider devant Thésée la cause du jeune héros. C'est à lui, sans doute, que Racine doit cet épisode.

Seulement comment va-t-il le rendre original ? Tout simplement en apprenant au même moment à Phèdre, et par Thésée lui-même, l'amour d'Hippolyte pour Aricie. C'est alors que joue le ressort de la jalousie. Mais l'idée de cette jalousie est-elle bien de Racine ? Nous avons appris, dans le *Bellérophon* de Quinault, la jalousie de Sténobée à l'égard de sa sœur Philanoé, comme celle de Phèdre pour Cyane dans la pièce de Bidar. Elle est même, dans ces deux œuvres, le ressort de l'action. Faut-il nous étonner après cela, que Racine n'ait pas voulu perdre cette trouvaille ? Son habileté cependant a consisté à présenter cette douleur comme le coup de grâce porté à Phèdre, déjà malade d'amour et de remords. Comme le remarque Winifred Newton, « au contraire de Tristan, de Quinault, de Bidar et de Pradon, Racine ne se sert point de la jalousie comme ressort dramatique ». A ce point de vue M. Gros et Miss Pellet ont fait erreur. Le coup de génie de Racine, c'est d'avoir dédaigné la banalité dramatique d'une jalousie ressort de l'action, d'avoir voulu, au contraire, d'une jalousie éclatant comme une grenade pour blesser à mort.

Et nous voici parvenus au cinquième acte. Il débute par la scène des adieux d'Hippolyte à Aricie, après la déclaration de son innocence et la culpabilité de Phèdre. Qui Racine suit-il ici, sinon Bidar, qui à la scène 5 du quatrième acte, nous présente une scène correspondante entre Hippolyte et Cyane. Par ailleurs, à l'instar de Cyane, à la première scène du 5e acte de Bidar, mais en taisant la vérité, comme le lui a demandé Hippolyte, Aricie affirme à Thésée, à la scène 3 du cinquième acte, que son fils est innocent. Thésée est troublé, demande des éclaircissements. Il veut voir Oenone juste au moment où l'on vient lui apprendre la mort volontaire de celle-ci. Or ni Euripide, ni Sénèque ne se sont intéressés au sort de la nourrice. C'est Garnier qui est le premier à le faire. Et Francesco Bozza, dans sa *Fedra* de 1578, avait indiqué de quelle façon la nourrice s'était donné la mort :

> Fermossi ella d'un alta in rupe cima
> E spinta da dolor, da fiera ambascia,
> Poi ch'ebbe fatto risonar d'intorno
> Tutta la valle di lamenti, e gridi,
> Che pietosa rendea le voci istesse,
> Sa stessa trasse al basso fondo ardita.

Voilà pourquoi peut-être Léonce, qui dans la tragédie de Tristan provoque la mort de Constance et de Crispe, se noie, mais le modèle de Racine, modèle qui s'inspire de ces devanciers, est sans doute Gilbert : n'est-ce pas Achrise qui, après avoir accusé Hippolyte, se noie également ? De même, Gilbert va suggérer un trait final à la scène finale. Avant d'apprendre la mort d'Hippolyte, avant de le réhabiliter, Phèdre absorbe un poison lent. En mourant, elle nomme Oenone à Thésée, comme sa complice dans le crime. Or la Phèdre de Gilbert désigne aussi, à la scène cinquième du cinquième acte, Achrise comme la coupable. Enfin le remords même, qui fait accomplir cette démarche ultime à Phèdre chez Racine, est une idée de Grenaille que Gilbert reprend et incorpore dans le thème de Phèdre et Hippolyte pour le transmettre à Bidar et à Racine.

Donc si Racine est redevable à Euripide et à Sénèque du cadre général et des grandes scènes de sa tragédie, il a emprunté des éléments sporadiques à ses devanciers français. Mais il ne se sert de ces éléments que pour motiver l'action et expliquer les changements psychologi-

ques qui peuvent intervenir dans les personnages. Il res-
terait à faire enfin de nombreux rapprochements de
texte entre celui de Racine et ceux de ses devanciers.
M. Newton l'a fait dans l'appendice de sa thèse, comme
Mesnard a fait certains rapprochements dans son édition
des grands écrivains. Je ne voudrais pas les rappeler tous,
puisqu'aussi bien, les ouvrages existent et que vous
pouvez vous y reporter, mais je rappellerai les principaux. Racine, à la scène première du 1er acte, fait dire
aux vers 124-126, à Théramène :

> Vous même, où seriez-vous, vous qui la combattez,
> Si toujours Antiope à ses lois opposée,
> D'une pudique ardeur n'eut brûlé pour Thésée ?

Ne reprend-il pas à son compte, les paroles de l'Achrise
de Gilbert, à la scène 3 du deuxième acte :

> Dites-moi, seriez-vous du nombre des vivants,
> Auriez-vous de lauriers la tête couronnée,
> Si la belle Antiope eût fuy l'hyménée ?
> Pouvez-vous l'honorer et ne l'imiter pas ?

Mais je songe aux vers 253 et 254 de la 3e scène du
premier acte de notre *Phèdre* :

> Ariane, ma sœur, de quel amour blessée
> Vous mourûtes aux bords où vous fûtes laissée !

Peut-être faut-il y voir un rappel des vers de Garnier, à
l'acte deuxième de son *Hippolyte* :

> Puis, ô pauvre Ariane, ô ma chétive sœur,
> Sur le bord naxéan, te laissa l'inhumain,
> Pour être dévorée ou pour mourir de faim.

ou encore :

> Qu'attendé-je, sinon que je soy massacrée
> Comme fut Antiope, ou qu'il me laisse au bord
> Où il laissa ma sœur pour y avoir la mort ?

Ce qui est curieux, c'est la réminiscence probable de deux vers de Rotrou. D'abord ce vers de *Laure persécutée*, à la scène II du 4ᵉ acte :

Tout mon sang dans mes veines se trouble

est devenu dans la réplique d'Oenone, vers 265 :

Tout mon sang dans mes veines se glace.

Le fait est d'autant plus frappant que Rotrou a dit encore, à la scène 4 du 2ᵉ acte de son *Antigone* :

Tout mon sang de frayeur en mes veines se glace.

Le vers 276, que prononce Phèdre, en évoquant le trouble physique qu'elle éprouve à la vue d'Hippolyte :

Je sentis tout mon corps et transir et brûler

est sans doute suggéré par la Fauste de Tristan, qui dit à la scène d'ouverture, en parlant de son amour :

Je m'en sens tour à tour et brûler et glacer.

Ce qui est plus troublant, c'est la curieuse coïncidence entre les vers 277-284 de Racine, et les vers de la *Fedra*, de Francesco Bozza Candiotta. Racine dit, en effet :

Je reconnus Vénus et ses feux redoutables...
Par des vœux assidus je crus les détourner ;
Je lui bâtis un temple et pris soin de l'orner ;
De victimes moi-même à toute heure entourée
Je cherchais dans leurs flancs ma raison égarée.
D'un incurable amour remèdes impuissants !
En vain sur les autels ma main brûlait l'encens.

Ecoutez à présent l'italien facile à comprendre, de Bozza :

Cereai, misera me, co molti mezi
Liberarmi da questa fiamma ardente
Che me struggeva... (me consumait, me détruisait)
(J'offris) Porsi vota ad Amor, lagrime, incensi,
Vittime, altari, e quanto è far si puote
(Afin que) Accio' tale da me foco spegnasse.   (éteignit)

Seulement, Racine ne lisait guère l'italien. Alors quelle solution adopter ? Je crois que nous pouvons la trouver au 4ᵉ livre de l'*Enéide*, dans les paroles de Didon (v. 60 et sqq.) :

> Aut ante ora deum pingues spatiatur ad aras
> Instauratque diem donis pecudumque reclusis
> Pectoribus inhians spirantia consulit exta
> Heu ! vatum ignarae mentes ! quid vota furentem,
> Quid delubra juvant ? Est molles flamma medullas
> Interea et tacitum vivit sub pectore vulpus.

Nous retrouvons encore Rotrou dans le discours de Phèdre, scène 5 du 2ᵉ acte, vers 623 :

> On ne voit point deux fois le rivage des morts.

Rotrou avait dit, dans l'*Heureux naufrage* :

> On ne repasse point le noir fleuve des morts.

Par ailleurs les vers 759-762 de Phèdre, à la première scène du 3ᵉ acte, semblent inspirés par la première scène de l'*Antiochus*, de Thomas Corneille, dont le sujet n'est pas si éloigné du nôtre. Racine écrit :

> Moi régner ! Moi ranger un Etat sous ma loi,
> Quand ma faible raison ne règne plus sur moi !
> Lorsque j'ai de mes sens abandonné l'empire !
> Quand sous un joug honteux à peine je respire !

Et Thomas Corneille avait dit :

> De quel front accepter les droits du diadème,
> Si je n'ai pas appris à régner sur moi-même ?
> Et par quelle âpre soif du vain titre de roi,
> Prendre un empire ailleurs que je n'ai pas sur moi ?

Même en traduisant Sénèque, Racine imite parfois ses devanciers français : ainsi les vers 789-791 de l'acte III, scène première :

> Oenone : Il a pour tout le sexe une haine fatale.
> Phèdre : Je ne me verrai point préférer de rivale.

rappellent de très près ces vers de la première scène du 3ᵉ acte de Gilbert :

Phaedre: Pour toutes, sa froideur, sa haine sont égales
Achrise: Tant mieux, vous n'aurez point à craindre de rivales.

Il n'est pas jusqu'à la préciosité du devancier qui ne passe parfois chez notre auteur. Quand Hippolyte dit, au vers 1374, à Aricie, dans la première scène du 5ᵉ acte :

Quand je suis tout de feu, d'où vous vient cette glace?

il ne fait que reprendre le cliché amoureux de Gilbert (acte V, scène 2) :

Soyez pour lui de feu, soyez pour moi de glace.

Le récit de Théramène, enfin, a permis des rapprochements curieux. Les analogies avec le récit de Tiurante et de Proetus, dans le *Bellérophon* de Quinault, ont été relevées par M. E. Gros et par M. Newton. Elles sont intéressantes autant que celles qui existent pour la fin du récit, entre Bidar et Racine.

Que conclure de tous ces rapports, sinon que Racine dans l'agencement de sa pièce, la composition de ses caractères et la facture de ses vers, n'a certainement perdu contact ni avec ses prédécesseurs antiques, ni avec ses devanciers modernes, et que si on ne peut établir de façon décisive qu'il a lu Garnier, Gilbert, La Pinelière et Bidar autant qu'Euripide et Sénèque, nous avons des présomptions et une quasi certitude grâce aux vers que nous venons d'analyser, qu'il a pris connaissance des œuvres de ses devanciers. Cependant Racine, on s'en doute, n'est pas un pur imitateur. Nous avons pu même dans l'étude des sources, reconnaître quelques trouvailles de son génie dramatique. C'est ce génie surtout que nous allons suivre en étudiant désormais la forme et la matière du drame, la structure, les caractères, les idées philosophiques, littéraires et morales qui font de *Phèdre* son œuvre la plus personnelle et peut-être la plus intime.

Chapitre 9

LA STRUCTURE DRAMATIQUE ET *PHÈDRE*
DANS LE SYSTÈME RACINIEN

L'on nous a toujours appris que la tragédie de Racine était chargée de peu de matière et que, dans un aménagement spacieux de ses cinq actes, l'auteur acheminait ses personnages vers le dénouement dans le déroulement régulier de l'intrigue. On cite comme modèle du genre *Bérénice*, tenant dans les trois mots de l'historien Tacite : « invitus invitam dimisit, il la renvoya malgré lui et malgré elle ». Or comment est bâtie notre tragédie de *Phèdre*, quelle est la matière dramatique qui y est répartie, quelle est son économie intérieure, quelle est sa place dans le système racinien, c'est ce que nous allons essayer d'étudier.

Si nous cherchons un centre au drame, nous le trouvons essentiellement autour de Thésée, et non autour de Phèdre, contrairement à ce qu'on pourrait croire. Je m'explique. Phèdre ne sera possible, telle que Racine la pose dans sa conception dramatique, que si son époux est d'abord absent. Cette absence provoque, au premier acte, la décision d'Hippolyte de partir à sa recherche. C'est parce qu'une servante apporte la nouvelle de la mort de Thésée que Phèdre, mourante, se laisse rattacher à la vie. Le premier acte est fondé sur cette disparition. Il en sera de même du second. Son père mort, qui est-ce qui empêche Hippolyte d'avertir Aricie qu'il veut la voir de lui offrir la royauté de l'Attique, et bientôt, de lui avouer son amour ? Mais de même, son époux ayant disparu, semble-t-il, définitivement, Phèdre peut laisser sa passion éclater et faire entendre l'aveu dans la scène pathétique de l'épée. Ainsi est exploité l'avers de la médaille : Thésée absent. A ce moment la tragédie risque de tourner court, de finir sur cette scène d'amour passionné et de mépris. Mais dès la fin du second acte, nous voyons le revers de la médaille : Thésée vivant. Du même coup la situation pathétique s'accroît : les personnages se sont enferrés dans leurs inclinations respectives ; ils ont pris déjà position, Hippolyte pour Aricie, Phèdre pour Hippolyte. Mais ils ne sont pas maîtres de leurs destinées. C'est Thésée, et il faut trois actes pour que Phèdre et Thésée résolvent le problème. Le troisième acte est celui du retour et de la délibération. Si Thésée n'est pas mort, Phèdre songe à son tour à mourir. Mais Oenone la fait vivre, c'est par elle que le drame continue, elle qui tient la balance entre les deux premiers actes et les deux derniers. Mais ceux-ci sont inévitablement plus lourds ; ils emportent la décision. Pour sauver l'honneur de Phèdre, Oenone accuse Hippolyte et Hippolyte est voué par son père à la vengeance divine. C'est la première phase du dénouement. Phèdre peut encore tout sauver, mais Thésée lui apprend l'amour d'Hippolyte pour Aricie et la jalousie la fait taire. Ce n'est plus maintenant de l'extérieur que l'action tirera sa raison d'être, le retour de Thésée cesse d'agir pour laisser la place au remords de Phèdre. Regardez-la déjà à la fin du 4e acte, chasser sa nourrice en la maudissant. Il ne lui reste plus au cinquième acte, qu'à s'empoisonner et à disparaître. Car, à mon sens, toute la première partie du dernier acte reste en dehors du véritable drame. Que nous importe au fond qu'Aricie reproche à Hippolyte de n'avoir pas tout révélé à Thésée, qu'abordée par Thésée, Aricie éveille ses inquiétudes, sans lui dire cependant la vérité ! Qu'importe le récit de Théramène ! Le véritable intérêt du drame réside dans la dernière scène, celle qui nous met en présence de Phèdre ayant suivi sa ligne logique, justifiant Hippolyte, avouant sa passion et succombant au remords comme au poison qu'elle a absorbé.

Or si l'action extérieure du drame est fondée sur l'absence et le retour de Thésée, il n'en est pas moins vrai que l'action psychologique se noue et se dénoue autour de Phèdre. En fait les événements de la pièce sont agencés de telle sorte qu'ils mettent en lumière tel ou tel trait de son caractère, provoquent un progrès, un développement de son âme. Dieux, hommes et événements ne sont là que pour la servir, lui conférer le plus haut degré d'intensité, la rendre soumise à l'interrogatoire du poète, tout en restant vivante et elle-même intensément. Comment connaissons-nous Phèdre languissante et malade d'amour sinon par la disparition définitive de Thésée ? Son amour consent à se révéler à Oenone, quand son époux n'est pas là ; bien mieux la nouvelle de sa mort la rattache à la vie. Il suffit de Panope et de la plaidoirie d'Oenone pour provoquer les quatre vers permettant au drame de subsister et de se poursuivre :

> Hé bien ! à tes conseils je me laisse entraîner.
> Vivons si vers la vie on peut me ramener,
> Et si l'amour d'un fils en ce moment funeste
> De mes faibles esprits peut ranimer le reste.

Ainsi elle peut se résoudre à faire un second aveu de son amour, mais à Hippolyte cette fois-ci et l'amoureuse atteint une violence presque hystérique, puisqu'elle va jusqu'à se saisir de l'épée pour s'en frapper. Mais voici le second événement qui va nous montrer un autre caractère de Phèdre : le retour de Thésée. Il s'agit de savoir si Phèdre résistera. Or d'emblée ce retour lui fait perdre son dernier sursaut d'énergie et elle ne songe plus qu'à mourir. Elle n'existe plus pendant un temps. Oenone agit pour elle. Il faudra un autre événement extérieur pour éveiller Phèdre : les imprécations de Thésée contre son fils qu'il voue à la vengeance de Neptune. Nous voyons alors Phèdre pleine de remords obéir à un sursaut d'honneur. La tragédie pourrait finir là par l'aveu de Phèdre à Thésée ; mais non, voici que Thésée lui-même lui révèle l'événement qui nous montre une autre face du caractère de la reine : Hippolyte et Aricie s'aiment. Du coup il n'y a plus de place que pour la vengeance, le remords cède sa puissance à la jalousie. Nous connaissons Phèdre jalouse. C'est l'avant-dernière phase du caractère de Phèdre qui nous est ainsi dévoilée. Mais elle n'est pas la dernière. L'exil d'Hippolyte, la mort d'Oenone, vont nous la faire connaître. Elle a pris sa décision avant même d'apprendre la mort d'Hippolyte, c'est sans doute la nouvelle de son trépas qui lui fait absorber le poison. Racine n'est pas explicite sur ce point. Qu'importe, la mort suspendue sur son amant provoque son dernier geste, sa confession et sa réparation finale, et c'est Phèdre pénitente, après Phèdre jalouse, Phèdre anéantie, Phèdre passionnée, Phèdre malade, qui termine le drame, amenée par le mouvement d'horlogerie des événements.

Ayant trouvé les deux moteurs de sa tragédie, l'absence et le retour de Thésée, l'action des événements sur le déchiffrement du caractère de Phèdre, Racine avait à agencer de plus près sa tragédie, en entrant dans les détails. Et d'abord il a compliqué son action en admettant Aricie et en faisant Hippolyte amoureux. L'intrigue en devient plus complexe, mais aussi plus riche en concordances délicates. Le couple Hippolyte-Aricie s'opposera jusqu'au cinquième acte à la solitude de Phèdre, mais il servira à mettre en valeur la démesure, la violence de sa passion. Considérez comme Racine prend ses précautions : c'est dès la première scène que nous voyons Hippolyte amoureux, d'un amour normal, mais dont il a le remords, et qu'il avoue à Théramène. Ainsi combien davantage le spectateur est impressionné quand Phèdre, dans une scène parallèle du même acte, avoue sa passion incestueuse pour le fils de l'Amazone. Au deuxième acte, Hippolyte, amoureux, accomplit la même démarche que Phèdre tout à l'heure envers lui, il vient voir Aricie sous un prétexte politique, et en fait il lui confesse son amour. Racine brusque les effets. Comme dans le premier acte, une scène de transition suffit. Phèdre veut aussi prétexter des raisons extra-sentimentales. Mais elle n'est pas maîtresse d'elle-même, elle laisse éclater son amour combien plus tragiquement opposé à celui d'Hippolyte pour Aricie. Aricie s'efface au troisième acte, au retour de Thésée. Mais au quatrième, c'est le couple Aricie-Hippolyte qui va provoquer le véritable drame pour Phèdre. Thésée a beau ne pas vouloir accepter l'aveu de l'amour de son fils pour la Pallantide, il s'en sert auprès de Phèdre. C'est à ce moment, et pas avant, que la reine a conscience du couple, que sa pensée s'éclaire.

Mais il n'y aura plus de parallélisme comme dans les deux premiers actes, entre les démarches de Phèdre et celles d'Hippolyte. Aricie essaie bien d'innocenter le jeune prince auprès de Thésée, mais liée par le silence, sa justification n'annonce en rien celle de Phèdre elle-même apportera à la dernière scène. Pour le moment, elle obtient toutefois un résultat tangible : elle met le doute dans l'esprit de Thésée qui demande à Neptune de surseoir à l'exécution. Mais elle prépare aussi l'aveu terminal de Phèdre.

D'autre part, nous pouvons le constater clairement en étudiant la composition de notre tragédie, elle est fondée sur le développement de la passion qui possède l'héroïne

Racine suit fidèlement les contours de la lutte d'une volonté chancelante contre un irrésistible amour. Cependant Brunetière voit, avec raison, le retour du romanesque dans la tragédie provoqué par l'emploi des moyens extérieurs, dont nous avons énuméré l'essentiel : « Pourquoi suppose-t-on Thésée mort ? Pour une seule raison, pour qu'en le voyant mort, Phèdre ose faire à Hippolyte la brûlante déclaration que Racine, sans cela, n'aurait jamais osé mettre sur ses lèvres. Nous ne l'oserions même pas aujourd'hui !... Et pourquoi reparaît-il, aussitôt après la déclaration échappée, sinon pour enfermer Phèdre dans la situation dont elle ne sortira maintenant que par la calomnie et par l'assassinat ? Lui non plus n'a pas sa raison d'être en lui, et en Phèdre seulement. » Pareillement que font ici, de quoi servent l'amour d'Hippolyte et le personnage d'Aricie ? « Mais pourquoi, demandait Arnauld, a-t-il fait Hippolyte amoureux ? » Et l'on raconte que Racine répondait en riant : « Qu'auraient dit nos petits-maîtres ! » Mais il avait mieux répondu dans la préface de sa tragédie. S'il a fait Hippolyte amoureux, c'est pour adoucir l'atrocité du crime de Phèdre ; pour excuser, selon la casuistique d'amour généralement admise, l'horreur de sa dénonciation sur la violence de sa jalousie. S'il a fait Hippolyte amoureux, c'est encore pour pouvoir, au moyen de la peinture de la jalousie, comme achever le portrait de Phèdre, pour y pouvoir ajouter de ces touches, plus larges et plus profondes, que la haine en s'y mêlant vient ajouter à la représentation de l'amour. La révélation de l'amour des jeunes gens retient sa confession, et sa jalousie laisse à la malédiction de Thésée le temps d'être exaucée. Amour d'Hippolyte pour Aricie, fausse nouvelle de la mort de Thésée, voilà bien les deux ressorts romanesques de l'intrigue, qui illustrent assez bien cette remarque de Saint-Evremont sur la méthode suivie par les auteurs dramatiques de son temps : « Autrefois, écrit-il, on prenait un grand sujet et on y faisait entrer un caractère ; aujourd'hui on forme sur les caractères la constitution du sujet ». Au fond c'est bien le caractère de Phèdre qui détermine ce choix des moyens dramatiques.

« D'étape en étape, dit Thierry Maulnier, dans sa *lecture de Phèdre*, grandissent un amour qui s'accroît de la honte qu'il fait naître, une honte qui s'enivre de l'amour qu'elle veut fuir, et l'impossibilité d'échapper à l'amour comme à la honte. Les aveux à Oenone ont été l'indice et en même temps, le principe de l'abandon au délire et au désastre, ils ont marqué le moment où la passion de Phèdre éclate dans l'événement qui la rend explicite, triomphe du secret qui l'étouffait encore, des exorcismes du silence, s'incarne dans l'irréfutable réalité des mots. » (1) Voyez les aveux à Hippolyte. Ils livrent Phèdre sans condition, ils en font l'objet d'un dédain injurieux ; la résurrection de Thésée ramène le scandale et le désespoir ; le drame est au comble, au moment où un Hippolyte amoureux ajoute au supplice de Phèdre le seul élément qui manque. Maulnier voit « dans les minutes culminantes du quatrième acte le dénouement véritable, lorsque la tension accumulée de scène en scène, ayant touché sa limite, se décharge en une explosion éblouissante et, la mécanique du destin étant tout entière en mouvement, les personnages étant par compensation devenus immobiles, retombe sur les acteurs pétrifiés en une lente pluie de flammes, — mort, deuil, châtiment —, jusqu'au silence final et à la nuit. Cette explosion a éclairé Phèdre tout entière. » C'est par ce procédé qui lui est habituel que Racine s'élève à un tel paroxysme fait à la fois de gran-

_____

(1) **Lecture de Phèdre.** Paris, Gallimard, 1 vol. in-12°.

deur et de cruauté qui ne peut être circonscrit par le temps et l'espace, et par là s'évade dans l'universel.

Racine cependant a utilisé le cadre traditionnel de la tragédie classique, celle des unités et celle des bienséances. L'on peut se demander dans quelle mesure son intrigue chargée n'a pas été gênée par les restrictions de la structure aristotélicienne. Nous ne discuterons pas l'unité de lieu qui est ici incontestable dans une salle du palais de Trézène. Mais que penser de celle de temps en présence de ces événements accumulés, délibérations d'Hippolyte et de Phèdre, aveux successifs, retour de Thésée, accusation d'Oenone, malédiction et départ d'Hippolyte, mort d'Oenone, mort d'Hippolyte, mort de Phèdre, sans compter les événements d'ordre purement psychologique dont le déroulement dans le champ de la conscience n'en demande pas moins un certain temps. Il est vrai que le récit de Théramène permet de maintenir l'optique théâtrale des deux heures représentant les vingt-quatre du drame, il est vrai que la tragédie commencée à l'état de crise, va d'explosion en explosion, de coup de tonnerre en coup de tonnerre jusqu'à la pénitence finale, n'oublions pas que les dieux comme les âmes des hommes sont en action, que Vénus, Neptune, le remords lancinant de Phèdre ont le droit de bousculer la vie quotidienne et de lui faire prendre un rythme accéléré. Nous sommes hors du temps en quelque sorte, dans la juridiction du destin et des maux impossibles à guérir. On ne saurait chicaner le poète sur ce point.

Un reproche contre l'unité d'action est-il plus justifiable ? Pas davantage. Le drame de Phèdre aurait-il pu se suffire d'Hippolyte sans ajouter Aricie ? Que penser de ces deux amours qui se poursuivent parallèlement jusqu'au quatrième acte ? Mais c'est justement le 4e acte qui fait l'unité par la jalousie même de Phèdre : « Le plus important est que les amours d'Hippolyte et d'Aricie,

même si elles ont été à l'origine une satisfaction donnée
par Racine à un goût public qu'il eût fallu violer et aux
règles les moins nécessaires d'un genre, se sont trouvées
aussitôt incorporées à la substance de la tragédie et
placées au principe même de la métamorphose qui devait l'élever si haut au-dessus de son modèle grec et
la placer dans la constellation des cinq ou six mythes
souverains de la littérature. On sait que c'est l'amour
d'Hippolyte pour Aricie, soudain révélé, qui provoque
l'égarement le plus furieux de Phèdre, et, par un contre-
coup instantané, la conscience épouvantable de cet égarement. La véritable invention, la précieuse invention de
Racine, ce n'est pas Hippolyte amoureux c'est Phèdre
jalouse. » Ces lignes de Thierry Maulnier montrent combien au fond dans notre poème tous les problèmes se
touchent et se ramènent à celui de Phèdre, même les
unités. En sera-t-il autant dit des bienséances ?

Eh bien ! il faut convenir que c'est un des sacrifices
que Racine a fait au siècle. Dieu sait pourtant de quel
opprobre sa Phèdre ne sera point chargée par les contemporains qu'offusque sa licence. Mais Racine a voulu parfois l'adoucir et sa mansuétude s'est étendue à tous les
personnages. Ce n'est pas Hippolyte qui dégaîne son
épée pour frapper Phèdre, c'est Phèdre qui la tire pour
se frapper elle-même, tout comme chez Gilbert. Suivant
la bienséance Hippolyte lui-même tait à son père l'aveu
de la reine, c'est Oenone et non pas Phèdre qui accuse
le héros, et Oenone n'agit que par dévouement absolu
et aveugle à l'égard de sa maîtresse. Ce n'est pas un
autre motif que la jalousie qui retarde la réhabilitation
de Phèdre. Thésée lui-même après avoir maudit son fils
et l'avoir abandonné à la vengeance de Neptune tente
de revenir sur sa décision et d'arrêter le châtiment du
dieu. N'est-ce pas l'absence, la mort de Thésée crue

véritable qui permet l'aveu, autrement si malséant, de Phèdre pour Hippolyte ?

Considérons par ailleurs comment les actions violentes sont éloignées de la scène. Panope se charge de nous apprendre qu'Oenone ne pouvant souffrir l'abandon de sa maîtresse s'est précipitée dans la mer du haut des rochers. La catastrophe sanglante d'Hippolyte, sa mort lamentable se résout dans le récit traditionnel du théâtre classique qu'assume le fidèle Théramène. Phèdre elle-même qui va mourir n'aborde pas le poison sur la scène. Elle l'a déjà avalé quand elle paraît, et lorsque le rideau tombe, elle n'a pas fini d'expirer. Ainsi les convenances sont respectées. Racine essaie de faire le moins possible violence aux spectateurs de son siècle.

Et que dire de la véritable, de la grande bienséance, de la moralité de Phèdre ? Racine lui-même a trop pris plaisir à la souligner pour ne pas rappeler ici la Préface : « Les moindres fautes y sont sévèrement punies. La seule pensée du crime y est regardée avec autant d'horreur que le crime même. Les faiblesses de l'amour y passent pour de vraies faiblesses ; les passions n'y sont présentées aux yeux que pour montrer tout le désordre dont elles sont causes, et le vice y est peint partout avec des couleurs qui en font connaître et haïr la difformité. »

Voilà à quoi aboutissent dix ans de technique dramatique, et il serait bon pour finir que nous replacions *Phèdre* dans le système ou plutôt au sommet du système racinien. Encore une fois, pour le poète, il y a eu un problème à résoudre. Il a pris un fait légendaire ou historique, peu importe, qui doit être son dénouement, et il a cherché quels caractères, quelles passions devront être ceux de ses personnages pour le rendre nécessaire et inévitable en le subissant. Ce problème a été encore une fois résolu et l'auteur n'a admis dans le drame que le nombre d'acteurs strictement nécessaire au développe-

ment de son action qu'il soutient toujours et exclusivement par la lutte naturelle des sentiments antagonistes,
et l'exaspération croissante de la passion contrariée. Malgré l'emploi romanesque ici du retour imprévu de Thésée
cru mort, il est incontestable que cet incident est pour lui
simplement un ressort dramatique. Ici aussi, sa mise en
jeu soudaine « accélère les oscillations de la passion du
protagoniste et précipite ainsi la catastrophe ». De même
nous avons toujours un personnage principal qui est le
grand ressort, et qui « produit le résultat pour lequel le
mécanisme a été combiné », mais tantôt, dit un critique,
il produit ce résultat directement, et dans ce cas ce sont
des rouages secondaires qui lui donnent l'impulsion dont
il a besoin ; tantôt il le produit indirectement, et alors
c'est lui qui est le moteur de tous les rouages secondaires
qui le produisent effectivement. On peut donner comme
exemples du premier cas *Phèdre* et *Britannicus*, du second :
Andromaque et *Bajazet*. Trois acteurs sont nécessaires à
Phèdre : Hippolyte, qu'elle aime, Thésée qui fait son remords,
Aricie qui provoque sa jalousie. De même Narcisse et
Burrhus, Agrippine et Junie sont indispensables à Néron.

Racine proportionne-t-il toujours les moyens aux effets?
N'emploie-t-il pas dans *Bajazet* des moyens trop mes-
quins pour amener toute cette épouvantable tuerie, ne
se servant que du seul dépit de la jalouse Atalide ?
Une remarque semblable s'impose à propos d'*Iphigénie*.
Le poète rattache avec un grand art son Eriphile à l'action et la rend nécessaire au dénouement qu'il a imaginé
avec pitié pour sauver la fille de Clytemnestre et d'Agamemnon. Mais sommes-nous en présence du dénouement
logique ? C'est uniquement de la résolution du roi que
devait en effet dépendre le salut d'Iphigénie ou son trépas. En sauvant la jeune fille par un concours d'événements auxquels ne participe pas la volonté d'Agamemnon
c'est, comme on l'a affirmé, résoudre le problème à l'aide

d'éléments qui n'entraient pas dans la donnée. En satis-
faisant les âmes sensibles le procédé enlève à la tragédie
son dénouement naturel et l'unité d'expression qui fait la
beauté d'*Andromaque*, de *Britannicus*, d'*Athalie* et surtout de *Phèdre*.

Ce qui fait d'autre part que la structure dramatique
d'*Iphigénie* est inférieure à celle de *Phèdre*, c'est la place
prépondérante du merveilleux mythologique. Dans *Phèdre*
nous savons que ce merveilleux n'entre pour rien dans
la décision des personnages et qu'il est simplement la
conséquence, non la cause déterminante du vœu for-
mulé par Thésée. L'accusation de Phèdre coupable suffi-
sait à faire condamner Hippolyte innocent. Le reste nous
importait peu, c'est-à-dire l'exécution matérielle de la
sentence. Dans *Iphigénie*, au contraire, ce merveilleux
mythologique, qui pouvait émouvoir le public d'Euripide
mais laissait insensible des spectateurs chrétiens, ne se
montre pas seulement au dénouement en vue de fournir
un développement poétique au personnage chargé du
récit final ; c'est sur lui que la pièce tout entière repose :
le poète exige que nous nous intéressions aux angoisses
d'un père qui doit sacrifier sa fille pour obtenir des dieux
les vents qu'ils refusent aux Grecs ; nous sommes, nous
modernes, révoltés par une donnée aussi barbare. Nous
n'adoptons pas les sentiments d'Agamemnon sans une
cause plausible, les effets nous affectent légèrement. En
sorte que si *Iphigénie* est la plus grecque des tragédies
de Racine, elle n'est pas la plus largement humaine.

En réalité, Racine a trouvé sa voie véritable dans le
conflit des passions fortes et violentes. Voilà pourquoi il
prend toujours l'action toute proche, aussi proche que
possible de la fin, commençant par où finissait en somme
Quinault. Au lever du rideau, les passions depuis longtemps excitées ont grandi à l'extrême comme dirait Dide-
rot. Il suffit d'un incident pour les déchaîner furieusement :

ambassade d'Oreste dans *Andromaque*, enlèvement de Junie dans *Britannicus*, désir de la sultane d'épouser Bajazet, mort supposée de Thésée dans *Phèdre*. Ainsi rien n'arrêtera l'impitoyable engrenage qui broie les victimes.

« Je me livre en aveugle au destin qui m'entraîne ». Ainsi Bernardin a prétendu que dans l'affolement de cette crise « les personnages n'ont plus le sang-froid de se livrer sur les sentiments qu'ils éprouvent à des commentaires analytiques, ni le loisir de s'attarder à des effusions oiseuses : ils souffrent, crient, tuent, meurent. » Mais c'est là justement l'erreur : les personnages de Racine sont terriblement lucides, ils s'analysent le couteau à la main. Ils se voient dans le miroir en train de lever le bras pour frapper, dans une profonde horreur ou une profonde admiration d'eux-mêmes : Néron pèse complaisamment les motifs de sa décision : ma force, mon honneur, ma sûreté, ma vie. Ce qui est plus vrai, c'est que l'amour, passion dominante, agit toujours chez Racine dans ces êtres de chair, ce qui est exact c'est que les passions qui valent à nos yeux pour elles-mêmes, ne sont jamais étudiées pour elles-mêmes, « mais toujours en vue de les faire servir à hâter ou à retarder le dénouement qui dépend, sauf de rares exceptions, d'une résolution à prendre ». Résolution prise, abandonnée, reprise suivant les sentiments opposés que le conflit des passions suscite dans l'âme du protagoniste, il se trouve que ces tragédies *peu* chargées en général d'événements voient abonder les péripéties, en proie à la terreur et à la pitié. Comme ici dans *Phèdre*, c'est au 4e acte que la crise est à l'état aigu. Lisez *Britannicus*, *Bérénice*, *Iphigénie*, vous verrez par quelles successions adroites de scènes pathétiques Racine parvient à exaspérer au suprême degré ce que Néron, Titus, Agamemnon peuvent avoir d'irrésolu et de passionné, eux dont dépend le sort de Britannicus, de Bérénice, d'Iphigénie. Nous savons à ces signes précurseurs et

infaillibles que le dénouement est proche, menaçant. Mais
le propre des tragédies de Racine est, une fois la représentation ou la lecture achevée, de nous reporter aux
passions provocatrices du meurtre. Nous revenons insensi-
blement et inexorablement aux instruments du crime, de
l'immense infortune. Ce n'est pas tant la mort de Phèdre
qui nous émeut que sa passion qui l'a provoquée. L'héroïne n'est pour nous qu'à l'état de passage dans son
dialogue avec les forces mauvaises, les tentations et les
péchés, comme sa nostalgie de la pureté perdue et recher-
chée en Hippolyte, au-delà de la race souillée de Pasiphaé. Elle vibre jusqu'au moment de l'arrêt brutal mais
nous ne cessons pas de vibrer en même temps qu'elle.
Le drame continue dans sa véritable unité de lieu, dans
les âmes, dans nos âmes qui en ont été les spectatrices et
ne peuvent en détacher les yeux. Telle est la force du
système dramatique de Racine, telle est l'emprise de la
structure tragique imaginée que, retenus prisonniers du
fait épouvantable, émus par la pitié, plus que troublés
et terrassés par la terreur, nous regardons encore à terre
le cadavre, en l'imaginant vivant et agissant. Théâtre
de meurtre et de trépas, oui sans doute, théâtre de mort,
mais plus encore théâtre de vie, d'une vie perdue dans
les personnages de la scène pour continuer à être dans
notre vision d'une vie faite de l'âme du poète et de la
nôtre, et qui nous convie dans le martyre de Phèdre à
retrouver notre propre lutte, l'homme intérieur comme
dirait saint Paul. Psychologie de Phèdre, pouvons-nous
dire à présent, vision de Phèdre dominant son drame
qu'elle subit, surpassant la crise aiguë dénouée en deux
heures sur les tréteaux, et nous conviant à une étude du
cœur mis à nu. Il est temps en effet que notre approxi-
mation s'empare d'elle, pour essayer de la restituer telle
qu'elle est née de la sensibilité du poète, au soir de
sa vie de théâtre.

Chapitre 10

LE PERSONNAGE DE PHÈDRE

Parler du personnage de Phèdre, c'est pénétrer au cœur même de la tragédie de Racine, y sentir les pulsations du cœur, retrouver l'élan de la création qui accomplit la réussite. Aussi n'est-ce jamais sans une sorte d'appréhension, que l'on va vers elle pour apprendre à la connaître. Elle s'offre depuis bientôt trois siècles aux générations qui sont venues tour à tour déchiffrer son énigme, lire son message, souvent sans l'avoir compris, car mieux que celle d'Euripide ou de Sénèque, elle suscite cette horreur sacrée issue d'une puissance divine, en lutte avec la créature qu'elle a choisie pour sa prophétesse. Tout a été dit sur Phèdre depuis Arnauld jusqu'à Thierry Maulnier. Aussi voulons-nous essayer de refaire son calvaire spirituel non point à travers les gloses, mais en puisant à la source vive du texte. Elle, l'héritière des Phaedras antiques, elle accumule tout le pouvoir incantatoire, tout le poids de la légende, comme toute la sensibilité du poète français.

Car elle est dans sa légende, elle n'arrive pas à s'en détacher lorsqu'elle nous apparaît pour la première fois à la troisième scène du premier acte. Elle tend à ce moment à s'anéantir, elle veut n'être plus, si elle peut encore vouloir, elle n'existe que dans un souffle qui risque d'expirer à tout moment. Phèdre commence par le refus d'accomplir sa tragédie, de perpétuer ses gestes et ses actes dans un univers dont elle n'a plus le contrôle. Elle a cessé d'être adaptée à la vie :

> Mes yeux sont éblouis du jour que je revois,
> Et mes genoux tremblants se dérobent sous moi.

Son mal est tel, si enveloppant, si écrasant, qu'il lui rend pesants et insupportables jusqu'à ses voiles, jusqu'à sa chevelure ordonnée sur son front. Le mal l'a terrassée et abattue. Il l'empêche de se relever, après avoir joué avec elle. Car il a fallu que la reine s'oppose à lui, essaye de retrouver le monde extérieur, la clarté qui l'éloignait du gouffre noir et béant. Elle veut s'accrocher aux humains, elle qui s'adresse déjà à des dieux, au père redoutable de sa race, le soleil, qui semble comme l'œil largement ouvert de sa conscience.

> Noble et brillant auteur d'une triste famille,
> Toi, dont ma mère osoit se vanter d'être fille,
> Qui peut-être rougis du trouble où tu me vois,
> Soleil, je te viens voir pour la dernière fois.

Elle est perdue dans son rêve ; entend-elle des voix, a-t-elle des visions, cette Phèdre qui désire l'ombre des forêts pour suivre des yeux le char de l'aimé fuyant dans la carrière ? Elle n'est pas encore réveillée, c'est le délire de la malade qui lutte contre les fantômes redoutables et se complaît à l'hallucination exquise. Phèdre n'a pas encore conscience d'elle-même. Et puis c'est le réveil brutal, mais salutaire, par les larmes : « Insensée, où suis-je ? et qu'ai-je dit ? Où laissé-je égarer mes vœux et mon esprit ? » C'est donc la malade d'abord qui nous apparaît, celle qui ne dort plus, celle qui ne mange plus, celle qui ne veut plus penser. Pour Oenone son crime est là, dans le refus de la vie, elle est coupable envers les Dieux, son époux, ses enfants. Oenone peut tout lui dire, mais non prononcer certains mots dont l'effet est automatique sur son organisme détraqué, et qui sont seuls capables de pro-

voquer en elle des réactions : tel le nom d'Hippolyte. Et
Phèdre va lutter contre ces syllabes ; elle voudrait que
leur poison ne pénétrât pas de nouveau en elle, mais qu'y
faire ? Oenone avec une inconscience impitoyable verse
en elle le venin. En vain Phèdre se cramponne-t-elle au
silence. La nourrice inexorable agit par les sentiments.
Elle agit pour ainsi dire par hypnose et Phèdre sous le
charme entre en transes, reprend le dialogue interrompu
avec les dieux : elle est impuissante devant leur force implacable :

> O haine de Vénus ! O fatale colère !
> Dans quels égarements l'amour jeta ma mère !
> Puisque Vénus le veut, de ce sang déplorable
> Je péris la dernière et la plus misérable.

Elle est donc la victime d'une tare héréditaire, comme elle
nous l'apprend elle-même ici. Sa maladie lui vient de son
ascendance. Mais le nom d'Hippolyte a cheminé jusqu'à
son cœur, il a pénétré ses veines. La malade va un instant laisser paraître l'amoureuse. Pour un instant, car
Phèdre rassemblant ce qui lui est resté de courage a
cautérisé la plaie, elle a tenté d'enrayer les progrès du
mal. Elle analyse avec une admirable lucidité l'origine,
les débuts de sa passion, elle montre tous les préservatifs
qu'elle a cherchés, jusqu'à la haine qu'elle a voulu prendre comme remède à l'amour. Qu'y faire cependant ? Son
image la poursuit ; elle ne peut même pas être marâtre,
elle prend le jeune prince comme dieu, elle abdique, en
ayant conscience pleine et entière que c'est à son corps
défendant et qu'elle subit l'emprise maléfique de Vénus.

Mais Phèdre malade veut sauver la Phèdre saine,
raisonnable qu'elle fut : un moyen : tuer la Phèdre malade.
Elle nous annonce ainsi dès la première grande scène où
elle se montre son intention. Elle est poussée par un désir
insensé de purification : la confession en est le premier

pas ici, comme elle sera au cinquième acte le dernier.
Mais cette Phèdre que nous allons retrouver surtout à
la scène finale, nous allons l'abandonner quelque peu.
Nous nous apprêtons déjà avant que le rideau tombe
sur le premier acte à connaître une Phèdre que la nouvelle de la mort de Thésée, comme les encouragements
d'Oenone, font revivre, espérer. Phèdre cependant cesse-
t-elle de rêver ? Elle passe de la vision terrible de son
crime d'inceste à l'hallucination exquise d'un amour permis. Supposez, semblent dire un instant les dieux cruels,
que les obstacles n'existent plus ; Phèdre ne veut pas
écouter encore les voix tentatrices. Pour le moment c'est
la malade qui consent à revivre : « Vivons, si vers la vie
on peut me ramener ». Elle n'est plus épouse, elle tente
d'être mère, comme Andromaque c'est pour son fils qu'elle
va plaider. L'amour maternel, c'est peut-être là le meilleur remède à l'amour tout court « si l'amour d'un fils en
ce moment funeste / De mes faibles esprits peut ranimer
le reste ». Pour qu'elle puisse déjà revoir Hippolyte à la
scène cinquième du deuxième acte, il faut supposer qu'elle
a reconquis suffisamment d'empire sur elle-même. Et de
fait, c'est une mère tendre et normale qui intercède en
faveur de son enfant, une mère convalescente qui sent
encore l'emprise de la mort :

> Je vous viens pour un fils expliquer mes alarmes :
> Mon fils n'a plus de père ; et le jour n'est pas loin
> Qui de ma mort encor doit le rendre témoin.

Phèdre nourrit-elle dès ce moment une illusion insensée ?
Je ne crois pas qu'elle le fasse d'une façon consciente.
Mais tout son subconscient s'est remis à espérer. Il y a
une adaptation de son être à un état des choses rendu
plus facile par la disparition de Thésée. Que peut-elle
toutefois ? Elle ne peut céder une parcelle d'elle-même à
une impression de bien-être sans être happée, saisie tout

entière par la passion, y aller de tout son être. En vain évoque-t-elle les réactions contraires qu'elle a voulu donner à son amour, les persécutions dont elle a abreuvé Hippolyte. Rien n'y fait. Elle se laisse aller. En vain tente-t-elle de transformer, de faire dévier la déclaration qui lui brûle les lèvres, en aveu repentant, en confession contrite :

> Si pourtant à l'offense on mesure la peine,
> Si la haine peut seule attirer votre haine,
> Jamais femme ne fut plus digne de pitié,
> Et moins digne, seigneur, de votre inimitié.

Hippolyte croit comprendre, et rejette son attitude à son égard sur son trop grand amour maternel. Cette fois-ci c'en est trop. L'équilibre est de nouveau rompu. Les forces obscures et redoutables ont opéré : Phèdre n'a plus sa conscience normale, mais elle ne devient pas tout de suite l'amoureuse passionnée : elle passe d'abord par une sorte d'état second, une vision où Thésée se superpose à Hippolyte. C'est un voyage dans le passé où Phèdre par un dernier désir de pureté essaie d'abolir l'histoire, d'imaginer qu'elle brûle pour un Thésée jeune, beau comme Hippolyte. Mais à travers sa vision de Thésée son cœur va chercher Hippolyte, « sa folle ardeur malgré elle se déclare ». Le prince s'en aperçoit. Phèdre essaie de mentir, elle le prend de haut quand son beau-fils lui demande si elle a oublié que Thésée est son époux, mais l'espace d'une seconde. La lutte pour la pureté a touché à sa fin, la reine rompt toutes les entraves. Elle se déchaîne, mais jusque dans sa déclaration passionnée se lit son remords. Elle prend soin même ici de dégager sa responsabilité : elle est la victime, et lui est l'instrument des bourreaux :

J'aime. Ne pense pas qu'au moment que je t'aime,
Innocente à mes yeux, je m'approuve moi-même ;

Ni que du fol amour qui trouble ma raison
Ma lâche complaisance ait nourri le poison.
Je m'abhorre encor plus que tu ne me détestes.
Les Dieux m'en sont témoins, ces Dieux qui dans mon flanc
Ont allumé le feu fatal à tout mon sang ;
Ces Dieux qui se sont fait une gloire cruelle
De séduire le cœur d'une faible mortelle.

Hippolyte connaît bien Phèdre et toute sa fureur. Mais
réfléchit-on toujours au fait que cette déclaration, cette
confession, est en même temps une justification, une apologie ? Dans son désir de pureté, Phèdre, même emportée
par la passion, cherche un refuge contre elle-même. Elle
veut demander le châtiment à celui-là même qui a provoqué son amour criminel : « Venge-toi, punis-moi d'un
odieux amour. / Digne fils du héros qui t'a donné le jour, /
Délivre l'univers d'un monstre qui t'irrite. » Et pour la
deuxième fois, Phèdre tente de s'abolir dans la mort. Elle
demande à Hippolyte de la frapper, de la percer de l'épée
qu'elle a dégaînée. Elle ressent cette fois-ci la honte,
encore plus cuisante peut-être que le remords ; dans cet
aveu arraché par les puissances invisibles :

> Cet aveu que je te viens de faire,
> Cet aveu si honteux, le crois-tu volontaire ?

Mais Phèdre ne doit pas mourir. Elle ne s'est pas encore
révélée tout entière avant de disparaître, cette femme de
trente ans. Jusqu'ici c'est le sentiment moral de la faute
qui semblait le plus vivace en elle, dans la malade, dans
la passionnée, l'incestueuse. Il faut à présent que l'amour-
propre se déclare, pour nous préparer à la jalousie du
4e acte. Phèdre a été frappée, dépitée de l'insensibilité
d'Hippolyte, dès lors le remords se tait au début du
3e acte pour nous faire voir une Phèdre amoureuse, et
non amante, c'est-à-dire au sens du XVIIe siècle une
Phèdre qui aime et n'est pas aimée ;

> Ciel ! comme il m'écoutoit ! Par combien de détours
> L'insensible a longtemps éludé mes discours !
> Comme il ne respirait qu'une retraite prompte !
> Et comme sa rougeur a redoublé ma honte !
> Pourquoi détournois-tu mon funeste dessein ?
> Hélas ! quand son épée allait chercher mon sein,
> A-t-il pâli pour moi ? me l'a-t-il arrachée ?

Désormais c'est ce qui l'attache de plus en plus à Hippolyte. Le dépit mieux peut-être que la confession lie Phèdre à la vie :

> J'ai déclaré ma honte aux yeux de mon vainqueur,
> Et l'espoir, malgré moi, s'est glissé dans mon cœur.

Mais Phèdre du même coup, bercée par les conseils flatteurs d'Oenone, laisse tout orgueil et tout amour-propre ;
elle veut séduire Hippolyte, elle veut croire que son insuc-
cès est dû au fait qu'il entend parler d'amour pour la
première fois. Malgré la nourrice, qui le pense inflexible,
elle cherche à l'attirer, à se l'attacher par un endroit
plus sensible ; comme Roxane, elle veut faire miroiter le
pouvoir, la royauté à ses yeux. Elle se croit inhabile et
envoie Oenone lui porter ses propositions, mais Oenone
partie, Phèdre reste seule avec elle-même. Elle n'a pas
de remords, en reconnaissant la honte où elle est descendue. Elle essaie même de se concilier son implacable
ennemie, cette Vénus qui l'a réduit à l'état où elle est.
Hippolyte qui ne sacrifie point à la déesse, mérite de
subir le même sort qu'elle, Phèdre, il faut qu'il soit à son
tour vaincu : Et Phèdre se laisse aller à prier pour son
amour :

> Déesse, venge-toi : nos causes sont pareilles.
> Qu'il aime.

Considérons ici Phèdre un moment avant la catastrophe qui se prépare, avant le retour de Thésée. Ce n'est
plus pour quelques instants la malade de tout à l'heure,

ou plus exactement, vivant sur ses nerfs, elle est tendue dans un espoir. Elle vit intensément en suspens dans un désir qui ne lui paraît plus ni si coupable ni si insensé. Il fallait tous les prestiges du poète pour nous faire accepter l'illusion, pour faire admettre la métamorphose éphémère de la reine. Ei voici le coup de tonnerre : Thésée est vivant. De ce fait la Phèdre nouvelle fait place à la Phèdre ancienne, mais à une Phèdre dont la volonté se tend d'abord vers la mort ; elle songe à la souillure irrémédiable de sa réputation. Elle ne peut supporter la pensée que tout sans doute sera révélé à son époux par Hippolyte. Remords et honte l'envahissent à nouveau, semblent prendre définitivement possession de sa conscience et de son âme. Même si le jeune prince se tait d'ailleurs, est-ce qu'il n'y aura pas des voix occultes pour l'accuser :

> Il se tairoit en vain. Je sais mes perfidies,
> Oenone, et ne suis point de ces femmes hardies
> Qui goûtant dans le crime une tranquille paix
> Ont su se faire un front qui ne rougit jamais.
> Je connois mes fureurs, je les rappelle toutes.
> Il me semble déjà que ces murs, que ces voûtes
> Vont prendre la parole, et prêts à m'accuser,
> Attendent mon époux pour le désabuser.

Mais Phèdre est aussi la bête traquée. La mort même, se demande-t-elle dans son effrayante lucidité, car toujours sa sensibilité reste intacte, sa raison exacerbée, la mort même pourra-t-elle être un refuge ? C'est ici que la mère se montre, la mère dans l'amour-propre et la tendresse maternels, la mère qui ne pourra laisser à ses enfants un noble souvenir, une image émouvante et digne dans laquelle ils se complairont :

> Je ne crains que le nom que je laisse après moi.
> Pour mes tristes enfants quel affreux héritage !...

> Le crime d'une mère est un pesant fardeau.
> Je tremble qu'un discours, hélas ! trop véritable,
> Un jour ne leur reproche une mère coupable.
> Je tremble qu'opprimés de ce poids odieux
> L'un ni l'autre jamais n'ose lever les yeux.

A ce moment Oenone va entonner l'air de la calomnie. Toute la probité morale de Phèdre se révolte. Mais elle est fascinée, et de nouveau elle sent ses forces l'abandonner. Ne voit-elle pas Hippolyte comme un monstre effroyable à ses yeux. C'est ce monstre qu'elle se forge, c'est la chimère implacable de son esprit malade, qui retombe dans l'ornière. Elle ne pense plus, elle ne réfléchit plus. Ses regards en délire fixent Hippolyte : dans ses yeux insolents elle voit sa perte écrite. Désormais Phèdre abdique sa volonté, ce qui lui reste de volonté, entre les mains d'Oenone :

> Fais ce que tu voudras, je m'abandonne à toi.
> Dans le trouble où je suis, je ne puis rien pour moi.

Elle trouve encore la force pourtant de repousser les embrassements de Thésée et de lui dire en termes ambigus que la fortune jalouse ne l'a pas épargnée et l'a rendue indigne de lui. Phèdre fait-elle ici le jeu d'Oenone ? Nous ne saurions répondre, elle peut aussi bien agir par scrupule moral que par calcul. Mais je pense plutôt pour le scrupule. Ainsi la vision de la Phèdre malade, passionnée, incestueuse, dépitée, maternelle, bientôt criminelle nous convie à nous arrêter encore un instant sur le seuil de sa conscience. N'est-ce pas du reste cette conscience qui agit, lorsqu'après la calomnie d'Oenone, les imprécations de Thésée, elle vient intercéder en faveur du fils livré au châtiment de Neptune. Veut-elle sauver celui qu'elle aime ou l'innocent ? Je crois qu'on peut répondre l'innocent, encore que Phèdre ne rende pas ici sa pensée

plus explicite, et qu'elle fasse simplement appel au sentiment paternel de Thésée.

Elle n'a pourtant vécu jusqu'ici qu'une partie du drame
qui la consume. Phèdre ne connaît point l'autre chancre
secret qui ronge déjà sa destinée et qui est arrivé à sa
terrible maturation. Elle a fondé son remords, sa honte,
son espoir, son anxiété sur un Hippolyte insensible, et
voici qu'au moment où elle vient de le défendre, celui-ci
la frappe enfin du glaive dont il refusait tout à l'heure
de la percer : elle apprend qu'Hippolyte est sensible et
qu'il aime Aricie. Remarquons ici combien Racine, peintre
de la jalousie féminine dans *Andromaque* (Hermione),
dans *Bajazet* (Roxane), dans *Iphigénie* (Eriphile), va à
propos de Phèdre, en raison même de sa science psychologique, montrer combien Phèdre jalouse est la forme dernière du supplice de Phèdre, sa manifestation la plus
cruelle. Sans doute Hermione, Roxane, Eriphile, comme
notre héroïne ont un point commun, l'amour malheureux
et insatisfait. Mais les alliages de sentiments et les réactions psychologiques ne sont pas les mêmes.

Phèdre jalouse naît d'un seul coup au bruit d'une
nouvelle que Thésée croit une invention de son fils pour
se disculper d'une accusation plus grave, mais que son
intuition infaillible, sa lucidité jamais défaillante lui fait
aussitôt pressentir comme vraie : du coup la pénitente
fait place à la femme blessée dans son amour-propre et
son amour :

>   Il sort. Quelle nouvelle a frappé mon oreille ?
>   Quel feu mal étouffé dans mon cœur se réveille ?
>   Quel coup de foudre, ô Ciel ! et quel funeste avis !
>   Je volois toute entière au secours de son fils ;
>   Et m'arrachant des bras d'Oenone épouvantée,
>   Je cédais au remords dont j'étais tourmentée...

> Hippolyte est sensible, et ne sent rien pour moi !
> Aricie a son cœur ! Aricie a sa foi !
> Je pensais qu'à l'amour son cœur toujours fermé
> Fût contre tout mon sexe également armé.
> Une autre cependant a fléchi son audace ;
> Devant ses yeux cruels une autre a trouvé grâce.

Du coup la jalousie arrête par inhibition le remords de Phèdre. Elle retarde l'action, tout en permettant le dénouement. Chose surprenante elle rend Phèdre maîtresse d'elle-même, elle l'aide à se reprendre, à se posséder à nouveau. Elle empêche la débâcle, l'anéantissement prématuré. Il faut que Phèdre souffre en toute conscience avec toutes ses forces rassemblées. Elle-même s'en rend compte avec une atroce clairvoyance :

> Je volois toute entière au secours de son fils ;
> Et m'arrachant des bras d'Oenone épouvantée,
> Je cédois au remords dont j'étois tourmentée.
> Qui sait même où m'allait porter le repentir ?
> Peut-être à m'accuser j'aurais pu consentir ;
> Peut-être, si la voix ne m'eût été coupée,
> L'affreuse vérité me seroit échappée.

Dès lors elle se sent justifiée jusque dans son accusation calomnieuse, qui lui apparaît comme le juste châtiment de l'insensible. Elle peut abdiquer toute pitié, tout mouvement de compassion :

> Je suis le seul objet qu'il ne saurait souffrir ;
> Et je me chargerois du soin de le défendre ?

Mais elle sait aussi que cette révélation est la plus cruelle épreuve, la phase la plus raffinée et la plus atroce de son supplice. Sa douleur a fait peau neuve. Eclairé par son amour pour Aricie, le refus d'Hippolyte lui est devenu explicite ; pour la flétrir et pour la rabaisser encore à ses propres yeux, les dieux ont attenté une seconde fois à la pauvre âme qui se débat en mesurant tout le désastre :

> Ah ! douleur non encore éprouvée !
> A quel nouveau tourment je me suis réservée !
> Tout ce que j'ai souffert, mes craintes, mes transports,
> La fureur de mes feux, l'horreur de mes remords,
> Et d'un refus cruel l'insupportable injure
> N'étoit qu'un foible essai du tourment que j'endure.

Pour Phèdre la solitaire, c'est l'idée du couple qui est intolérable. La vision d'un bonheur à deux qu'elle imagine, et dont elle est exclue par la haine de Vénus, et surtout l'innocence de cet amour qui peut se déclarer au ciel tandis que le sien doit se cacher honteusement, voilà ce qu'elle ne saurait soutenir.

> Hélas ! Ils se voyaient avec pleine licence.
> Le ciel de leurs soupirs approuvait l'innocence ;
> Ils suivaient sans remords leur penchant amoureux,
> Tous les jours se levoient clairs et sereins pour eux.
> Et moi, triste rebut de la nature entière,
> Je me cachois au jour, je fuyois la lumière.

Au fond c'est leur pureté qu'elle jalouse autant que leur amour, leur quiétude alors qu'elle est abreuvée de larmes et de tourments. En vain Oenone essaie de la consoler en lui disant qu'Aricie et Hippolyte ne se verront plus. L'amour cependant, pense Phèdre, sera le plus fort. Il ne reste qu'un moyen de faire disparaître son tourment, c'est de perdre Aricie, et l'incestueuse songe un moment à la faire supprimer. Phèdre s'égare. Sera-t-elle deux fois criminelle ? Elle va et vient en somme des ténèbres et de l'égarement à la pensée lucide sinon à l'équilibre. D'abord elle a honte d'elle-même et surtout de sa jalousie. Est-ce l'amour-propre qui la fait s'écrier : Moi jalouse ? Non, c'est un sentiment plus fort et plus profond, la loi morale qu'elle ressent dans toute son intensité. Elle mesure la longueur du chemin qui sépare son abjection de la pureté. Elle n'a pas seulement le remords d'une faute morale, mais celui d'un crime perpétré contre l'être sans tache. Sa vie à elle se présente comme un véritable déni de justice, comme un défi à la loi des hommes :

> Mes crimes désormais ont comblé la mesure.
> Je respire à la fois l'inceste et l'imposture.
> Mes homicides mains, promptes à me venger,
> Dans le sang innocent brûlent de se plonger.
> Misérable ! et je vis ?

La mort ? Mais la mort même apportera-t-elle ce repos après lequel elle aspire ? Les dieux la poursuivent sur terre. Victime de Vénus, elle est aussi sous les regards du Soleil son aïeul. Le ciel est peuplé de ses parents, et la nuit infernale ne peut que la mettre sous la puissance du juge inexorable, de Minos son père. En somme en quittant la terre elle ne fera que changer de supplice et, qui pis est, ce sera son père qui se chargera de le lui infliger. Phèdre est donc prisonnière, prisonnière des dieux, de sa faute, de son amour, de son crime, de la terre, du Ciel. Toutes les issues se ferment devant elle. Quelle évasion pourra-t-elle tenter ? La coupable n'a qu'une ressource, c'est diminuer le degré de sa culpabilité, l'atténuer au point d'en charger Oenone. Elle opposera la vertu de Phèdre aux machinations de la tentatrice, à la voix qui, insinuante ou pressante, lui a arraché les plus terribles, les plus noires décisions. Phèdre peut diminuer la gravité de sa condamnation en invoquant les circonstances atténuantes, une volonté qui s'est vu forcer la main :

> Voilà comme tu m'as perdue.
> Au jour que je fuyois c'est toi qui m'as rendue.
> Tes prières m'on fait oublier mon devoir.
> J'évitois Hippolyte, et tu me l'as fait voir.
> De quoi te chargeois-tu ? Pourquoi ta bouche impie
> A-t-elle, en l'accusant, osé noircir sa vie ?

> Il en mourra peut-être, et d'un père insensé
> Le sacrilège vœu peut-être est exaucé.

D'où ses imprécations, sa condamnation d'Oenone à un
supplice que les humains pourront à jamais se rappeler.
La reine qui naguère dédaignait la politique apparaît
un instant pour châtier le serviteur coupable. Mais évite-
ra-t-elle son propre châtiment ? Phèdre est entrée en
transes à nouveau, elle est possédée par le désespoir.
Elle donne des marques de son déséquilibre mental. La
mort de sa nourrice n'a pu la calmer. Elle tente un dernier refuge, à ce que nous apprend Panope, ses enfants,
mais elle n'a point trouvé en eux le hâvre de grâce tant
espéré. Elle se débat dans la nuit, dans le chaos des sentiments et de la conscience, elle essaie de retrouver le
rythme et la règle de la vie, et désormais elle est impuissante à l'atteindre :

> Le trouble semble croître en son âme incertaine.
> Quelquefois, pour flatter ses secrètes douleurs,
> Elle prend ses enfants et les baigne de pleurs ;
> Et soudain, renonçant à l'amour maternelle,
> Sa main avec horreur les repousse loin d'elle.
> Elle porte au hasard ses pas irrésolus.
> Son œil tout égaré ne nous reconnaît plus.
> Elle a trois fois écrit ; et changeant de pensée,
> Trois fois elle a rompu sa lettre commencée.

C'est une force qui tourne à vide. Elle n'est plus languissante comme au premier acte. La Phèdre qui va mourir
dans quelques heures simule la vie, mais comme une
somnambule elle est déjà plongée dans le sommeil de la
mort. Elle est marquée par la noire déesse : Oenone est
morte et voici qu'Hippolyte lui-même expire, tué par le
monstre marin. C'est l'instant qu'attend Phèdre pour absorber le poison, pour accomplir son propre destin. A-t-elle
considéré la mort comme une délivrance ? Il ne le sem-

ble pas, mais plutôt comme un acte réparateur. Comme elle l'affirmera elle-même avant de mourir :

> La mort, à mes yeux dérobant la clarté,
> Rend au jour, qu'ils souilloient, toute sa pureté.

La mort est donc une réparation : elle doit aller jusqu'aux Enfers subir le châtiment non pas tant de son amour incestueux, dont au fond elle n'est qu'en partie responsable, que de sa calomnie et du trépas d'Hippolyte qu'elle a provoqué. Elle aurait pu pourtant disparaître en voulant préserver son honneur humain.

Or nous n'avons pas encore vu le plus beau de Phèdre, son sens de la réparation due ; en perdant son honneur humain, celui pour lequel Oenone a calomnié Hippolyte, elle se réhabilite, elle acquiert une incontestable élévation morale, une valeur éternelle. En s'abaissant, en s'humiliant, elle fait son troisième aveu, le seul qui compte, peut-être celui qui coûte le plus, en tout cas le plus lucide et le plus conscient. Remarquons cependant que même en mourant Phèdre fait la part de sa faute et celle d'Oenone : elle ne s'accuse que de la pensée incestueuse, rend les dieux responsables de son feu illégitime et ne craint pas avec raison de diminuer sa responsabilité en chargeant sa nourrice, nous verrons pourquoi. Ainsi, devant la mort, devant Dieu et devant les hommes, Phèdre qui n'a plus rien à cacher, qui n'a plus rien à gagner, nous apparaît sincère et véridique. En s'accusant, dans la confession qui lui coûte le plus, elle s'innocente elle-même, elle nous apparaît non point odieuse, mais digne de pitié et presque d'admiration. Dans sa recherche passionnée de la pureté et de la vertu, malgré les obstacles dressés par les divinités mauvaises, elle a vaincu. Dans la catastrophe finale, le désastre qu'elle n'a pu éviter, elle a eu le sursaut qui rachète ; c'est un acte tout gratuit, de simple désintéressement, pourrions-nous dire, si sa conscience et son repos éternel n'y étaient engagés tout entiers, qui s'inscrit dans son aveu :

> Le fer aurait déjà tranché ma destinée ;
> Mais je laissais gémir la vertu soupçonnée
> J'ai voulu, devant vous exposant mes remords,
> Par un chemin plus lent descendre chez les morts.

« Par un chemin plus lent » : tout son supplice est là. Car elle n'est même pas sûre de connaître l'apaisement. Ame assoiffée, brûlante, qui s'est consumée comme une torche dans la vie terrestre, d'un monde soumis à des dieux indignes, la chrétienne apparaît, une chrétienne qui s'ignore, que terrorisent les monstres et qui ira trouver aux enfers le terrible châtiment que son père Minos lui réserve. Avez-vous songé à l'insurmontable détresse de Phèdre, à cet éternel supplice et à cette éternelle désespérance qui lui sont réservés ? Mais où fuir ? Elle n'a pas le choix. Pourtant par un acte libre et gratuit, généreux celui-là, elle libère le meilleur d'elle-même, elle fait renaître une Phèdre que même la haine aveugle de Vénus ne pourra détruire, malade, passionnée, amoureuse, criminelle, jalouse, Phèdre devient aussi l'héroïque, la sincère, la passionnée de vertu, qui parvient en s'abolissant comme mortelle et périssable, à l'ascèse, à la catharsis du péché et de la pureté enfin atteinte. Par là elle rejoint Hippolyte, son renoncement, son silence : elle est guérie, mais au prix d'elle-même, au prix de toute la tentation qui la brûlait, et qui symbolise les rêves et les tourments d'une humanité déchue et solitaire dans sa faute, entre l'enfer et le ciel.

Chapitre 11

OENONE

Lorsque Oenone se présente à nous dans la tragédie de Racine, nous la voyons sous un double aspect, antique et classique. Antique parce que le personnage est hérité du théâtre d'Euripide et de Sénèque, classique parce que Racine lui fait assumer le rôle de confidente, indispensable dans le drame psychologique depuis Mairet. Mais Oenone n'est-elle que cela ? N'y a-t-il pas, au delà de son caractère traditionnel et littéraire une création plus originale, plus humaine, plus profonde, c'est ce que nous allons essayer de déterminer.

Oenone est depuis l'*Hippolyte voilé* la nourrice de Phèdre. Attachée à elle, depuis qu'elle est venue au monde, plus proche en un sens que sa mère, elle la considère comme son enfant d'élection. Issue du peuple, esclave vendue et achetée pour rester la chose d'une famille, d'un être, elle n'a plus rien qui la lie au monde que ce lien charnel de l'enfant qu'elle a nourri de son lait. Fine, pénétrante, elle a vu entre ses mains l'enfant croître, se muer en jeune fille, devenir femme. Elle a pu le suivre dans son développement, dans son évolution morale et psychologique, servant de refuge à ses peines, éclairant sa pensée, l'aidant à apprivoiser le monde. Elle est seule au fond à connaître l'histoire d'une âme, d'un cœur, la science d'une Phèdre, dont elle assume en quelque sorte l'exclusivité. Elle est comme le miroir où vient se refléter la conscience de la fillette, de la jeune reine, qui ont été successivement. Par là elle se prête merveilleusement au rôle de confidente que veut lui faire jouer la tragédie classique. La confidente n'existe pas pour elle-même, mais en fonction d'une autre, elle est le négatif de la photographie psychologique. Sa pensée ne suit pas seulement le cours d'une tragédie, mais celle de sa maîtresse qu'elle accompagne pas à pas dans ses circonvolutions. Plus que le monologue elle est le réceptacle des déclarations utiles au public, celle aussi qui en ferment actif se charge de les provoquer. Ainsi conçu cependant, le personnage ne risque-t-il pas de ne jamais exister en lui-même, d'être toujours une fonction, de n'avoir aucune initiative qui révèle une personnalité véritable ? Tel est le problème devant lequel se trouve Racine et qu'il doit résoudre. Il trouve déjà des indications d'une initiative personnelle chez Euripide et plus encore chez Sénèque. Chez eux la nourrice contribue à l'action ; l'Achrise de Gilbert lui révèle une autre possibilité qu'il va transposer de la rivale à l'être qui personnifie le dévouement. Aussi nomme-t-il Oenone dès l'abord dans sa nomenclature des acteurs du drame « nourrice et confidente de Phèdre ». Or la pièce s'ouvre par un véritable drame secondaire pour Oenone : elle ne comprend plus Phèdre :

> En vain à l'observer jour et nuit je m'attache
> Elle meurt dans mes bras d'un mal qu'elle me cache.

Ce désordre dont elle est le témoin impuissant suffit à la bouleverser elle-même. Elle qui n'est qu'amour, dévouement, la femme la plus tendrement aimée de la Reine, se révèle impuissante à soulager le mal, les sortilèges de l'ancienne berceuse ne peuvent plus agir. Elle la voit avec épouvante approcher du terme fatal. A elle à qui on a tout dit on cache quelque chose. Hippolyte est témoin de son dévouement, il se demande quelle est la raison de ce renversement visible dans la « chère Oenone ». Oenone pour le moment ne voit que l'enfant malade qu'elle a allaité et qui va mourir. Son seul recours est la prière : « Dieux tout-puissants, que nos pleurs vous apaisent », mais logicienne implacable, porteuse du bon sens populaire, elle est atterrée par les contradictoires démarches de la Reine, impuissante à la satisfaire :

> Comme on voit tous ses vœux l'un l'autre se détruire !
> Vous-même condamnant vos injustes desseins,
> Tantôt à vous parer vous excitiez nos mains ;
> Vous-même rappelant votre force première,
> Vous vouliez vous montrer et revoir la lumière.
> Vous la voyez, Madame ; et prête à vous cacher,
> Vous haïssez le jour que vous veniez chercher ?

Oenone essaie, a essayé de la persuader de vivre, ses soins se sont heurtés à une force d'inertie. Maternelle, la nourrice l'a entourée de sollicitude, a suivi ses caprices passagers, mais la folie continue. Oenone se rend compte qu'elle ne doit point parler seulement en son propre nom. Elle s'érige en défenseur de la loi morale, de la nécessité de vivre pour des devoirs à remplir. Elle essaie d'éveiller la conscience, avec une vigueur, une énergie, qui ne sont pas celles d'une esclave, à moins que cette esclave n'annonce Epictète et toute sa noblesse. Oenone prêche contre le suicide, auquel pourtant tout à l'heure elle se laissera aller elle-même :

> A quel affreux dessein vous laissez-vous tenter ?
> De quel droit sur vous-même osez-vous attenter ?

La reine en agissant de la sorte offense la loi religieuse, le devoir conjugal, le devoir maternel. Oenone attend la réaction de la malade. Elle croit l'avoir provoquée par la haine d'Hippolyte qu'elle suggère. Elle sonne le tocsin : « Ne différez point ; chaque moment vous tue. »

Remarquez qu'elle croit si bien connaître l'innocence de la reine, qu'elle ne la comprend plus lorsqu'elle parle de crime. Comprend-elle le crime d'intention lorsqu'elle demande :

> Et quel affreux projet avez-vous enfanté
> Dont votre cœur encor doive être épouvanté ?

Non, ce qui la dépite, l'abat elle-même, la blesse dans son amour-propre, c'est le silence de Phèdre, qui ne semble plus lui faire confiance. Lui ayant tout sacrifié, elle voudrait qu'au moins elle continuât à l'avoir pour intime confidente, comme par le passé. Comme par une connaissance prémonitoire, elle se voit déjà abandonnée de la reine, et elle qui lui interdisait le suicide, elle y songe pour elle-même, puisqu'elle n'a plus la faveur d'une tendresse toute en abandon :

> Cruelle, quand ma foi vous a-t-elle déçue ?
> Songez-vous qu'en naissant mes bras vous ont reçue ?
> Mon pays, mes enfants, pour vous j'ai tout quitté.
> Réserviez-vous ce prix à ma fidélité ?

Aussi désespérée, poussée à bout, ne craint-elle pas d'exercer un véritable chantage moral, en restant d'ailleurs parfaitement sincère : « Mon âme chez les morts descendra la première. » Oenone arrive donc à ressentir une véritable torture, dont le paroxysme paraît quand elle se jette aux pieds de sa maîtresse en embrassant ses genoux : elle est le prêtre qui veut obtenir la confession, non point par simple avidité de connaître, mais pour la soulager. Lorsque Phèdre rappelle les scandales de la vie de sa mère, la nourrice les enfouit à nouveau dans le silence de l'oubli. Or elle commence à comprendre. Aimez-vous ? interroge-t-elle. Pour qui ? continue-t-elle. Qui ? Par là elle provoque la délivrance du secret. La première révélation est aussi terrible pour elle que pour Phèdre. Elle a le sentiment du péché, du crime de l'inceste :

> Juste ciel ! tout mon sang dans mes veines se glace.
> O désespoir ! ô crime ! ô déplorable race !
> Voyage infortuné ! Rivage malheureux,
> Falloit-il approcher de tes bords dangereux ?

Puis elle se tait longuement pour écouter l'aveu de Phèdre dans tous ses détails. Elle ne reprendra la parole qu'à l'annonce de la mort de Thésée. Somme toute en profonde politique, ou plutôt en femme avisée, elle n'a voulu considérer que l'inceste légal et non pas l'inceste moral. Avec une adresse prodigieuse, et presque sophistique, elle va développer des arguments en faveur de la vie tout autres que ceux de la scène troisième :

> Vivez. Vous n'avez plus de reproche à vous faire ;
> Votre flamme devient une flamme ordinaire.
> Thésée en expirant vient de rompre les nœuds
> Qui faisoient tout le crime et l'horreur de vos feux.

Oenone est-elle donc une instable, une irrésolue ? Au contraire elle poursuit fermement son but : le salut vital de Phèdre, et elle exploite les circonstances les plus favorables. Sa tendresse la pousse déjà à se substituer à la reine défaillante, à prendre les décisions pour elle, dût-elle renverser ses arguments. Un seul sentiment demeure ferme : le sentiment maternel, et c'est aussi sur celui-là qu'encore une fois elle joue pour convaincre la reine :

> Sa mort vous laisse un fils à qui vous vous devez.
> Esclave s'il vous perd, et roi si vous vivez.
> Sur qui, dans son malheur, voulez-vous qu'il s'appuie ?
> Ses larmes n'auront plus de main qui les essuie :
> Et ses cris innocents, portés jusques aux Dieux,
> Iront contre sa mère irriter ses aïeux.

Et c'est déjà une première transformation essentielle. Regardez l'Oenone d'Euripide, celle de Sénèque, elles se font les entremetteuses de la déclaration passionnelle. Elles interviennent à contresens. Au contraire celle de

Racine ne suit Phèdre quand elle va voir Hippolyte que pour la soutenir de sa présence, et surtout pour lui rappeler ce qu'elle doit à son fils : « Souvenez-vous d'un fils qui n'espère qu'en vous. » Et de fait Phèdre commence par bien répéter la leçon apprise. Elle parle au nom de l'enfant, comme Andromaque pour Astyanax. Puis vient l'aveu enflammé.

Quelle est à ce moment l'attitude d'Oenone, témoin pourtant de la scène ? Elle se tait jusqu'au moment où elle voit Phèdre sur le point de se tuer. Cependant elle parle de témoin odieux, de honte certaine. Elle souffre comme pour elle-même de l'amour-propre blessé de sa maîtresse.

Mais nous ne connaissons ses intentions qu'au début du troisième acte. La conduite d'Hippolyte dicte, pense-t-elle, celle de Phèdre. Elle fait appel, l'esclave nourrie dans les sentiments bas, au sentiment de l'honneur, aux satisfactions du pouvoir qu'on exerce :

> Ne vaudrait-il pas mieux, digne sang de Minos,
> Dans de plus nobles soins chercher votre repos ?
> Contre un ingrat qui plaît recourir à la fuite,
> Régner, et de l'Etat embrasser la conduite ?

Oenone ira plus loin encore : elle lutte tout au long de la pièce pour maintenir Phèdre en vie ; elle sait admirablement jouer de la corde de la fierté offensée, même au risque de retourner le couteau dans la plaie. Sans doute hait-elle elle-même en ce moment Hippolyte, contempteur d'une Phèdre adorée par elle :

> Pouvez-vous d'un superbe oublier les mépris ?
> Avec quels yeux cruels sa rigueur obstinée
> Vous laissait à ses pieds peu s'en faut prosternée !
> Que son farouche orgueil le rendait odieux !
> Que Phèdre en ce moment n'avoit-elle mes yeux ?

A partir de ce moment Oenone de toutes ses forces ne
tente-t-elle pas de tuer un amour impossible, sans promesse et sans lendemain avant même la nouvelle du
retour de Thésée ? Je sais bien qu'elle accepte d'intervenir
une fois encore auprès de l'inhumain comme dans la tragédie antique. Mais elle va accomplir sûrement la démarche à contre-cœur, uniquement pour faire plaisir à la
reine, sûre qu'elle est du résultat. Heureusement pour elle,
elle ne va pas jusqu'au bout. Elle éprouve même une
réelle satisfaction à faire agir la nouvelle de l'arrivée
du roi sur l'esprit de la reine :

> Il faut d'un vain amour étouffer la pensée,
> Madame. Rappelez votre vertu passée.

Il s'agit pour Phèdre de réaliser la terrible réalité,
d'envisager une confrontation avec Thésée et avec Hippolyte. Cela n'est pas possible ; elle recule, elle défaille
d'avance dans la mort. Le remède c'est Oenone encore
qui va l'apporter, une Oenone obstinée à faire vivre Phèdre. D'un coup d'œil elle a vu la seule issue possible : ne
pas rester sur la défensive, mais attaquer. C'est évidemment la dénonciation calomnieuse, mais il faut d'abord
préparer le terrain, la mettre en état d'accepter le fait,
sans prononcer le mot dégradant : Si Phèdre se tue, comment elle, Oenone, pourrait-elle la justifier ? En disparaissant, ne plaiderait-elle pas coupable ? Oenone ne
regarderait-elle pas l'insupportable triomphe d'Hippolyte ?

> A votre accusateur que pourrai-je répondre ?
> Je serai devant lui trop facile à confondre.
> De son triomphe affreux je le verrai jouir,
> Et conter votre honte à qui voudra l'ouïr.

Elle éprouve déjà le pouvoir de telles paroles. Elle agit
comme par hypnose :

> vous est-il cher encore ?
> De quel œil voyez-vous ce prince audacieux ?

Et Phèdre de répondre :

Je le vois comme un monstre effroyable à mes yeux.
Alors rassurée Oenone peut démasquer ses batteries :
« Osez l'accuser la première ». N'a-t-elle pas tout pour
elle, jusqu'à cette épée qu'il a laissée entre ses mains ?
Elle a bien compté avec le remords de Phèdre. Qu'à cela
ne tienne. De deux maux il faut choisir le moindre. Elle
préfère, à tout, même la calomnie, la vie de l'enfant
qu'elle a nourrie : elle ne demande qu'un acquiescement
tacite :

> Mon zèle n'a besoin que de votre silence.
> Tremblante comme vous, j'en sens quelque remords.
> Vous me verriez plus prompte affronter mille morts.
> Mais puisque je vous perds sans ce triste remède,
> Votre vie est pour moi d'un prix à qui tout cède.

Racine s'est rendu compte de tout l'odieux dont il la
chargeait ainsi. En réalité si Oenone accuse, c'est qu'elle
ne croit pas à une punition sévère infligée par le père au
fils. Comment saurait-elle que le roi va faire appel à Neptune, comme à un donneur de mort :

> Je parlerai. Thésée, aigri par mes avis,
> Bornera sa vengeance à l'exil de son fils.
> Un père en punissant, Madame, est toujours père :
> Un supplice léger suffit à sa colère.

Mieux, elle assume toute la responsabilité de ses actes.
Elle ira jusqu'au bout, même s'il faut tuer, puisqu'il s'agit
de la réputation de la reine. Ainsi son sens moral est-il
oblitéré par l'affection passionnée qu'elle lui porte : son
dévouement consent à être criminel :

> Mais le sang innocent dût-il être versé,
> Que ne demande point votre honneur menacé ?
> C'est un trésor trop cher pour oser le commettre.
> Quelque loi qu'il vous dicte, il faut vous y soumettre.

Madame ; et pour sauver notre honneur combattu,
Il faut immoler tout, et même la vertu.

Ne croyez pas entendre une grande dame du XVIIᵉ siècle. C'est Oenone, esclave grecque. Par là Racine, malgré
tout ce qu'il a fait pour mettre le personnage au-dessus de
sa condition sociale, par le rôle qu'il lui attribue, et l'intelligence dont il la pare, le rend comme à sa première
origine en écrivant dans la préface de la tragédie : « J'ai
cru que la calomnie avait quelque chose de trop bas et
de trop noir pour la mettre dans la bouche d'une princesse
qui a, d'ailleurs, des sentiments si nobles et si vertueux.
Cette bassesse m'a paru plus convenable à une nourrice,
qui pouvoit avoir des intentions plus serviles, et qui néanmoins n'entreprend cette fausse accusation que pour sauver la vie et l'honneur de sa maîtresse. » Mais Racine
est-il absolument maître ici de sa créature, ne l'a-t-il pas
déjà fait monter trop haut pour pouvoir le ravaler à un
rôle aussi odieux ? Oenone devenu comme un Iago
femelle a de quoi nous surprendre de par les qualités
déjà reconnues au personnage. Mais qu'y faire ? Nous
devons l'accepter tel quel. Et c'est avec un sang-froid
implacable que la nourrice profère au début du 4ᵉ acte
la calomnie, qu'elle ne craint pas de répéter dans la
scène première en apportant toutes les précisions nécessaires :

Phèdre épargnoit plutôt un père déplorable.
Honteuse du dessein d'un amant furieux
Et du feu criminel qu'il a pris dans ses yeux,
Phèdre mouroit, Seigneur, et sa main meurtrière
Eteignoit de ses yeux l'innocente lumière.

Le coup porte admirablement, et pourtant tout l'édifice
risque de s'écrouler. Son crime perpétré, elle craint pour
la vie de la Reine. Au fond elle n'est point sûre d'elle.
Elle sait elle-même tout ce qu'elle a fait, et même au roi

elle ne peut manquer de dire la vérité dans une phrase à double entente :

> Seigneur, souvenez-vous des plaintes de la Reine.
> Un amour criminel causa toute sa haine.

Mais elle se hâte encore de voler au chevet de la malade, qui, avant de se tuer, va la tuer elle-même. Nous en arrivons ainsi à la dernière scène du 4e acte, où Oenone est encore vivante. Phèdre lui apprend ce qu'elle ne sait pas : l'amour réciproque d'Hippolyte et d'Aricie. Elle va d'étonnement en étonnement : Comment ? Aricie ? Elle essaie encore de trouver l'argument décisif, celui qui endiguera le flot montant de la jalousie :

> Quel fruit recevront-ils de leurs vaines amours ?
> Ils ne se verront plus.

Elle essaie encore de lutter contre la conscience morale de Phèdre. Sa tendresse retrouve les arguments usés, tout le cortège des motifs clichés qui sont incapables d'opérer la guérison si ardemment désirée. Il est à noter que ses paroles s'adaptent toujours à la crise du moment, au risque perpétuel de se contredire, à l'accusation fondée de n'être point conséquente avec elle-même. Mais n'a-t-elle pas son unité dans son dévouement sans bornes, son amour maternel pour Phèdre. Elle peut dans ces conditions, ne point suivre d'ordre préétabli, se livrer à l'inspiration nécessairement renouvelée du moment

> Hé ! repoussez, Madame, une injuste terreur.
> Regardez d'un autre œil une excusable erreur.
> Vous aimez. On ne peut vaincre sa destinée.
> Par un charme fatal vous fûtes entraînée.
> Est-ce donc un prodige inouï parmi nous ?
> L'amour n'a-t-il encore triomphé que de vous ?
> La foiblesse aux humains n'est que trop naturelle.
> Mortelle, subissez le sort d'une mortelle.

Ira-t-elle jusqu'à blasphémer les dieux, s'il le faut, on pourrait aisément le croire. Elle met en cause les dieux, et les accuse des mêmes faiblesses que celles des hommes :

> Les Dieux mêmes, les Dieux, de l'Olympe habitants,
> Qui d'un bruit si terrible épouvantent les crimes,
> Ont brûlé quelquefois des feux illégitimes.

Mais se doute-t-elle de ce qui l'attend, de la terrible torture infligée par le réquisitoire d'une Phèdre hors d'elle-même. Le rôle que par tendresse elle a jusqu'ici joué, elle se charge de le lui révéler en des vers cinglants ; Oenone devient la compagne de Narcisse :

> Ainsi donc jusqu'au bout tu veux m'empoisonner,
> Malheureuse ? Voilà comme tu m'as perdue.
> Au jour que je fuyais c'est toi qui m'as rendue.
> Tes prières m'ont fait oublier mon devoir.
> J'évitois Hippolyte, et tu me l'as fait voir.
> De quoi te chargeois-tu ? Pourquoi ta bouche impie
> A-t-elle, en l'accusant, osé noircir sa vie ?
> Il en mourra peut-être, et d'un père insensé
> Le sacrilège vœu peut être exaucé.

Nos actes nous suivent. Oenone voit résumer toute son action des dernières heures. Elle-même l'a-t-elle regardée, examinée sous ce jour ? Evidemment non. Elle ne l'a aperçue que par lueurs. Elle courait au plus pressé : tirer Phèdre de la mort, même au risque d'y précipiter les autres. Elle a été l'instrument et l'agent d'une mauvaise cause, et au lieu de la remercier de ses efforts, même criminels, on la paie d'ingratitude, pire que cela, on l'a maudite, en l'assimilant aux flatteurs, aux traîtres qui perdent les royaumes par leurs conseils perfides. Elle est la bête chargée du crime qu'on lâche à la mort et qu'on voue au supplice. C'est le calvaire d'Oenone que ces derniers vers, qui consacrent la déchéance de son autorité morale, de sa place privilégiée dans l'affection de la reine, avec le consentement de Racine qui, pour sauver Phèdre, abandonne l'esclave dès la préface :

> Je ne t'écoute plus. Va-t'en, monstre exécrable :
> Va, laisse-moi le soin de mon sort déplorable.
> Puisse le juste ciel dignement te payer !
> Et puisse ton supplice à jamais effrayer
> Tous ceux qui comme toi, par de lâches adresses,
> Des princes malheureux nourrissent les foiblesses,
> Les poussant au penchant où leur cœur est enclin,
> Et leur osent du crime aplanir le chemin,
> Détestables flatteurs, présent le plus funeste
> Que puisse faire aux rois la colère céleste !

Réquisitoire, malédiction, classement irrévocable parmi les criminels, comment Oenone supportera-t-elle tout cela ? Elle ne prononcera plus que deux vers avant d'aller mourir, deux vers où elle marque moins son remords que son acceptation de l'inéluctable :

> Ah Dieu ! pour la servir j'ai tout fait, tout quitté ;
> Et j'en reçois ce prix ? Je l'ai bien mérité.

Que lui reste-t-il à faire, abandonnée de Phèdre, sinon qu'à remplir sa destinée, à se donner cette mort qu'elle annonçait au premier acte, comme la conséquence de l'abandon de Phèdre ? Nous apprendrons, à la scène V, qu'à l'exemple d'Achrise elle s'est jetée dans la profonde mer. Loin de s'attendrir sur elle Phèdre l'accablera dans la scène suprême, rejettera sur elle l'horreur du crime, lui reconnaîtra un supplice trop doux encore. Elle est à son égard impitoyable, elle, c'est-à-dire Racine. Car c'est lui qui est responsable, plus que la légende antique, du sort et de la condamnation d'Oenone. Après en avoir fait l'actrice agissante, l'instigatrice du drame, l'instrument du crime et du rachat de Phèdre, le poète la rejette comme une dépouille inutile, une criminelle dont il ne

veut plus entendre parler dans cette pureté nouvellement
retrouvée et chèrement acquise. Elle est la détestable
Oenone, la perfide Oenone, plus encore le monde du
mal, nourrice, mère, vigilante, dévouée, lucide, adroite,
vivant de la minute, épousant les sinuosités du serpent
intérieur pour le charmer, pour le charmer par ses sortilèges.

Pour nous qui connaissons la vérité et l'appréhendons
sans parti pris, il est incontestable que la conseillère de
Phèdre demeure une création unique de Racine, dans sa
volonté de décharger le personnage principal du poids
de sa terrible responsabilité. Aidé des dramaturges antiques le poète a fait glisser sur la nourrice la causalité
des actes criminels qui auraient atténué notre pitié. Il a
abandonné sa créature secondaire pour nourrir de son
renoncement, de son dévouement absolu une Phèdre
d'autant plus poignante. La faiblesse d'Oenone pour
l'enfant qu'elle a portée dans sas bras, pour la jeune
femme qu'elle accompagne de sa sollicitude constante,
rappellerait la faiblesse de Goriot pour ses filles et comme elle confinerait au vice. Mais il est chez Oenone une
lucidité qu'on ne trouve point peut-être chez le héros
balzacien. Oenone semble avoir conscience de son rôle
qui consiste à faire durer vingt-quatre heures la tragédie,
à prolonger l'existence de Phèdre, de manière à lui faire
accomplir son destin fatal. Mais elle est à la fois le salut
passager et la ruine définitive de la reine. Sa science
retardatrice des catastrophes s'exerce à l'encontre de la
conscience morale dont elle finit par ne plus respecter les
lois. Elle est gardienne de l'honneur apparent de Phèdre
et non point de son honneur profond. Elle est la cérémo-
niaire des apparences. Esclave de la δόξα, de l'opinion de la faute littérale, elle est essentiellement païenne,
et diffère par là de Phèdre, sensible à la faute réelle, au
péché d'intention, au manquement secret de la loi morale.

Irai-je jusqu'à dire qu'elles forment l'une en face de l'autre deux mondes dont l'union apparente n'est accomplie que pour mieux faire éclater leur nécessaire opposition ? Péchant par la démesure de son dévouement, s'agrippant aux convenances sociales qui préserveront une Phèdre faussement innocente, elle ne peut qu'accélérer l'éclat du remords, précipiter le scandale qu'elle veut étouffer. Tout son effort aboutit au résultat opposé à celui qu'elle cherche. Elle périt victime de ses propres pièges, dans un échec retentissant qui ne préserve même pas la réalité de son dévouement. Le désir de la pureté est si terrible chez l'héroïne du drame qu'il tranche les liens les plus forts de l'affection coupable, et refuse une reconnaissance qui aggraverait la participation au crime. Aussi Oenone est-elle en définitive la grande abandonnée, celle dont nulle sépulture ne recouvrira les restes et que par la voix de la reine condamnent les dieux et les hommes, comme l'agent docile, le symbole trop complaisant du monde du mal.

Chapitre 12

HIPPOLYTE ET ARICIE

Nous abordons avec le personnage d'Hippolyte l'étude des personnages masculins dans la *Phèdre* de Racine. On se souvient que dans les tragédies d'Euripide et dans la majorité de celles de la Renaissance et du XVIIe siècle il reste le rôle principal sur lequel se concentre le meilleur de l'intérêt. Depuis qu'Euripide nous a représenté en lui le sectateur de Diane, le Καλὸς Καγαθος épris de noblesse et de pureté, préoccupé d'ascèse et d'élévation spirituelle, penchant vers l'orphisme qui l'initie à ses rites, il est pour nous comme un saint païen que ne trouble pas la tentation de la chair. Sénèque cependant a déjà transformé son caractère. Il devient, tout en gardant son austérité, philosophe presque professionnel, puisant dans l'arsenal stoïque pour en tirer de belles maximes, oubliant sa jeunesse pour devenir un vieillard sentencieux. Dans notre littérature son être oscille plus ou moins entre ces deux conceptions, farouchement chaste jusqu'à l'interférence de la légende de Crispe et de Fauste, et surtout jusqu'au *Garçon insensible* de Gilbert. Qu'allait en faire Racine, héritier de la tradition gréco-latine et lecteur averti du théâtre contemporain ? Allait-il se considérer prisonnier de la conception d'Euripide et de Sénèque, ou au contraire voulait-il donner au héros son plein développement humain, la vie que lui dictait sa sensibilité ? La *Préface* nous a avertis du changement qui nous attendait et ce n'est point en traître que nous serons pris.

Il importe cependant de savoir quel est le premier aspect d'Hippolyte quand il se présente à nous dans la scène d'exposition. Et Racine comme à dessein nous montre d'abord le fils, inquiet du sort de son père, songeant à se porter peut-être à son secours :

> Je commence à rougir de mon oisiveté.
> Depuis plus de six mois éloigné de mon père,
> J'ignore le destin d'une tête si chère ;
> J'ignore jusqu'aux lieux qui le peuvent cacher.

Il est si proche de son père, son amour filial est si fort qu'il ne peut souffrir que Théramène allègue de nouvelles amours comme cause de cette absence prolongée. Il lui semble qu'on fait erreur. Pour lui, le sort de Thésée et ses sentiments sont désormais fixés. Il ne faut plus revenir sur un passé lointain qui ternit sa gloire :

> Cher Théramène, arrête et respecte Thésée.
> De ses jeunes erreurs désormais revenu,
> Par un indigne obstacle il n'est point retenu ;
> Et fixant de ses vœux l'inconstance fatale,
> Phèdre depuis longtemps ne craint plus de rivale.

Mais Hippolyte unit en ce moment deux sentiments, celui de son devoir filial et celui d'Aricie. Car dès l'abord Racine a désiré que nous le connaissions amoureux. Amoureux, il l'est comme il le déclare à Théramène a peu près sans ambages. Il veut la fuir en partant à la recherche de son père. Comme un héros de Corneille, il veut échapper à un sentiment contraire à son devoir parce qu'elle est de la race de Pallas, l'ennemie héréditaire de sa famille et de son père. Il est temps pourtant de faire appel au personnage traditionnel d'Hippolyte, celui qui, né d'une mère amazone, nourri de son lait, a montré pour le sexe une haine farouche. Mais nous ne faisons qu'entrevoir ce qu'il appelle lui-même un cœur si fier, si dédaigneux. Racine met surtout l'accent sur l'éducation héroïque d'Hippolyte, son enthousiasme au récit des exploits de son père. En réalité si jusqu'ici il s'est montré si contraire à la femme, c'est parce qu'il se sent diminué par la vie amoureuse de Thésée, les prouesses de son cœur volage qui souillent les autres. Au point qu'il ne voulait plus en entendre parler :

> Mais quand tu récitois des faits moins glorieux,
> Sa foi partout offerte et reçue en cent lieux ;
> Hélène à ses parents dans Sparte dérobée ;
> Salamine témoin des pleurs de Péribée ;
> Tant d'autres, dont les noms lui sont même échappés,
> Trop crédules esprits que sa flamme a trompés :
> Ariane aux rochers contant ses injustices,
> Phèdre enlevée enfin sous de meilleurs auspices ;
> Tu sais comme à regret écoutant ce discours,
> Je te pressais souvent d'en abréger le cours,
> Heureux si j'avais pu ravir à la mémoire
> Cette indigne moitié d'une si belle histoire.

Or, voici qu'à son tour, il est la victime de l'amour, et il s'en trouve profondément humilié, d'autant plus qu'il n'a pu commander son sentiment qui le porte vers l'ennemie, vers Aricie. Par là, Racine pose déjà Hippolyte comme une seconde victime de Vénus, comme un pendant de Phèdre. Il retrouve la tradition antique de la lutte de Diane et d'Aphrodite, mais il la renouvelle. Il va aussi, cependant, revêtir l'aspect magnifique que lui prêtait le poète grec, et Théramène, dans une vision non prolongée, l'évoque en ses occupations favorites, auxquelles désormais, il se livre moins fréquemment : Tout cela nous vient en droite ligne d'Euripide :

> On vous voit moins souvent, orgueilleux et sauvage,
> Tantôt faire voler un char sur le rivage,
> Tantôt, savant dans l'art par Neptune inventé,
> Rendre docile au frein un coursier indompté.

Le chasseur infatigable, le conducteur intrépide de chevaux nous apparaît aussi. Toutefois, comme Phèdre, il
porte les stigmates de l'amour et les mots de Théramène
sont presque identiques à ceux qu'Oenone prononcera
tout à l'heure, à la scène troisième :

> Chargés d'un feu secret, vos yeux s'appesantissent.
> Il n'en faut point douter : vous aimez, vous brûlez ;
> Vous périssez d'un mal que vous dissimulez.

Mais malade d'amour, les atteintes physiques du mal n'in-
hibent point sa manière d'être et il nous quitte en révé-
lant un troisième trait de son caractère, lorsqu'Oenone
vient annoncer l'arrivée de Phèdre, le tact et la délicatesse :

> Il suffit : je la laisse en ces lieux,
> Et ne lui montre point un visage odieux.

Disparaissant au milieu du premier acte, il va pourtant nous faire vivre de sa présence, par la Reine confessant son amour à la nourrice, par Aricie interrogeant
Ismène sur l'attitude du jeune prince à son égard. Et
Racine, par Ismène, détruit la légende d'Hippolyte, élaborée par Euripide. Cette fois-ci la version de l'insensibilité est rejetée sans retour. Le poète français rompt avec
la tradition grecque, il prépare la venue du héros de Versailles. Aricie peut bien se tromper, dernier tenant de
l'*Hippolyte voilé* ou de l'*Hippolyte porte-couronne* :

> L'insensible Hippolyte est-il connu de toi ?
> Sur quel frivole espoir penses-tu qu'il me plaigne,
> Et respecte en moi seule un sexe qu'il dédaigne ?
> Tu vois depuis quel temps il évite nos pas,
> Et cherche tous les lieux où nous ne sommes pas.

Mais voilà la mise au point, la révélation sensationnelle,
la métamorphose du sauvage chasseur en prince charmant :

> Je sais de ses froideurs tout ce que l'on récite ;
> Mais j'ai vu près de vous ce superbe Hippolyte ;
> Et même, en le voyant, le bruit de sa fierté
> A redoublé pour lui ma curiosité.
> Sa présence à ce bruit n'a point paru répondre :
> Dès vos premiers regards je l'ai vu se confondre.
> Ses yeux, qui vainement vouloient vous éviter,
> Déjà pleins de langueur, ne pouvoient vous quitter.
> Le nom d'amant peut-être offense son courage ;
> Mais il en a les yeux, s'il n'en a le langage.

Point n'est besoin de longs discours. Le charme d'Hippolyte a opéré sur Aricie. Phèdre aura raison de le définir tout à l'heure « charmant », jeune, traînant tous les cœurs après soi ». Il y a des airs farouches et réservés qui ne trompent pas.

Cependant, le véritable Hippolyte, ne s'est pas encore révélé à nos yeux. Il faut que nous entendions l'aveu de son amour pour que nous le connaissions. Il commence à gouverner par un acte de clémence : il affranchit Aricie de la sévère surveillance à laquelle elle est astreinte. Il va plus loin encore, par un sens inné de la justice, il semble vouloir réparer l'usurpation de Thésée qui, héritier adoptif, n'a pas respecté les droits des héritiers légitimes. Mais s'il croit suivre la justice, en réalité Hippolyte obéit à la voix de sa passion ; que peut faire un amoureux, sinon offrir tout ce dont il dispose, à celle qu'il aime. Mais dans son innocence, Hippolyte se fait véritablement illusion. Il croit écouter sa conscience qui réprouve une royauté illégale :

> Je vous cède, ou plutôt je vous rends une place,
> Un sceptre que jadis vos aïeux ont reçu
> De ce fameux mortel que la terre a conçu.
> L'adoption le mit entre les mains d'Egée.
> Athènes, par mon père accrue et protégée,

> Reconnut avec joie un roi si généreux,
> Et laissa dans l'oubli vos frères malheureux.

Aurait-il considéré ces frères comme malheureux s'ils n'a-
vaient été ceux d'Aricie ? Voici même mieux, il va se faire
le champion de la jeune fille, réunir pour elle tous les
vœux partagés entre les successeurs possibles de Thésée.
La scène est charmante ; celui qu'on a fait jusqu'ici un
être à part, ne sentant pas, ne pensant pas comme les
autres, est devenu le modèle des amoureux fervents et
poètes. Car annonçant, dans un contraste qui s'avérera
terrible, l'aveu de Phèdre, celui d'Hippolyte prend les
chemins de l'incantation. Ce n'est pas qu'à l'exemple
d'Aricie, il n'emploie pas les formules versaillaises et con-
ventionnelles. Toutefois, il y apportera un charme particulier. Le conflit de la passion et de la raison ne prend
point chez lui un aspect tragique, il nous incite au sourire
indulgent, au plaisir de voir ses vœux exaucés et nous
nous y abandonnons sans mélange, pour peu que nous
ne songions pas à l'horrible de ce qui se prépare :

> Quelles sauvages mœurs, quelle haine endurcie
> Pourrait, en vous voyant, n'être point adoucie ?
> Ai-je pu résister au charme décevant...
> — Quoi ? Seigneur.— Je me suis engagé trop avant.
> Je vois que la raison cède à la violence.
> Puisque j'ai commencé de rompre le silence,
> Madame, il faut poursuivre : il faut vous informer
> D'un secret que mon cœur ne peut plus renfermer.
> Vous voyez devant vous un prince déplorable,
> D'un téméraire orgueil exemple mémorable.

Et pour la troisième fois, l'image de l'Hippolyte insensible,
héritée de Sénèque et d'Euripide, est détruite, piétinée
devant nous. Il se dresse un nouvel Hippolyte, formé à la
peine d'amour, se servant des formules précieuses et usées,
des images périmées, mais les renouvelant dans son ardeur

juvénile, leur conférant un nouvel éclat et une nouvelle saveur. C'est là un trait essentiel de Racine d'apporter comme un air de la cour, dans ses tragédies grecques et latines, de les lier par là à la réalité contemporaine :

> Moi qui contre l'amour fièrement révolté,
> Aux fers de ses captifs ai longtemps insulté,
> Qui des foibles mortels déplorant les naufrages,
> Pensois toujours du bord contempler les orages :
> Asservi maintenant sous la commune loi,
> Par quel trouble me vois-je emporté loin de moi ?

Et nous allons avoir le spectacle traditionnel de l'amant vivant avec la vision de l'aimée, la promenant dans la nature, dans le soleil ou au clair de lune, lorsque Diane manifeste sa royauté. Curieux mélange de visions redites et ressassées et de trouvailles inédites emportées dans la musique du héros qui se révèle ici poète : se comparant au cerf, à la biche, dont parle Virgile, qui porte dans sa chair la flèche acérée, il s'évoque lui-même dans le cadre prestigieux et solitaire que lui prêtent les paysages de l'Attique. Elégiaque, Hippolyte l'est presque ; en tout cas il a rendu les armes, et les attributs cynégétiques que lui prête la légende de la Grèce, il les dépose aux pieds d'Aricie :

> Portant partout le trait dont je suis déchiré,
> Contre vous, contre moi, vainement je m'éprouve :
> Présente, je vous fuis ; absente, je vous trouve ;
> Dans le fond des forêts votre image me suit ;
> La lumière du jour, les ombres de la nuit,
> Tout retrace à mes yeux les charmes que j'évite ;
> Tout vous livre à l'envi le rebelle Hippolyte.
> Moi-même, pour tout fruit de mes soins superflus,
> Maintenant je me cherche, et ne me trouve plus.
> Mon arc, mes javelots, mon char, tout m'importune ;
> Je ne me souviens plus des leçons de Neptune ;

> Mes seuls gémissements font retentir les bois,
> Et mes coursiers oisifs ont oublié ma voix.

On songe à la rêverie de Phèdre. L'on conçoit que l'annonce que Phèdre veut le voir, en l'arrachant à son ravissement, lui arrache un cri d'impatience, pour ce qu'il appelle un « fâcheux entretien ». Il charge Théramène de venir l'en délivrer. Et voici le prince devant l'inconnaissable, devant la Reine, dont tout à l'heure la passion va éclater. Il se défend d'abord de vouloir la poursuivre de son ressentiment, comprend parfaitement qu'une marâtre ne puisse éprouver pour le fils de l'*autre* des sentiments d'affection, essaie de rassurer Phèdre en lui disant que, peut-être, Thésée n'est pas mort. Mais, devant l'aveu jaillissant, terrible comme le tonnerre, il est foudroyé ; la honte que Phèdre ne semble pas ressentir, il l'éprouve lui-même. Les mots qu'elle ne prononce pas, il les profère. Ici éclate la pureté d'intention, la pureté du cœur d'Hippolyte. Il a refusé de frapper la reine, il refuse à présent de parler. Il prend la résolution héroïque de taire l'aveu qu'il vient d'entendre, préparant ainsi son propre trépas :

> Je ne puis sans horreur me regarder moi-même.
> Phèdre... mais non, grands Dieux ! qu'en un profond
> [oubli
> Cet horrible secret demeure enseveli.

Mais il se révolte à l'idée qu'elle va gouverner Athènes, elle qui en est moralement indigne. C'est la seule protestation qu'il élève :

> Dieux, qui la connoissez,
> Est-ce donc sa vertu que vous récompensez ?

Par là il symbolise la morale, la conscience du mal. Il n'a pas d'indulgence pour Phèdre. Il ne l'excuse pas, il ne lui pardonne pas, il ne saurait entrer dans son âme. Il dresse le mur de la vertu rigide et dure entre la faute et lui et veut empêcher le crime de régner en assumant la

succession de Thésée. Pourtant, nous devons attendre le
retour du roi. C'est à ce moment que le caractère d'Hippolyte se fixe définitivement. Thésée revenu, il songe à sa
résolution première : partir. Ne voulant point parler, il
n'a que cette solution. L'amoureux que nous avons quitté
tout à l'heure, songe à reprendre ses habitudes de chasseur et de cavalier. Il fait valoir au roi sa double hérédité : fils d'un dompteur de monstre et d'une amazone,
il est temps qu'il remplisse sa destinée. En fait, il n'y
songe que par désespoir, sous le coup du terrible aveu
de Phèdre qui l'a confondu. De l'amour, il veut se sauver par la gloire :

> Et moi, fils inconnu d'un si glorieux père,
> Je suis même encor loin des traces de ma mère.
> Souffrez que mon courage ose enfin s'occuper.
> Souffrez, si quelque monstre a pu vous échapper,
> Que j'apporte à vos pieds sa dépouille honorable,
> Ou que d'un beau trépas la mémoire durable,
> Eternisant des jours si noblement finis,
> Prouve à tout l'univers que j'étois votre fils.

La mort ? pourquoi pas ? N'est-ce pas là le moyen
d'échapper à l'amour d'Aricie interdit par Thésée et à
l'amour manifesté par Phèdre, contre lequel toute sa
conscience se révolte avec horreur. Le calvaire d'Hippolyte a commencé. Le prince charmant aura-t-il la
force de le supporter jusqu'au bout, soutiendra-t-il son
personnage ? Nous ne le saurons qu'à l'acte IV, celui
de l'accusation calomnieuse et celui de la malédiction.
Le voici devant son père, qui va vérifier pour lui-même
ce que vient de lui apprendre Oenone. Encore que Thésée soit convaincu, il ne peut manquer d'être frappé
par tout ce que la personne d'Hippolyte dégage d'innocence vraie. Son père parle, invective, maudit. Mais le
jeune héros ne s'arrête pas aux paroles de malédiction.

C'est l'accusation qui le touche. Il ne peut concevoir que
Phèdre, après son aveu criminel, ose encore l'accuser.
Il n'a pas d'autre réaction qu'un abattement subit, l'effet
est presque le même que celui du 2e acte :

> D'un amour criminel Phèdre accuse Hippolyte !
> Un tel excès d'horreur rend mon âme interdite ;
> Tant de coups imprévus m'accablent à la fois
> Qu'ils m'ôtent la parole et m'étouffent la voix.

Serait-il faible par hasard ? Manquerait-il de volonté ?
Au contraire, c'est à ce moment qu'il manifeste le mieux
sa maîtrise de soi. Il a juré de se taire par amour filial.
Quand il trouve la force de parler à nouveau, il ne
s'abandonne pas au mouvement impétueux de la haine
et de la vengeance ; il marque son silence, le souligne
intentionnellement, il accepte en victime expiatoire de
ne pas attaquer :

> D'un mensonge si noir justement irrité,
> Je devrois faire ici parler la vérité,
> Seigneur. Mais je supprime un secret qui vous touche.
> Approuvez le respect qui me ferme la bouche.

C'est donc par respect filial, par amour pour son père
qu'il agit ainsi. Mais toute sa belle conscience révoltée,
sa fierté, son amour-propre ont un sursaut attendu. Il a le
sentiment de son hérédité, de la noblesse du cœur transmise et soutenue, et il raisonne en logicien. Il prononce
son apologie avec ordre et fermeté pour commencer. Il
n'omet aucun argument décisif :

> Examinez ma vie, et songez qui je suis.
> Quelques crimes toujours précèdent les grands crimes.
> Quiconque a pu franchir les bornes légitimes
> Peut violer enfin les droits les plus sacrés ;
> Ainsi que la vertu, le crime a ses degrés ;
> Et jamais on n'a vu la timide innocence
> Passer subitement à l'extrême licence.

> Un jour seul ne fait point d'un mortel vertueux
> Un perfide assassin, un lâche incestueux.

Au fond, comme il l'affirme lui-même, sa vie, jusqu'à présent, a été le démenti de ce dont on l'accuse. Il ne se rend pas compte sur le moment qu'il oublie sa déclaration à Aricie. Ou plutôt il va s'en souvenir. Lui qui ne parlait point de cet amour par respect filial, il va le révéler, puisque c'est à ses yeux le seul moyen de se justifier d'une calomnie. Dans son obéissance absolue, il pense qu'il a offensé son père, et il s'en accuse :

> Je confesse à vos pieds ma véritable offense :
> J'aime : j'aime, il est vrai, malgré votre défense,
> Aricie à ses lois tient mes vœux asservis.

N'est-ce point d'ailleurs de cet amour qu'il venait s'accuser ? pouvait-il faire autrement, puisqu'il l'avait déclaré à Théramène et à Aricie ? Il voit douloureusement que son père refuse de le croire. Aussi, ne peut-il s'empêcher de rappeler que Phèdre, comme lui, détient le secret de l'affreuse énigme :

> Phèdre au fond de son cœur me rend plus de justice.

Mais le fils, obéissant et soumis, reparaît :

> Quel temps à mon exil, quel lieu prescrivez-vous ?

Thésée l'accable d'invectives et presque d'injures. Sa fierté outragée doit faire un effort surhumain pour se taire ; il s'en faut de peu que le secret ne s'échappe de ses lèvres :

> Vous me parlez toujours d'inceste et d'adultère ?
> Je me tais. Cependant Phèdre sort d'une mère,
> Phèdre est d'un sang, Seigneur, vous le savez
> [trop bien,
> De toutes ces horreurs plus rempli que le mien.

Désormais, il est le proscrit, le maudit, Phèdre qui s'apprêtait à le sauver suspend sa démarche, en appre-

nant qu'il aime Aricie. Que va faire le malheureux ? Il
n'a plus qu'un recours, qu'un refuge, c'est Aricie. A elle,
que l'amour unit à lui, il ne peut cacher la vérité qui
l'étouffe et qu'il tait, dans un effort surhumain de volonté.
Aricie est pour Hippolyte, la suprême tentatrice. Elle ne
peut supporter l'idée qu'il ne s'est pas lavé de l'horrible
reproche. Elle voudrait l'amener à se justifier, à dire la
vérité. Il doit partir, qu'à cela ne tienne, mais qu'en partant il défende son honneur d'un reproche honteux et qu'il
force son père à révoquer ses vœux. Hippolyte est l'expression des plus hauts sentiments. Il n'a point parlé, parce
qu'il n'a pas voulu voir le front de son père, rougir d'une
indigne rougeur. Il n'a pour s'épancher que le cœur
d'Aricie, et les Dieux. Avant de s'en aller, il veut s'assurer que son amante ne violera pas la loi du secret qu'il
lui impose. Il y aurait, du reste, comme une profanation,
si la pure Aricie dévoilait un fait si impur. Alors se manifeste le religieux Hippolyte, celui qui met sa foi dans les
Dieux, qui croit en la vengeance plus ou moins proche du
crime. Il y a pour une notion abstraite d'équité, une idée
d'équité, et les dieux se chargent de lui donner une forme concrète. Mais sa soif de pureté est telle, qu'il veut
entraîner Aricie hors d'un lieu funeste et profané « où la
vertu respire un air empoisonné ». Il va même songer à
la révolte, mais se doute-t-il qu'en voulant soulever
Argos et Sparte contre Phèdre, il prend en même temps,
parti contre son père ? Il est vrai que son amour parle
en ce moment et qu'il ne veut pas laisser l'objet de son
amour à la merci de la rage jalouse de Phèdre :

> Vous n'avez jusqu'ici de gardes que les miens ;
> De puissants défenseurs prendront notre querelle ;
> Argos nous tend les bras, et Sparte nous appelle :
> A nos amis communs portons nos justes cris ;
> Ne souffrons pas que Phèdre, assemblant nos débris,

> Du trône paternel nous chasse l'un et l'autre,
> Et promette à son fils ma dépouille et la vôtre.

Ils forment un couple à présent, comme Nicomède et Laodice, il leur faudra lutter contre une marâtre. Hippolyte est transporté hors de lui-même, en suggérant ce parti désespéré. Lui qui ne semblait avoir jusque-là aucune hardiesse, il est rempli d'audace, de témérité. Mais ce n'est point, au fond, pour une alliance politique qu'il est venu trouver Aricie, il veut, en partant pour l'exil, emmener Aricie comme son épouse. Abandonné par son père, désormais il se sent libre d'épouser celle qu'il aime. Il l'aimera toujours comme l'affirmait Phèdre dans sa souffrance. L'union réalisée des deux amants atténuerait ces effroyables malheurs :

> Un plus noble dessein m'amène devant vous :
> Fuyez mes ennemis, et suivez votre époux.
> Libre dans nos malheurs, puisque le ciel l'ordonne,
> Le don de notre foi ne dépend de personne.
> L'hymen n'est point toujours entouré de flambeaux.

Il songe à l'éternité de l'amour, à la foi jurée devant les tombes séculaires, à l'alliance des dieux justes, de la chaste Diane, de l'auguste Junon. Dernière illusion, mais se fait-il illusion à lui-même dans son désespoir ? Aricie d'ailleurs, se charge de le ramener à la réalité, en lui conseillant de fuir promptement.

Et maintenant il va vers sa destinée. Non point d'un cœur allègre, certes : « Il suivoit tout pensif le chemin de Mycènes. / Sa main sur ses chevaux laissoit flotter les rênes ». Lui qui rêvait de devenir, comme son père, un dompteur de monstres fabuleux, il sera vaincu par la bête furieuse envoyée par Neptune. Du moins peut-il mourir en héros, se mesurer avec le monstre sans que son cœur faiblisse. Alors que ses compagnons reculent épouvantés, que les coursiers sont fous de terreur,

> Hippolyte lui seul, digne fils d'un héros,
> Arrête ses coursiers, saisit ses javelots,
> Pousse au monstre, et d'un dard lancé d'une main sûre
> Il lui fait dans le flanc une large blessure.

Mais de quoi sert tant d'intrépidité ? Son destin s'achève affreusement ; déchiqueté, les os brisés, traîné par les chevaux, il trouve encore la force de recommander son amante à la bonté de son père. Peut-être un jour, son cœur sera-t-il désabusé. La douleur est si vive, la mort si exigeante, qu'il ne trouve plus la force de parler, et il expire.

Mais sa revanche éclatante et posthume, est plus proche qu'il ne l'avait pensé. Elle va venir presque aussitôt après. Mort en martyr, il sera, comme chez Euripide, le saint innocent. Lui l'auteur, le moteur du drame intime et déchirant de Phèdre, la cause de sa pensée incestueuse, l'agent irresponsable de ses crimes, il réalise en expirant l'accomplissement de la loi morale, après avoir soutenu par sa présence la raison morale de la tragédie. Non seulement Phèdre s'accuse parce qu'il est trépassé, et meurt à son tour, mais Thésée désabusé, revenu de son erreur et bourrelé par le remords, se réconcilie avec Aricie, la considère comme sa fille. Comme il a provoqué le désordre et le déchirement, Hippolyte, par sa mort, ramène le retour aux conditions normales, à la pureté qu'il symbolise.

Héros né de la légende grecque, aux origines perdues dans les lointains de la légende dorienne, devenu le prêtre de Diane, ascète orphique, le type accompli du jeune Grec parfait de corps et d'âme, chaste à l'excès et par là provoquant la colère d'Aphrodite, mué en philosophe stoïque aux phrases et aux maximes sentencieuses, il est ramené par Racine à une réalité plus humaine. Dès l'abord, la légende de l'insensibilité est battue en brèche. Il ne conserve que les dehors de sa réputation, et lui-même, après Ismène, se plaît à la dépouiller. Charmant, jeune, il a toute la retenue du jeune homme encore sauvage et timide, scrupuleux, pur, plein de respect, d'amour et d'obéissance pour son père ; il sait puiser dans une volonté déjà affermie la résolution de se taire. Et s'il parle en héros de Versailles, il a en lui je ne sais quoi de noble et d'ingénu qui nous le fait aimer. Il traîne tous les cœurs après soi, parce que « le jour n'est pas plus pur que le fond de son cœur ». Contraste de la lumière, de la blancheur, il s'oppose aux anges noirs qui ont pris possession de Phèdre. Il lutte contre les monstres, les monstres intérieurs comme le monstre marin. Lui qui rêvait de réaliser les mêmes exploits que son père, à l'exception de ses exploits amoureux, il ne peut que mourir en beauté, sans faillir à sa promesse de silence. Il est donc un exemple de volonté. Mais la description qu'il fait à Aricie de son amour, les résolutions extrêmes qu'il médite dans la première scène du cinquième acte, le rapprochent de l'humanité commune, nous le rendent plus accessible et par là plus vrai. De sorte qu'Hippolyte, qui a créé Phèdre incestueuse, et qui agit aussi pour Phèdre incestueuse, sans laquelle, semble-t-il, il n'aurait pas été, vit toujours d'une vie propre, renouvelée par Racine sur la suggestion de Gilbert.

Combien pâle à côté de lui nous paraît Aricie ! Comparable par ses malheurs à Eriphile, seule survivante de sa famille, timide et fière à la fois, elle est amoureuse d'Hippolyte et le reconnaît à la première scène du deuxième acte, quand Ismène lui annonce la visite du héros : Elle a été le reflet de celui-ci dans son refus d'Aphrodite :

> Tu sais que de tout temps à l'amour opposée,
> Je rendais souvent grâce à l'injuste Thésée,
> Dont l'heureuse rigueur secondait mes mépris.
> Mes yeux alors, mes yeux n'avaient pas vu son fils.

Elle est une bonne élève de Corneille, et elle répète, plus proche de la Laodice de *Nicomède* que de Phèdre, la leçon apprise :

> Non que par les yeux seuls lâchement enchantée,
> J'aime en lui sa beauté, sa grâce tant vantée,
> Présents dont la nature a voulu l'honorer,
> Qu'il méprise lui-même, et qu'il semble ignorer.
> J'aime, je prise en lui de plus nobles richesses
> Les vertus de son père, et non point les faiblesses,
> J'aime, je l'avouerai cet orgueil généreux
> Qui jamais n'a fléchi sous le joug amoureux.

La voilà même qui parle en reprenant les termes de la poliorcétique amoureuse de *Nicomède* :

> Phèdre en vain s'honorait des soupirs de Thésée :
> Pour moi, je suis plus fière et fuis la gloire aisée
> D'arracher un hommage à mille autres offert,
> Et d'entrer dans un cœur de toutes parts ouvert,

Elle joue à la petite fille en présence d'Hippolyte dans la deuxième scène, mais elle ne manque pas de coquetterie, son caractère est mieux dessiné au début du cinquième acte quand elle pousse Hippolyte à se disculper et dans la quatrième scène quand elle ouvre les yeux de Thésée. Il reste que cette jeune fille, qui n'est pas encore une femme, n'est pas encore non plus dramatiquement formée.

Chapitre 13

THÉSÉE

S'il est un personnage marqué par l'histoire et la légende, établi comme héros dompteur de monstres et comme amoureux bourreau des cœurs, c'est bien celui de Thésée. A la vie légendaire transmise par Plutarque s'ajoutent toutes sortes de traditions locales qui ont trouvé des échos dans tous les textes de la littérature antique qui nous parlent de lui. Racine s'en est tenu à l'image de Plutarque, à celle d'Euripide, et de Sénèque, en entrant en contact avec son personnage. Mais il s'agirait de savoir quelle tonalité il va lui donner, quelle interprétation. Mari affectueux, père implacable contre son fils, jusqu'à l'apparition divine qui lui révèle la vérité, caractère conventionnel s'il en est, tel il se montre dans l'*Hippolyte porte-couronne*. Nous avons bien noté un changement dans la *Phaedra* latine. S'il éclate contre son fils, s'il entoure Phaedra d'affection, il ne demeure pas froid et plein de mépris devant l'infortune d'Hippolyte. Sa mort lui fait quitter le ressentiment du père et de l'époux outragé pour le remplir de tendresse : il maudit au vers 1120 le sort d'avoir exaucé ses vœux abominables et pleure d'avoir tué son fils, avant d'apprendre son innocence. Entre ces deux points de vue, comment s'opérera le choix de Racine, arrivera-t-il à une troisième solution ? Ce fut comme nous allons le voir, à ce dernier parti qu'il se rangea, mais il ne négligera pour cela ni les données d'Euripide, ni celles de Sénèque.

Il nous apparaît d'abord dans les paroles des autres, celles de Théramène et d'Hippolyte en particulier. Il est le grand absent, l'éternel voyageur qui va se perdre jusque dans les Enfers :

> J'ai demandé Thésée aux peuples de ces bords
> Où l'on voit l'Achéron se perdre chez les morts.

Il a disparu, on ne trouve plus la trace de ses pas, et naturellement devant cette disparition, les conjectures défavorables se font jour. A l'image du voyageur est unie celle de l'enfant volage qui, après avoir séduit Antiope, Ariane, Hélène et Péribée, ne s'est peut-être pas arrêté à Phèdre :

> Qui sait même, qui sait si le Roi votre père
> Veut que de son absence on sache le mystère ?
> Et si, lorsqu'avec vous nous tremblons pour ses jours,
> Tranquille, et nous cachant de nouvelles amours,
> Ce héros n'attend point qu'une amante abusée...

Mais nous avons vu Hippolyte arrêter l'expression d'une telle pensée sur les lèvres de son gouverneur. Un tel Thésée a désormais disparu. L'amant volage a selon lui fait place à l'époux fidèle. Mais un Thésée subsiste, le héros dompteur de monstres et redresseur de torts, le justicier de l'humanité, purgeant l'univers comme Hercule, de ses créatures monstrueuses. C'est ce Thésée qui est cher à Hippolyte, ce Thésée dont il s'est fait conter l'histoire par Théramène, pour y être à l'école de la générosité et de la grandeur d'âme. Et Racine se souvient surtout de Plutarque quand il retrace la noble épopée :

> Tu me contois alors l'histoire de mon père,
> Tu sais combien mon âme, attentive à ta voix,
> S'échauffoit au récit de ses nobles exploits,
> Quand tu me dépeignois ce héros intrépide
> Consolant les mortels de l'absence d'Alcide,

> Les monstres étouffés et les brigands punis,
> Procuste, Cercyon, et Scirron, et Sinnis,
> Et les os dispersés du géant d'Epidaure,
> Et la Crète fumant du sang du Minotaure :

C'est d'ailleurs cet héroïsme qui rend excusables ses faiblesses amoureuses, nombreuses cependant, et qu'Hippolyte lui-même énumère, après que Racine les eût recueil-
lies chez Plutarque : Il est Don Juan après la lettre :

> Sa foi partout offerte et reçue en cent lieux ;
> Hélène à ses parents dans Sparte dérobée ;
> Salamine témoin des pleurs de Péribée ;
> Tant d'autres, dont les noms lui sont même échappés,
> Trop crédules esprits que sa flamme a trompés :
> Ariane aux rochers contant ses injustices,
> Phèdre enlevée enfin sous de meilleurs auspices.

Mais de ces deux images, si c'est celle du héros qui
domine dans l'esprit d'Hippolyte, c'est celle de l'amant
qui semble régner dans celui de Théramène.

Pour Phèdre et pour Oenone ce sera celle du roi et
de l'époux à l'acte 1ᵉʳ. Mais écoutez Ismène. Elle montre
bien que l'amoureux domine le héros, le cache, et le fait
pour ainsi dire disparaître. Elle se fait en effet l'écho des
bruits qui circulent, et même en se dévouant à Pirithoüs,
Thésée sert encore l'amour dont il est l'esclave :

> On sème de sa mort d'incroyables discours.
> On dit que, ravisseur d'une amante nouvelle,
> Les flots ont englouti cet époux infidèle,
> On dit même, et ce bruit est partout répandu,
> Qu'avec Pirithoüs aux enfers descendu,
> Il a vu le Cocyte et les rivages sombres,
> Et s'est montré vivant aux infernales ombres.

Au fond, Racine, ne fait que suivre exactement l'historien des *Vies parallèles*, en nous présentant Thésée sous
ce dernier aspect : « J'ai même suivi l'histoire de Thésée,

telle qu'elle est dans Plutarque, écrit-il dans la Préface.
C'est, dans cet historien, que j'ai trouvé que ce qui avoit
donné occasion de croire que Thésée fût descendu dans
les enfers pour enlever Proserpine, était un voyage que
ce prince avait fait en Epire vers la source de l'Achéron,
chez un roi dont Pirithoüs voulait enlever la femme, et qui
arrêta Thésée, prisonnier, après avoir fait mourir Pirithoüs. » Phèdre elle-même va nous présenter un autre
Thésée. Je sais bien que l'image du fils se superpose à
celle du père, mais n'évoque-t-elle pas cependant l'image
d'un Thésée jeune, farouche, traînant tous les cœurs
après soi, sans y céder lui-même. Ce Thésée a dû exister
dans un temps plus lointain, et sa réalité passée est reconnue dans la scène cinquième du second acte. Et pourtant,
ce n'est là qu'une image fugitive. Amant volage, héros
valeureux, roi, époux, voici les visions prolongées ou fugi-
tives que nous avons du personnage avant son apparition. Toutes les scènes de l'acte troisième qui nous mena-
cent de son arrivée annoncent l'époux et le père :

> Mon époux va paroitre et son fils avec lui (s'écrie
> [Phèdre)
> Je verrai le témoin de ma flamme adultère
> Observer de quel front j'ose aborder son père...
> Laissera-t-il trahir et son père et son roi ?
> Il me semble déjà que ces murs, que ces voûtes
> Vont prendre la parole, et prête à m'accuser,
> Attendent mon époux pour le désabuser.

De fait quand Thésée se montre à la scène quatrième,
c'est en mari tendre, heureux de retrouver sa femme
après une cruelle épreuve :

> La fortune à mes vœux cesse d'être opposée
> Madame, et dans vos bras met...

Thésée est surpris douloureusement. Il ne comprend
pas. Il ne s'explique ni le silence de Phèdre, ni le désir

de partir manifesté par Hippolyte. A ce moment, le fils
dresse encore sous nos yeux, pour que nous la contem-
plions en quelque sorte une dernière fois, l'image du héros
digne d'admiration, dont il aurait voulu imiter les glorieux
exploits. Mais de cet héroïsme, de cette transposition sur
un plan presque divin, le roi d'Athènes ne semble plus
vouloir. Au lieu de l'admiration, il cherche à susciter la
pitié, il oppose la vie héroïque et redoutable qui lui a été
imposée, les épreuves dont encore une fois il est venu
à bout, aux chagrins que lui réservait le retour dans son
foyer. Le héros est las d'être héros, il est las d'être le
serviteur de l'amour illégitime. Il aspire en surhomme
assagi, en amant devenu sage époux à la douceur conju-
gale. C'est là une métamorphose caractéristique de
Thésée :

> Que vois-je ? Quelle horreur dans ces lieux répandue
> Fait fuir devant mes yeux ma famille éperdue ?
> Et lorsque avec transport je pense m'approcher
> De tout ce que les Dieux m'ont laissé de plus cher,
> Que dis-je ? Quand mon âme, à soi-même rendue,
> Vient se rassasier d'une si chère vue,
> Je n'ai pour tout accueil que des frémissements :
> Tout fuit, tout se refuse à mes embrassements.

C'est un immense besoin de tendresse qui se trouve
inemployé et le dégoût des exploits héroïques, des aventures risquées, des fuites et des victoires au péril de la
vie. En somme, Thésée, a eu peur de manquer son bonheur
dans son odyssée dernière, et voici que rescapé il ne le
trouve plus.

> Si je reviens si craint et si peu désiré,
> O ciel, de ma prison pourquoi m'as-tu tiré ?
> Je n'avois qu'un ami. Son imprudente flamme
> Du Tyran de l'Epire allait ravir la femme ;
> Je servois à regret ses desseins amoureux ;
> Mais le sort irrité nous aveugloit tous deux.

> Le tyran m'a surpris sans défense et sans armes.
> J'ai vu Pirithoüs, triste objet de mes larmes,
> Livré par ce barbare à des monstres cruels
> Qu'il nourrissoit du sang des malheureux mortels.

Il est sorti vainqueur au bout de six mois, il a débarrassé la nature de ce nouveau monstre, mais le héros se plaint et regrette de n'être que héros, c'est époux et peut-être aussi père qu'il voudrait être dans toute la plénitude du terme. Et voici qu'on lui apprend qu'il est outragé dans son honneur conjugal, pire, les siens mêmes ne veulent pas lui dire par qui. Il s'étonne de n'être pas vengé, se demande si son propre fils n'est pas d'intelligence avec ses ennemis. Alors Thésée perd son équilibre. Lui qui n'était jusqu'ici que sang-froid, qu'audace réfléchie, que décision sereine, il est mûr pour la calomnie qu'on apprête. Il ne saurait se commander lui-même. Dans sa hâte de savoir à tout prix, il écoutera la première voix et sa pensée n'exercera aucun contrôle. Presque jusqu'au dénouement il ne se possédera guère. Oenone est venue lui faire sa détestable confidence, il ne la discute pas, il ne l'examine pas, il juge d'après les apparences, le silence de Phèdre, le désir de partir manifesté par Hippolyte. Il accepte d'emblée, semble-t-il, les données de la nourrice :

> Ah ! qu'est-ce que j'entends ? Un traître, un téméraire
> Préparait cet outrage à l'honneur de son père ?

Il se voit victime du destin, qui le poursuit encore après sa sanglante aventure. Il ne doute pas de la fidélité de Phèdre, mais il se trouve trop mal récompensé par son fils. Il ne lui a pas donné ce que la tendresse et la bonté qu'il lui avait témoignées pouvait lui laisser espérer. Le coup est accablant :

> Je ne sais où je vais, je ne sais où je suis.

Il suffit qu'il ait reconnu l'épée d'Hippolyte. La preuve n'est-elle pas là, certaine ? Il y a bien le silence de Phèdre, la lenteur de Phèdre à dénoncer l'atteinte à son bonheur :

> Le silence de Phèdre épargnoit le coupable ?

Mais il ne la soupçonne guère, il passe sans voir les fils blancs dont l'abominable histoire est cousue. D'ailleurs Oenone est si persuasive, si explicite. Il trouve lui-même les preuves formelles de la tentative de violence dans l'attitude d'Hippolyte qui criait sa culpabilité :

> Le perfide ! Il n'a pu s'empêcher de pâlir.
> De crainte, en m'abordant, je l'ai vu tressaillir.
> Je me suis étonné de son peu d'allégresse ;
> Ses froids embrassements ont glacé ma tendresse.

Il n'a pas lieu d'être jaloux, puisque Phèdre n'a pas cédé, lui est restée fidèle, et l'a mis en garde elle-même. Mais il veut savoir quand cet amour incestueux s'est déclaré. Ici encore Oenone a une belle occasion de lui montrer l'origine de cet amour dans le temps où la reine commença à se plaindre de son beau-fils. Désormais, elle ne saurait prêcher qu'un convaincu. Mais si convaincu qu'il soit, Thésée ne peut s'empêcher en plein égarement de voir l'air d'innocence qui est peint sur le visage d'Hippolyte lorsqu'il entre à la scène deuxième. Est-ce qu'un premier doute et comme un revirement très ténu ne se manifeste pas à ces vers :

> Faut-il que sur le front d'un profane adultère
> Brille de la vertu le sacré caractère ?
> Et ne devrait-on pas à des signes certains
> Reconnaître le cœur des perfides humains ?

Eh bien ! non. Il constate simplement la discordance qu'il peut y avoir entre la réalité et l'apparence. Dès les premiers mots qu'il adresse à son fils il l'accable d'invec-

tives et d'injures dont l'avalanche va grossissant. Pour
lui ce fils est le reste impur des brigands dont il a purgé
la terre. Il ne peut concevoir qu'il ose après son forfait
se présenter devant lui. Sa honte éternelle, à lui Thésée,
sera d'avoir mis au monde un fils qui, par ses crimes, sera
l'opprobre de l'humanité. Il se retient cependant de le
frapper, et pour cela il lui ordonne de fuir, pour éviter
l'effet immédiat et mortel de son courroux :

> C'est bien assez pour moi de l'opprobre éternel
> D'avoir pu mettre au jour un fils si criminel,
> Sans que ta mort encor, honteuse à ma mémoire,
> De mes nobles travaux vienne souiller la gloire.

Ici se place un événement décisif : l'invocation à
Neptune. Le Dieu de la mer a promis à Thésée d'exaucer
trois de ses vœux, et voici qu'il se trouve à présent dans
la triste nécessité de faire appel à lui. Un pacte a été
conclu entre le dieu et lui :

> Et toi, Neptune, et toi, si jadis mon courage
> D'infâmes assassins nettoya ton rivage,
> Souviens-toi que pour prix de mes efforts heureux,
> Tu promis d'exaucer le premier de mes vœux.

Demande-t-il simplement un châtiment sévère ou la mort ?
On sait qu'on a cherché à atténuer son vœu indiscret, en
disant que le roi ne pensait point que le châtiment serait
mortel. Mais le texte de Racine est formel : Thésée montre
un désir sanguinaire et meurtrier dans son désespoir :

> J'abandonne ce traître à toute ta colère ;
> Etouffe dans son sang ses désirs effrontés :
> Thésée à tes fureurs connoîtra tes bontés.

Il est désormais aveugle. Toute la défense d'Hippolyte ne rencontre après ces imprécations que de nouvelles
invectives. Il lui rappelle le fer qu'il a laissé entre les
mains de Phèdre ; son fils lui parle-t-il de sa froideur con-

nue pour le sexe, il lui répond que Phèdre seule charmoit
ses impudiques yeux. Enfin Hippolyte lui révèle ce pour
quoi il est venu le trouver : son amour pour Aricie. Il est
tellement prévenu contre lui que, malgré ses serments, il
croit qu'il se feint criminel de cet amour pour son ennemie,
afin de se justifier. Malgré tous les serments solennels
du jeune héros, il le traite de parjure. Il résiste à tous
ses appels, à toutes ses objurgations, il n'a de mots que
pour le chasser. Et pourtant à peine reste-t-il seul que
l'époux irrité fait place au père : il commence à se repentir de son vœu indiscret. Mais il ne peut revenir sur la
décision.

> Misérable, tu cours à ta perte infaillible.
> Neptune, par le fleuve aux Dieux mêmes terrible,
> M'a donné sa parole, et va l'exécuter.
> Un dieu vengeur te suit, tu ne peux l'éviter.
> *Je t'aimois ; et je sens que malgré ton offense*
> Mes entrailles pour toi se troublent par avance.
> Mais à te condamner tu m'as trop engagé.

On sent qu'il s'attendrit en prononçant les paroles qui précèdent l'arrivée de Phèdre :

> Justes Dieux, qui voyez la douleur qui m'accable,
> Ai-je pu mettre au jour un enfant si coupable ?

Il se ressaisit à la vue de la reine. Il lui promet qu'elle
sera vengée. Mais il voit l'appréhension de Phèdre. Comme pour se confirmer dans sa résolution, il veut qu'elle le
soutienne dans sa colère ; il excite Phèdre contre Hippolyte :

> Tous ses crimes encor ne vous sont pas connus :
> Sa fureur contre vous se répand en injures.
> Votre bouche, dit-il, est pleine d'impostures.

Et il se fait l'ultime instrument du crime de Phèdre en
arrêtant l'aveu sur sa bouche par la révélation de l'amour

d'Aricie. Il se durcit de plus en plus dans l'attente de la vengeance divine qu'il a invoquée :

> Espérons de Neptune une prompte justice.
> Je vais moi-même encore au pied de ses autels
> Le presser d'accomplir ses serments immortels.

Père inexorable, ayant à peine un instant fugitif de fléchissement, époux outragé n'écoutant que sa colère, ayant une foi aveugle en la parole de sa femme ou en celles d'Oenone, tel nous apparaît Thésée au 4ᵉ acte. Mais pourra-t-il soutenir ce personnage ? Il faut croire que le doute le travaille déjà dans l'intervalle des deux actes, du 4ᵉ et du 5ᵉ. Il ne se contente plus d'être péremptoire. Et pourtant il n'est au courant de rien d'autre, ce sont les données connues qui ont continué leur travail de pénétration :

> Dieu, éclairez mon trouble, et daignez à mes yeux
> Montrer la vérité, que je cherche en ces lieux.

Il est donc tout préparé à l'entrevue avec Aricie. Et d'abord il doit se rendre compte d'une première évidence. Hippolyte prenait congé d'Aricie. Il use encore de persiflage quand il déclare :

> Vos yeux ont su dompter ce rebelle courage.
> Et ses premiers soupirs sont votre heureux ouvrage...
> J'entends : il vous juroit une amour éternelle.
> Ne vous assurez point sur ce cœur inconstant.

Mais Aricie est persuasive, la chaleur de sa conviction si prenante, qu'il sera peu à peu ramené à ses doutes. Il essaie encore de se défendre, de citer des faits qui lui paraissent certains, des assertions dignes de foi : il a ses témoins, sûrs, irréfutables. Il a vu couler de véritables larmes. Mais l'innocence d'Aricie sait s'imposer ; encore une fois c'est lorsque Thésée se trouvera seul qu'il sera saisi par un doute plus violent que les précédents :

> Quelle est donc sa pensée ? et que cache un discours
> Commencé tant de fois, interrompu toujours ?
> Veulent-ils m'éblouir par une feinte vaine ?
> Sont-ils d'accord tous deux pour me mettre à la gêne?
> Mais moi-même, malgré ma sévère rigueur,
> Une pitié secrète et m'afflige et m'étonne.

Il s'apprête à interroger Oenone une seconde fois, mais voici que se précipitent les événements. Panope vient lui apprendre le suicide de la nourrice, le désespoir dans lequel la reine est plongée. Toute son attitude prostrée laisse deviner qu'elle aussi appelle le trépas. A partir de ce moment les doutes redoublent dans l'esprit du roi. Il est saisi d'une terrible angoisse : si tout ce qui a été déclaré n'était par hasard que mensonge. Est-il temps d'arrêter la vengeance qu'apprête Neptune :

> O Ciel ! Oenone est morte, et Phèdre veut mourir ?
> Qu'on rappelle mon fils, qu'il vienne se défendre !
> Qu'il vienne me parler, je suis prêt de l'entendre.
> Ne précipite point tes funestes bienfaits,
> Neptune ; j'aime mieux n'être exaucé jamais.
> J'ai peut-être trop cru des témoins peu fidèles,
> Et j'ai trop tôt vers toi levé mes mains cruelles.
> Ah ! de quel désespoir mes vœux seraient suivis !

Hélas, il est trop tard. Théramène apparaît, seul. Thésée devine-t-il ? Ce n'est plus que le père qui parle, le père qui redemande avec violence son enfant, qui en rend responsables ceux à qui il l'a confié dès son enfance. Il oublie sa propre responsabilité :

> Théramène, est-ce toi ? Qu'as-tu fait de mon fils ?
> Je te l'ai confié dès l'âge le plus tendre.
> Mais d'où naissent les pleurs que je te vois répandre?
> Que fait mon fils ?

Apprend-il sa mort, un seul cri jaillit de sa poitrine : Dieux ! Il est transformé, ce n'est plus l'époux courroucé,

le héros volage. Il fallait que le sort fût cruel, puisqu'il le
lui a ravi, quand il pensait à la conciliation, à l'étreinte
qui pardonne.

> Mon fils n'est plus ? Hé quoi ? quand je lui tends
> [les bras
> Les Dieux impatients ont hâté son trépas ?

et c'est le long récit de Théramène qui sera interrompu
en son milieu par la même plainte, le même écho. Les
Dieux l'ont trop bien écouté, ils l'ont trop bien servi. Il
n'a pu prévenir les engrenages inexorables qui broient
les destinées humaines sur un ordre des dieux. Ces dieux
qu'il a suppliés, qui l'ont exaucé, il les considère par une
étrange aberration, comme inexorables. Comme Phèdre
tout à l'heure, il tente de rejeter le poids écrasant de la
faute qui l'accable sur autrui :

> O mon fils ; cher espoir que je me suis ravi !
> Inexorables Dieux, qui m'avez trop servi !
> A quels mortels regrets ma vie est réservée !

Tout secoué par le tableau pathétique de ses derniers
instants, il lui faut supporter une dernière épreuve : la
présence et l'aveu final de Phèdre. N'accable-t-il pas déjà
Phèdre comme la responsable, lui qui sent le poids écrasant de sa faute ? Il veut encore croire aux faits tels qu'ils
lui ont été primitivement présentés, mais c'est impossible.
Le soupçon de la culpabilité de sa femme se fait plus
instant. Il n'est pas au bout de sa douleur, il n'en connaît
point tous les détours :

> Hé bien ! vous triomphez, et mon fils est sans vie,
> Ah ! que j'ai lieu de craindre ! et qu'un cruel soupçon
> L'excusant dans mon cœur, m'alarme avec raison !
> Mais, Madame, il est mort, prenez votre victime :
> Jouissez de sa perte, injuste ou légitime.

Il consent à être toujours abusé, il voudrait le croire criminel, mais le moyen de le faire. Il ne voudrait pas que la

terrible lumière se fasse, qu'il sent poindre au champ de
sa conscience. Il voudrait la nuit, les ténèbres, poursuivi
par l'image de l'innocent déchiré, il voudrait fuir, quitter
l'univers même. Mais Thésée saurait-il échapper aux hommes ? Ici reparaît le héros des deux premiers actes, celui
que nous ne connaissons que par sa renommée; le héros
ne peut échapper aux hommes, sa vie ne saurait être
cachée :

> L'éclat de mon nom même augmente mon supplice
> Moins connu des mortels, je me cacherais mieux.

Mais Phèdre va le déchirer une dernière fois. Elle ne
peut taire ce pour quoi elle est venue. Il doit entendre de
sa bouche que son fils est effectivement innocent. Un dernier sursaut de défense du père infanticide : Et c'est sur
votre foi que je l'ai condamné ! crie-t-il. La révélation
accablante se poursuit. Il sait ce qu'il n'aurait pas voulu
savoir, ce qui ne laissera plus sa conscience en paix. L'horreur est double pour Thésée : une femme criminelle et un
fils innocent. Va-t-il se laisser écraser ? Le héros vainqueur
des monstres sera-t-il vaincu par les vérités monstrueuses ?
De fait le père soutient son personnage. Il se surmonte lui-
même, il soulève sa douleur sur ses épaules pour la porter.
Il voudrait que le souvenir du forfait s'effaçât pour le
repos de sa propre conscience. Il demanderait l'oubli pour
Phèdre et pour lui-même s'il pouvait l'obtenir. Mais n'est-il
pas prisonnier de sa gloire, de son reflet sur les siens ?
C'est ce qu'il comprend lorsqu'il s'écrie :

> D'une action si noire
> Que ne peut avec elle expirer la mémoire !

Elle ne lui laisse que des devoirs funèbres à accomplir,
cette catastrophe irréparable. Il n'a plus désormais que
la ressource de s'attacher à ce qui fut son fils ; s'il ne va
pas à l'instar du Thésée de Sénèque rassembler les membres hideux et déchiquetés pour reconstituer le cadavre

d'Hippolyte, il voudrait donner un témoignage de sa tendresse à ces restes. Il parle d'expiation. Les honneurs funèbres suffiront-ils à compenser ? Il ne le croit pas lui-même. Il faudrait mieux. Il donnera la sépulture au prince calomnié ; par là, Thésée retrouve un sentiment antique et homérique. Mais il dépassera cette formalité pieuse, il donnera à son enfant la seule compensation qui valût à ses yeux : il prendra pour sa fille Aricie, considérée jusqu'ici comme une implacable ennemie, parce qu'elle représente le grand amour du mort, celle qu'il a le plus aimée et celle qui l'a le plus aimé. Qu'importent Pallas et ses fils et les haines héréditaires ? L'amour paternel qui s'est laissé vaincre par l'amour conjugal évitera enfin les inimitiés surannées. C'est donc sur un acte purement paternel que s'achève la pièce et le personnage de Thésée.

Tel qu'il est, il s'est présenté à nous à travers des aspects multiples, déjà enregistrés par la légende et par la littérature. Le Don Juan, le héros fabuleux dont la gloire est universelle, qui conduit les monstres à leur perte, nous sont d'abord apparus. Les deux images ont lutté dans notre esprit. L'image du roi a été plus fugitive, celle du législateur d'Athènes inexistante : à aucun moment l'agent du synoccisme ne nous a été présenté, et pourtant Racine avait son Plutarque ouvert sous ses yeux. C'est son aspect purement humain qui l'a intéressé, moins l'amant que l'époux et le père. L'époux est tendre, assagi, dur quand il s'agit de défendre son bonheur contre les empiètements, suivant d'un amour aveugle les affirmations de la reine et de la nourrice. Mais le père qui lutte contre l'époux, qui voit avec terreur ce dernier demander l'accomplissement de son vœu indiscret, finit par triompher, au prix de quels efforts et de quels arrachements. Il faut que la vérité affreuse se fasse jour. Mais le père ne se laissera pas abattre entièrement. Il

essaiera de réparer par le souvenir et par la sollicitude
dont il entourera Aricie. S'il ne peut effacer son crime,
ni celui de Phèdre, si sa réparation n'est pas exactement
compensatrice, il reste cependant avec sa poignante douleur, comme Oedipe appuyé sur Antigone. Je sais bien
que les paroles ne sont pas toujours à la hauteur des
intentions, qu'à certains moments le personnage de Thésée peut paraître conventionnel et pâle. Mais qu'on n'oublie pas le progrès qu'accomplit Racine sur ses devanciers, et s'il n'est pas absolument une perfection, il faut
bien reconnaître, que malgré les données de la légende,
qu'il fallait respecter, il est une réussite. De Plutarque à
Sénèque et de Sénèque à Euripide, le poète a remonté
le courant des passions, pour faire jaillir un flot de sentiments plus naturels. S'il a trouvé moins rapidement que
Sénèque le chemin du cœur, c'est qu'il a voulu développer tout au long la renommée et l'être réel de Thésée
et à travers la gloire qui l'auréole, atteindre l'homme,
sujet aux catastrophes comme les autres, et les subissant
plus violentes, selon les lois tragiques, parce qu'il se
dresse au-dessus des autres par son rang et par ses
exploits.

Chapitre 14

LES DIEUX ET LA PENSÉE RELIGIEUSE
DANS PHÈDRE

Les modèles dont Racine s'est inspiré pour écrire sa tragédie, l'*Hippolyte porte-couronne* et la *Phaedra* de Sénèque, étaient à des degrés différents marqués d'une inspiration religieuse. Il est évident que la lutte de Diane et de Vénus accentuée encore par le prologue donne au poème d'Euripide un caractère sacré. Mais ici encore, il faudrait s'entendre : « En rappelant, dit Méridier, que l'action se ramène par delà les volontés humaines au conflit de deux volontés divines, qu'a voulu dire le Poète ? Lorsqu'il montre que les hommes sont les jouets des dieux dont il fait ressortir l'égoïsme et l'injuste cruauté, il entend élever contre les croyances populaires la protestation du philosophe. Pour la foule athénienne, Hippolyte est justement frappé par Aphrodite dont il a rejeté le culte et bravé le pouvoir. Aux yeux d'Euripide, ce négateur de l'amour charnel, épris d'une pureté qui l'affranchirait des servitudes du corps, représente, semble-t-il, l'aspiration humaine à l'idéal, dans sa lutte contre les lois du monde physique. » Nous avons assez souvent répété que l'héroïne de Racine passe au premier plan, pour que nous ne songions plus au conflit d'Artémis et d'Aphrodite, mais à celui d'une conscience écartelée par deux tendances contraires. Par ailleurs le revirement moral de Racine après 1677, immédiatement après *Phèdre*, nous invite à

voir si la tragédie ne l'annonce pas dans une certaine
mesure, si l'on peut parler du jansénisme et du christianisme de *Phèdre*. Mais avant cela, il faut examiner
la part des dieux païens dans le drame, la puissance, le
rôle et le caractère que leur a impartis le poète. Nous
pourrons ainsi mieux résoudre la seconde partie, la plus
difficile, du problème.

Phèdre, tragédie antique et païenne, fait constamment appel aux Dieux antiques et païens. Le merveilleux même, que nous allons bientôt étudier, le demande.
Les dieux semblent préposés au maniement des hommes. Le drame même ne peut se produire, n'existe que

> Depuis que sur ces bords les Dieux ont envoyé
> La fille de Minos et de Pasiphaé.

Hippolyte ne serait amoureux d'Aricie que parce que
jusque-là les Dieux l'auraient humilié ? Les Dieux sont
à l'origine des malheurs d'Aricie, par l'hostilité qu'ils
lui ont témoignée :

> Non Madame, les Dieux ne vous sont plus contraires;
> Et Thésée a rejoint les mânes de vos frères.

Et ce sont les Dieux qui ont provoqué la mort supposée
du héros athénien :

> Les Dieux livrent enfin à la Parque homicide
> L'ami, le compagnon, le successeur d'Alcide.

Ce sont eux aussi qui le délivrent après sa sanglante aventure où Pirithoüs trouve le trépas, après six mois d'une
affreuse captivité :

> Les Dieux, après six mois, enfin m'ont regardé :
> J'ai su tromper les yeux de qui j'étais gardé.

Mais délivrant le père, ils provoquent la mort du fils :

> Les Dieux impatients ont hâté son trépas.
> Inexorables Dieux qui m'avez trop servi,

dira Thésée dans son immense douleur.

Mais ces Dieux donneurs de faveurs et de mort, faisant mouvoir les humains sur l'échiquier du monde, quels sont-ils ? Sont-ils connus comme un groupe, ont-ils une personnalité, sont-ils susceptibles de vices et de vertus ? La Théodicée païenne de *Phèdre* va nous l'apprendre. Ils ont l'aspect humain, la perfection de la beauté puisque Phèdre leur compare Hippolyte :

> Charmant, jeune, traînant tous les cœurs après soi,
> Tel qu'on dépeint nos Dieux, ou tel que je vous voi.

Semblables extérieurement aux mortels, ils en ont aussi les faiblesses si nous en croyons Oenone. Ils peuvent ne pas valoir mieux que ceux qu'ils malmènent et punissent :

> Les Dieux même, les Dieux, de l'Olympe habitants,
> Qui d'un bruit si terrible épouvantent les crimes,
> Ont brûlé quelquefois de feux illégitimes.

Et pourtant ces mêmes divinités sont recherchées comme un refuge contre l'injustice des êtres éphémères. Par là leur caractère collectif paraît inconsistant, instable ; mais le pieux Hippolyte ne saurait blasphémer. Il accepte les données d'un catéchisme qui lui a enseigné le recours à Dieu, aux Dieux justes et bons, aussi déclare-t-il à Aricie :

> Mon cœur pour s'épancher n'a que vous et les Dieux.
> Sur l'équité des Dieux osons nous confier.

Encore ajoute-t-il :

> Ils ont trop d'intérêt à me justifier.

D'où le caractère providentiel de leur bienveillance envers tous quels qu'ils soient. Il suffit d'invoquer les plus puissants et les plus sacrés, de se les concilier par la prière pour que tous les Dieux soient obligés d'adopter la même ligne de conduite :

> Des Dieux les plus sacrés j'attesterai le nom,
> Et la chaste Diane, et l'auguste Junon,
> Et tous les Dieux enfin, témoins de mes tendresses
> Garantiront la foi de mes saintes promesses.

La chaste Diane, l'auguste Junon, voilà deux noms qui se détachent. Ils ne sont ni les premiers, ni les derniers. Car si les Dieux agissent collectivement dans *Phèdre*, les divinités particulières aussi se détachent et jouent un rôle autonome. Diane, nous le savons, est la divinité tutélaire des chasseurs et des vierges, elle est la protectrice et la divinité préférée d'Hippolyte. Junon est invoquée ici comme déesse du mariage ; mais le nombre des dieux particuliers est, disions-nous, plus étendu, et, hâtons-nous de l'affirmer, ce sont d'autres individualités divines qui jouent ici le rôle le plus considérable. La première de toutes, c'est Théramène qui nous la présente :

> Quels courages Vénus n'a-t-elle point domptés ?

N'est-ce pas elle qui poursuit de sa haine implacable Phèdre et sa famille, qui obligea Pasiphaé à des accouplements monstrueux, qui fait périr Phèdre d'épuisement et de désir :

> O haine de Vénus ! O fatale colère !
> Dans quels égarements l'amour jeta ma mère !
> Puisque Vénus le veut, de ce sang déplorable
> Je péris la dernière et la plus misérable.

Et pourtant quelles précautions la reine n'a-t-elle pas prises pour conjurer son courroux. Tous les rites apotropiques, elle les a accomplis avec une scrupuleuse exactitude :

> Je reconnus Vénus et ses feux redoutables,
> D'un sang qu'elle poursuit tourments inévitables.
> Par des vœux assidus je crus les détourner :
> Je lui bâtis un temple, et pris soin de l'orner.

Hélas elle ne sent que plus cruellement « Vénus tout entière à sa proie attachée ». En vain la reine essaie de
conclure avec la Déesse ce pacte, cette paix qui lui donnera le répit dont elle a tant besoin. Poursuivie, harcelée
par elle, elle voudrait lui donner un autre objet de poursuite, une autre victime. Et par là, Racine retrouve le
thème antique de l'*Hippolyte porte-couronne* de Vénus
s'attaquant à la fois à Phèdre et à Hippolyte. Mais tandis que chez Euripide Aphrodite veut tirer une vengeance
directe du jeune héros, et par là attaque Phèdre indirectement, chez Racine la divinité s'acharne d'abord sur
Phèdre, sa seule et héréditaire victime, n'atteignant Hippolyte que par contre-coup. Du moins la dernière prière
de Phèdre à son bourreau a-t-elle l'avantage de rappeler
le thème essentiel de l'*Hippolyte porte-couronne*, qui
n'a plus ici sa raison d'être, puisque le fils de Thésée
est amoureux d'Aricie. Et Phèdre en prononçant ces vers
ne sait pas encore que ce qu'elle souhaite est en un
sens déjà réalisé :

> O toi, qui vois la honte où je suis descendue,
> Implacable Vénus, suis-je assez confondue ?
> Tu ne saurais plus loin pousser ta cruauté.
> Ton triomphe est parfait ; tous tes traits ont porté.
> Cruelle, si tu veux une gloire nouvelle,
> Attaque un ennemi qui te soit plus rebelle.
> Hippolyte te fuit ; et bravant ton courroux,
> Jamais à tes autels n'a fléchi les genoux.
> Ton nom semble offenser ses superbes oreilles.
> Déesse, venge-toi : nos causes sont pareilles.
> Qu'il aime...

Mais si Vénus est l'implacable ennemie de Phèdre,
Neptune est le fidèle, trop fidèle allié de Thésée. Depuis
que le héros a purgé ses rivages des brigands et des
monstres qui les infestaient, le Dieu de la mer est lié à

lui par la reconnaissance et un pacte d'amitié. Il a bien, au début, sa physionomie traditionnelle du dieu dompteur de chevaux qui a donné un coursier fougueux à l'Attique. Mais l'image est bien fugitive dans les vers de Théramène qui voit Hippolyte

> Savant dans l'art par Neptune inventé
> Rendre docile au frein un coursier indompté.

et dans ceux d'Hippolyte à Aricie :

> Mon arc, mes javelots, mon char, tout m'importune;
> Je ne me souviens plus des leçons de Neptune.

Cependant il est avant tout le Dieu protecteur de Thésée, celui qui respectera la parole donnée et qui n'abandonnera pas le héros dont il est l'obligé. Hippolyte encore se charge de le rappeler à Phèdre qui doute du retour de son époux :

> Neptune le protège, et ce Dieu tutélaire
> Ne sera pas en vain imploré par mon père.

Et Thésée de retour dans ses Etats, mis en face de l'horrible situation forgée par la calomnie d'Oenone, n'a garde d'oublier la promesse du dieu. Pourtant, nous allons le voir, ce n'est pas lui qui l'a délivré. C'est lui qu'il appelle immédiatement à son secours dans un vœu téméraire, que le Dieu mettra à exécution avec une obéissance et une complaisance aveugle sans éclairer sa conscience. Il est vrai que ce rôle dans la théodicée antique est dévolu à Minerve, et l'on sait de quelle façon Fénelon l'utilisera dans son Télémaque :

> Et toi, Neptune, et toi, si jadis mon courage
> D'infâmes assassins nettoya ton rivage,
> Souviens-toi que pour prix de ses efforts heureux,
> Tu promis d'exaucer le premier de mes vœux.
> Dans les longues rigueurs d'une prison cruelle
> Je n'ai point imploré ta puissance immortelle.

Avare du secours que j'attends de tes soins,
Mes vœux t'ont réservé pour de plus grands besoins.
Je t'implore aujourd'hui. Venge un malheureux père,
J'abandonne ce traître à toute ta colère ;
Etouffe dans son sang ses désirs effrontés :
Thésée à tes fureurs connaîtra tes bontés.

Ayant juré par le Styx, ne pouvant faillir à sa parole, Neptune est l'objet de la confiance aveugle de Thésée. Celui-ci sait que le Dieu lui-même va exécuter sa vengeance en suivant implacablement Hippolyte. Il en répond comme de lui-même :

Misérable, tu cours à ta perte infaillible.
Neptune, par le fleuve aux Dieux mêmes terrible,
M'a donné sa parole, et va l'exécuter.
Un Dieu vengeur te suit, tu ne peux l'éviter.

Cette assurance, Thésée la renouvelle devant Phèdre, c'est pour elle qu'il fait agir le Dieu, et par là dans la pensée de Thésée, Neptune devient l'allié et le vengeur de la reine, autrement poursuivie par Vénus. Mais en fait il agit dans le même sens que Vénus, puisque la mort d'Hippolyte provoquera l'ultime déchirement de Phèdre :

Mais l'ingrat toutefois ne m'est point échappé.
Une immortelle main de sa perte est chargée.
Neptune me la doit, et vous serez vengée.

D'autre part, malgré la promesse du Dieu, Thésée ne croit point pouvoir se dispenser de s'abstenir de la prière. Il ne craint pas l'oubli, mais le retard de Neptune et il importe avant tout que le châtiment soit prompt. Ne semble-t-il pas s'adresser à lui d'égal à égal :

Espérons de Neptune une prompte justice.
Je vais moi-même encore au pied de ses autels
Le presser d'accomplir ses serments immortels.

Avec une promptitude remarquable, Neptune se met en devoir de le satisfaire. Il est trop tard déjà quand Thésée, devant la mort d'Oenone et Phèdre mourante, essaie de l'arrêter. Le mouvement d'horlogerie a été déclenché, la machine infernale, le monstre, a accompli son œuvre et la puissance du Dieu ne comporte pas ici de retour en arrière, de radiation d'une réalité horrible désormais. Aux dernières paroles de Thésée s'efforçant de conjurer le malheur, la mort seule répond :

> Ne précipite point tes funestes bienfaits,
> Neptune ; j'aime mieux n'être exaucé jamais.
> J'ai peut-être trop cru des témoins peu fidèles.
> Et j'ai trop tôt vers toi levé mes mains cruelles.
> Ah ! de quel désespoir mes vœux seraient suivis !

Hélas, le dieu dompteur et conducteur de chevaux a entraîné ceux d'Hippolyte dans une diabolique chevauchée :

> On dit qu'on a vu même, en ce désordre affreux,
> Un Dieu qui d'aiguillons pressait leur flanc poudreux.

Et cependant Thésée ne s'en prendra point à Neptune en particulier, il apostrophe tous les Dieux. Il leur reproche leur complaisance :

> Inexorables Dieux, qui m'avez trop servi !
> A quels mortels regrets ma vie est réservée !

Si Aricie n'accuse les Dieux que par un triste regard, Thésée ne craint pas de leur dire leur fait et presque de les blasphémer. Il rompt tout contact entre la divinité et lui, il s'isole dans son humanité souffrante. Son culte désormais sera celui du mort :

> Je hais jusques aux soins dont m'honorent les Dieux ;
> Et je m'en vais pleurer leurs faveurs meurtrières,
> Sans plus les fatiguer d'inutiles prières.

> Quoi qu'ils fissent pour moi, leur funeste bonté
> Ne me saurait payer de ce qu'ils m'ont ôté.

Et pourtant, à quoi tend toute la mythologie de *Phèdre*, sinon à montrer la parenté de ces héros et de ces demi-dieux avec les divinités de la terre et du ciel. Phèdre aussi vit dans le même isolement : « La mort est le seul Dieu que j'osais implorer », déclare-t-elle à Oenone. L'isolement ne vaut que dans la mesure où il est volontaire. En réalité, par les liens du sang autant peut-être que par leur puissance limitée à des actes aveugles et implacables, jamais nous ne voyons agir la bonté et l'équité de ces dieux païens pourtant invoquées ; les divinités peuplent le drame, le font passer à la force du ciel, et y sont elles-mêmes parties intéressées. Si *Phèdre* n'est plus le drame pieux de l'*Hippolyte porte-couronne* où Diane et Vénus s'affrontent, elle pose avec acuité le problème de la présence divine avisée par l'alliance du sang :

> Misérable ! et je vis ? et je soutiens la vue
> De ce sacré soleil dont je suis descendue ?
> J'ai pour aïeul le père et le maître des Dieux ;
> Le ciel, tout l'univers est plein de mes aïeux.

Loin de rougir du trouble où ils les voient, ils s'acharnent contre leurs parents inférieurs devenus leurs victimes. Il ne s'agit pas d'Hippolyte s'écriant : « et les Dieux jusquelà m'auraient humilié », parce qu'il aime Aricie, mais de Phèdre livrée au supplice intérieur, d'Hippoylte torturé dans sa chair, de Thésée gravissant son calvaire. Sont-ils sensibles à la pitié, ces Dieux ? entendent-ils le cri d'Oenone : « Dieux tout-puissants, que nos pleurs vous apaisent ! » Les dieux ont ravi l'usage de la raison à Phèdre « Puisque Vénus le veut ». Je sais bien que Phèdre a manqué à Vénus :

> Quand ma bouche implorait le nom de la Déesse,
> J'adorais Hippolyte ; et le voyant sans cesse,
> Même au pied des autels que je faisais fumer,
> J'offrais tout à ce dieu que je n'osais nommer.

Mais est-ce sa faute à elle ? Peut-elle être tenue pour responsable des effets du ressentiment divin :

> Objet infortuné des vengeances célestes,
> Je m'abhorre encor plus que tu ne me détestes.
> Les Dieux m'en sont témoins, ces Dieux qui dans
> [mon flanc
> Ont allumé le feu fatal à tout mon sang ;
> Ces Dieux qui se sont fait une gloire cruelle
> De séduire le cœur d'une faible mortelle.

En somme, dans sa mythologie païenne de *Phèdre*, Racine semblerait aboutir à la même conclusion qu'Euripide dans l'*Hippolyte porte-couronne* : « Lorsqu'il montre que les hommes sont les jouets des dieux dont il fait ressortir l'égoïsme et l'injuste cruauté, il entend élever contre les croyances populaires la protestation du philosophe. » Est-ce là la pensée réelle, l'intention profonde, le problème religieux de *Phèdre* ? Je ne crois pas précisément. D'autre part pouvons-nous croire que Racine a voulu ici assimiler la fatalité antique au déterminisme janséniste, la haine héréditaire du dieu au péché originel ? La solution est délicate. Mais apportons nos preuves méthodiquement et abordons la seconde partie de notre étude sur la Divinité et la religion à son point de départ historique.

L'on connaît le mot d'Arnauld sur Phèdre qui serait pour lui une chrétienne à qui la grâce à manqué. L'on se rappelle aussi les termes de la *Préface* de Racine : « Ce que je puis assurer, c'est que je n'en ai point fait (de tragédie) où la vertu soit plus mise en jour que dans celle-ci. Les moindres fautes y sont sévèrement punies.

La seul pensée du crime y est regardée avec autant d'horreur que le crime même. Les faiblesses de l'amour y passent pour de vraies faiblesses ; les passions n'y sont présentées aux yeux que pour montrer tout le désordre dont elles sont cause ; et le vice y est peint partout avec des couleurs qui en font connaître et haïr la difformité. » Après avoir montré que le théâtre antique est une école de vertu, il ajoute ces lignes qui sont capitales : « Il serait à souhaiter que nos ouvrages fussent aussi solides et aussi pleins d'utiles instructions que ceux de ces poètes. Ce serait peut-être un moyen de réconcilier la tragédie avec quantité de personnages célèbres par leur piété et par leur doctrine, qui l'ont condamnée dans ces derniers temps, et qui en jugeraient sans doute plus favorablement, si les auteurs songeaient autant à instruire leurs spectateurs qu'à les divertir, et s'ils suivaient en cela la véritable intention de la tragédie. » C'est une allusion évidente aux jansénistes, et spécialement à Nicole, dont le *traité sur la Comédie* vient d'être réimprimé. Ainsi jugeait l'envoyé de l'électeur de Brandebourg : « L'intrigue de la dévotion domine chez lui ; il tâche toujours de tenir à ceux qui en sont le chef. Le jansénisme en France n'est plus à la mode, mais, pour paraître plus honnête homme, et pour passer pour spirituel (Racine) n'est pas fâché qu'on le croie janséniste... ? » Mais il y a mieux pour les partisans du jansénisme. C'est ce que Racine lui-même dit de Phèdre à la fin du premier paragraphe de la Préface : « En effet, Phèdre n'est ni tout à fait coupable, ni tout à fait innocente. Elle est engagée, par sa destinée et par la colère des dieux, dans une passion illégitime, dont elle a horreur toute la première. Elle fait tous ses efforts pour la surmonter. Elle aime mieux se laisser mourir que de la déclarer à personne. Et lorsqu'elle est forcée de la découvrir, elle en parle avec une confusion qui fait bien voir que son crime est plutôt une punition

des dieux *qu'un mouvement de sa volonté.* » C'est cette
dernière expression qui porterait plus particulièrement
l'empreinte janséniste. Et les vers que nous avons cités
viendraient corroborer cette constatation. « L'objet infortuné des vengeances célestes » ne serait pas libre de
choisir, d'agir. « Les Dieux lui en sont témoins », ces
« Dieux qui dans son flanc ont allumé *le feu fatal à tout
son sang* ». « Cet aveu que je te viens de faire », dit-elle
à Hippolyte, « cet aveu si honteux, le crois-tu volontaire ? » L'homme porte tout le poids de la faute origi-
nelle, et tout le mal dans le monde vient du péché
d'Adam. Par là la créature humaine a perdu la liberté
de faire le bien et le pouvoir de s'abstenir du mal. « Periit
libertas abstinendi a peccato ». Sans doute, que dans un
article assez récent de 1932 de la *Revue d'Histoire littéraire de la France*, M. Jean Cousin a affirmé que Phèdre
n'est point janséniste, parce que c'est une absurdité de
dire que Phèdre est un juste à qui la grâce a manqué :
Phèdre est infidèle, elle ne saurait recevoir la grâce, elle
n'est point par conséquent janséniste. Mais si Phèdre
n'est pas un disciple de Jansénius, est-ce qu'elle ne représente pas précisément un aspect de la conception que les
Jansénistes se sont faite de l'humanité déchue. Phèdre est
l'exemple d'un effort, d'une lutte intérieure qui n'est pas
surnaturelle : étant païenne elle ne peut encore recevoir
la grâce, et par là le jansénisme même la condamne à
succomber à ses passions. On pourrait bien dire que
Phèdre est libre et point donc janséniste, puisqu'elle a
tout fait pour combattre sa passion : elle a cherché des
secours dans la religion, elle a élevé un temple à Vénus,
offert des sacrifices, elle a persécuté et exilé son beau-
fils, agi envers lui comme une marâtre. Devons-nous croire
M. Cousin lorsqu'il affirme que si Phèdre avait voulu
elle aurait pu ne pas succomber à sa passion, la domi-
ner ? Au contraire, le jansénisme, et tous les traités de

Nicole sont là pour le prouver, admet tous les combats, toutes les luttes de la volonté. Mais il constate que ces précautions sont vaines et la défaite de la volonté inévitable, si l'on n'a pas été choisi pour et par la grâce. Il y a mieux : « S'il exclut la liberté, le jansénisme exclut par là même la responsabilité, et laisse peu de place au remords », affirme Monsieur Cousin. Or, comme l'a fait remarquablement ressortir M. Tanquerey dans son étude (1) sur le Jansénisme et les tragédies de Racine, les Jansénistes ont depuis longtemps répondu que le manque de liberté intérieure n'exclut pas la responsabilité, et encore moins le remords. Car il y a en nous deux consciences, c'est ce que les philosophes modernes ont admirablement démontré, une claire et une obscure. Mais avant eux Nicole dans son *Traité de la Grâce générale* avait exprimé avec précision le problème du conscient et de l'inconscient : « Chaque livre, avait-il écrit (T.I., p. 92) est en quelque sorte double, et imprime dans l'esprit deux sortes d'idées. Car il y imprime un amas de pensées formées, exprimées et conçues distinctement. Et outre cela, il y en imprime un autre, composé de pensées et de vues indistinctes, que l'on sent et que l'on aurait peine à exprimer : et c'est d'ordinaire dans ces vues excitées et non exprimées que consiste la beauté des livres et des écrits. » Cet inconscient considéré sur le plan intellectuel, Nicole l'a analysé aussi du point de vue moral, en particulier dans les Ch. VII, VIII, et IX de son *Traité de la Connaissance de soi-même*. Il y a au fond de notre cœur, qui peut se transformer en bas-fonds, une multitude d'idées, de sentiments et de passions qui n'affleure jamais « à la surface de l'esprit » et semble manifestement être ce

---

(1) Publiée dans Revue des Cours et Conférences. Nous lui empruntons les citations des textes du XVIIᵉ siècle qui suivent.

qu'il y a en nous « de plus essentiel et de plus important ». Là se forment les pensées imperceptibles. S'unissant à nos pensées conscientes, elles nous fournissent nos motifs d'action : « Il y en a de secrètes et de cachées dont l'esprit ne s'aperçoit pas par une réflexion expresse. » Or souvent la pensée qui fait agir est de cette espèce. Nous ne sommes donc jamais sûrs de nos mobiles. Ainsi les pensées imperceptibles peuvent vicier les plus désintéressées et les meilleures en y introduisant le venin de l'amour-propre et les pensées imperceptibles, loin de l'atténuer, aggravent notre culpabilité. Car même si nos pensées inconscientes vicient nos bonnes actions, notre responsabilité, d'après le jansénisme, reste entière. Peu importe que notre raison ne prenne pas connaissance de nos pensées imperceptibles, celles-ci sont nôtres autant que notre raison, « c'est notre âme même qui s'exprime et se manifeste en elles. Si elles sont mauvaises, et elles le sont, provenant de la nature et non de la grâce, c'est que notre âme est corrompue. Et ne sommes-nous pas responsables de la corruption de notre âme, comme nous sommes tous responsables de la faute d'Adam ? La dépravation de notre inconscient ne constitue pas une circonstance atténuante mais bien plutôt aggravante, puisqu'alors le mal vient de nous-mêmes et de notre propre fonds. Et maintenant revenons à Phèdre et nous verrons que son jansénisme n'exclut ni la responsabilité, ni le remords. Consciemment Phèdre n'a rien négligé pour se délivrer de son amour coupable. Mais n'a-t-elle pas eu son inconscient comme complice de son amour ? Ses pensées imperceptibles n'ont-elles pas fini par triompher de ses pensées conscientes ? Tous les efforts de Phèdre, douloureux et méritoires, se révèlent inefficaces et insuffisants, car dans sa pensée imperceptible elle n'a jamais pris le seul parti qui peut la guérir : son inconscient n'a jamais essayé de ne plus songer à Hippolyte. « Croyant vouloir

oublier, dit M. Tanquerey, elle persistait à se souvenir. »
En même temps que la souffrance et l'horreur de sa cons-
cience, il y a la jouissance secrète de son inconscient.
L'exemple le plus frappant est celui de son entretien avec
Hippolyte, aussitôt apprise la prétendue mort de Thésée :

> Tremblante pour un fils que je n'osois trahir,
> Je te venais prier de ne le point haïr.

Elle est sincère, mais est-ce la seule raison, la raison véritable ? Non évidemment. Et pour peu que nous connaissions la pièce, nous savons que c'est son inconscient qui
agit. L'amour maternel, pensée perceptible, a pour moteur l'amour, pensée imperceptible. C'est son inconscient
qui est l'allié et le complice de son amour. Elle s'avoue
donc coupable, elle éprouve du remords, en restant dans
la tradition janséniste :

> Grâces au ciel, mes mains ne sont pas criminelles,
> Plût aux Dieux que mon cœur fût innocent comme
> [elles.

La honte est son sentiment dominant :

> Noble et brillant auteur d'une triste famille...
> Qui peut-être *rougis* du trouble où tu me vois.
> Oenone, la *rougeur* me couvre le visage ;
> Je te laisse trop voir mes *honteuses* douleurs.
> Cet aveu si *honteux*, le crois-tu volontaire ?

Cette peau de Nessus du péché l'a brûlé si fortement,
son remords est si cuisant, qu'elle caractérise sa faute
et son déchirement par les mots les plus violents. Elle
a pris la vie en haine, et sa flamme en *horreur*. Cet *odieux*
amour l'a souillée tout entière. Son sang est un *sang vil* ;
monstre affreux elle s'abhorre. « J'ai conçu pour mon
crime une juste *terreur* », dit-elle. Phèdre donc n'est-elle
que janséniste ? n'est-elle pas aussi chrétienne ? Mais,
pourrait-on objecter, Phèdre, sans le repentir, comment

pourrait-elle être chrétienne, si elle n'a pas le désir du rachat, de la vie nouvelle ? Tous ces sentiments de honte, d'horreur, de haine même pour sa passion, qui remplissent le cœur de Phèdre, affirme M. Tanquerey, ne sont pas le repentir : Racine n'a pas voulu peindre en elle une pécheresse pénitente. En réalité, ajoute-t-il, il ne le pouvait pas, du moins d'après la doctrine janséniste : le repentir est surnaturel et appartient à l'ordre de la charité, ordre qui est nécessairement fermé à une infidèle ; les sentiments qu'il lui donne sont naturels, et naissent de son amour-propre. » Pourtant si le repentir de Phèdre n'est pas janséniste, il peut être considéré comme chrétien ; elle n'a pas la contrition parfaite qui est celle de l'amour de Dieu, mais elle a la contrition imparfaite qui est celle de l'amour le plus élevé de soi. Elle a la peur de la mort et du châtiment, de l'au-delà, et de l'enfer. Je sais bien que ce sentiment concorde avec les données antiques et euripidiennes, mais n'est-il pas aussi dans la ligne spirituelle de Racine, quand elle s'écrie :

> Où me cacher ? Fuyons dans la nuit infernale.
> Mais que dis-je ? mon père y tient l'urne fatale ;
> Le sort, dit-on, l'a mise en ses sévères mains :
> Minos juge aux enfers tous les pâles humains.
> Ah ! combien frémira son ombre épouvantée,
> Lorsqu'il verra sa fille à ses yeux présentée,
> Contrainte d'avouer tant de forfaits divers,
> Et des crimes peut-être inconnus aux enfers !
> Que diras-tu, mon père, à ce spectacle horrible ?
> Je crois voir de ta main tomber l'urne terrible,
> Je crois de voir, cherchant un supplice nouveau,
> Toi-même de ton sang devenir le bourreau.

Il est vrai qu'il lui manque l'espérance, vertu théologale, voilà pourquoi son repentir tourne court, en suicide. Mais surtout, si Phèdre n'est pas chrétienne, étant jansé-

niste, elle reste un appel au christianisme. Elle laisse aux
yeux de Racine un vide si immense, tel est le gouffre de
désespoir et d'effroi qu'elle ouvre sous nos pas, que nous
devons essayer de nous cramponner au surnaturel, de
nous nourrir aux sources chrétiennes. L'esprit de la tragédie, à défaut de Phèdre, est chrétien. Phèdre est l'étape
qui marque le désespoir avant la rédemption. Dans la
pensée de l'auteur, sans doute, montrant ce paganisme
étouffant, enfermé dans lui-même, avec ses dieux cruels,
et le désespoir qu'ils suscitent, ces dieux sans aucun sens
moral, d'une puissance anthropomorphique et limitée, le
suprême recours reste la croix. C'est avec sa sensibilité
propre qu'il a développé tragiquement la phrase pasca-
lienne : misère de l'homme sans Dieu. Phèdre est un
point de départ qui sous-entend un aboutissement nécessaire. Elle nous invite à commenter la phrase poignante
de Jansénius dans l'*Augustinus* : « A supremo mentis apice,
peccatum coepit et usque ad extremas corporis partes... »
Parce qu'elle n'est pas encore chrétienne, Phèdre voit la
dépravation et la malice qui sont cachées au fond d'elle-
même, qui sont elle-même ; elle se rend compte de l'impuissance totale de sa volonté. Soutenue par toutes les
forces de son inconscient, ayant vu les véritables traits
de son visage spirituel, elle se refuse elle-même et s'abolit,
parce qu'elle est impuissante à faire naître l'âme nouvelle
dont parle Saint Paul. Dans sa prodigieuse lucidité Phèdre
va jusqu'au fond d'elle-même. « Dans le pire abaisse-
ment, dit Mauriac (1), le chrétien se connaît comme fils
de Dieu. Mais Phèdre, continue-t-il, ignore le Dieu qui nous
aime d'un amour infini. Son cœur malade ne peut se tourner vers ce juge dont elle n'attend rien qu'un supplice nouveau propre à châtier son crime. Aucune goutte de sang

_____

(1) Vie de Jean Racine.

n'a été versée pour cette âme. Elle est de ces misérables que les maîtres du petit Racine frustrent sereinement du bénéfice de la Rédemption. Ils avaient une pire croyance : ils ne doutaient pas que le Dieu tout-puissant ait voulu aveugler et perdre telles de ses créatures. Leurs Divinités rejoignent le Fatum : un Destin qui ne serait pas aveugle, terriblement attentif au contraire à la perte des âmes réprouvées dès avant leur naissance. »

Chapitre 15

LA POÉSIE DE *PHÈDRE*

Nous touchons au problème le plus délicat que suscite l'ensemble de la tragédie de *Phèdre*, celui de la poésie qui s'y trouve inscrite, de la jouissance esthétique qu'a éprouvée Racine et qu'il a voulu nous communiquer. L'on se doute du reste que l'aspect de cette poésie, le sens dans lequel elle se développe ne saurait être unique, qu'elle est multiforme, et qu'elle recherche des procédés très divers pour émouvoir et capter l'âme du spectateur. De fait les moyens classiques de l'appel poétique dans la tragédie sont déjà enregistrés. Notre poète pourrait les reprendre à son tour et développer le chant attendu. N'est-ce point une œuvre de prestiges sans nouveautés, de formules apprises qui devra nous solliciter ? Et pourtant, Racine choisira-t-il le chemin commode aux ornières bien dessinées, ou au contraire frayera-t-il le sentier de la montagne qui donne en récompense des paysages merveilleux ? Tout son art justement sera de donner à la tradition la hardiesse de l'âme inspirée, de permettre au message des dieux l'accès des rythmes cadencés de sorte que la ménade se plie à la mesure de l'alexandrin.

Et d'abord, a-t-on, avant Racine, dans tous ces drames de Phèdre et Hippolyte, cherché la poésie du cadre, a-t-on essayé de faire parler aux fibres secrètes le langage des temps révolus, se perdant en la fable et en la légende ? Songez en effet que nous remontons ici plus loin que les temps véritablement historiques, que l'histoire de Phèdre est peut-être chronologiquement antérieure à celle d'Iphigénie, à celle d'Andromaque, ou tout au moins nous en avons l'impression. Nous sommes à l'époque fantastique où les hommes communiquent avec les dieux, s'accouplent avec eux, produisent des monstres ou des héros, provoquent de terribles remous de bien ou de mal, où l'humanité, d'une façon brutale et spectaculaire, se plaît aux forfaits ou aux héroïsmes gigantesques. Saurait-il y avoir une couleur locale, une poésie de cette période d'initiation et de devenir ? C'est tout ce que l'atmosphère suggérée par Racine tend à démontrer. Il y a dans les évocations précises de Racine dès la première scène une volonté décidée à introduire le spectateur de plain-pied dans le lointain passé, de lui faire savourer à la fois la distance parcourue comme par magie sur les routes du temps et la grandeur d'une ère qui croit au merveilleux. Théramène joue déjà ce rôle primordial d'enchanteur et trace en quelque sorte les limites, si l'on peut parler de limites, de ce monde fabuleux.

> J'ai couru les deux mers que sépare Corinthe ;
> J'ai demandé Thésée aux peuples de ces bords
> Où l'on voit l'Achéron se perdre chez les morts ;
> J'ai visité l'Elide, et laissant le Ténare,
> Passé jusqu'à la mer qui vit tomber Icare.

Et Hippolyte dans son âme généreuse et intrépide n'a pas moins senti ce que les exploits de son père apportaient de poésie sauvage et grandiose. Vibrant à l'unisson du héros qui accomplit les exploits, il en communique au spectateur la vision élargie et magnifique, l'émotion authentique et sentie des hauts faits narrés par la fable :

> Tu me contois alors l'histoire de mon père,
> Tu sais combien mon âme, attentive à ta voix,
> S'échauffoit au récit de ses nobles exploits,

> Quand tu me dépeignois ce héros intrépide
> Consolant les mortels de l'absence d'Alcide,
> Les monstres étouffés et les brigands punis,
> Procuste, Cercyon, et Scirron, et Sinnis,
> Et les os dispersés du géant d'Epidaure,
> Et la Crète fumant du sang du Minotaure.

Mais c'est Phèdre qui se charge de nous mettre en rapport avec les dieux, c'est par elle que nous savons les liens qui unissent les mortels aux immortels, qui apporte sur les ténèbres de son propre cœur comme la lumière éclatante qui éclaire la Grèce fabuleuse, où se meurent les hommes et les Dieux :

> Noble et brillant auteur d'une triste famille,
> Toi, dont ma mère osoit se vanter d'être fille,
> Qui peut-être rougis du trouble où tu me vois,
> Soleil, je te viens voir pour la dernière fois.

La fille de Minos et de Pasiphaé, la haine de Vénus, l'amazone qui a porté Hippolyte dans son flanc, Ariane attachée aux rochers, Neptune dont l'action est terriblement efficace, tout cela est mis en valeur de prime abord, nous invite à accepter et à goûter la vraisemblance tout interne d'un drame qui n'a dans l'histoire qu'une problématique réalité. Racine, séduit par la poésie du merveilleux, a voulu faire boire le philtre à son lecteur, et il nous transporte avec ou sans notre consentement dans la légende évoquée et sa poésie. Par là nous sentons nettement que l'incantation, l'action esthétique de la légende sur notre sensibilité et notre imagination est étroitement liée à celle de l'épopée. Car qu'est-ce au fond l'épopée, sinon l'agrandissement poétique et merveilleux d'une action héroïque, souvent historiquement vraie. Aussi l'atmosphère fabuleuse est en rapport nécessaire avec les rappels et les épisodes épiques que renferme la tragédie de *Phèdre*. Deux personnages, nous le savons, sont exclu-

sivement chargés de diffuser ce genre de poésie. C'est
Thésée et c'est Hippolyte, le père et le fils. Nous avons
vu tout à l'heure ce dernier évoquer les actions du héros
d'Athènes, sa victoire sur les brigands, sur le monstre de
Crète. N'oublions pas non plus ses luttes contre les Pallantides, et même en un sens ses exploits amoureux :

> Hélène à ses parents dans Sparte dérobée ;
> Salamine témoin des pleurs de Péribée ;
> Tant d'autres, dont les noms lui sont même échappés,
> Trop crédules esprits que sa flamme a trompés :
> Ariane aux rochers contant ses injustices,
> Phèdre enlevée enfin sous de meilleurs auspices.

Car il y a aussi une épopée de l'amour ; et qui, mieux
que Thésée, pouvait en être le héros ? Jusqu'au troisième
acte, nous vivons de la passion incestueuse de Phèdre
et de la mort héroïque de son époux :

> On dit même, et ce bruit est partout répandu,
> Qu'avec Pirithoüs aux enfers descendu,
> Il a vu le Cocyte et les rivages sombres,
> Et s'est montré vivant aux infernales ombres ;
> Mais qu'il n'a pu sortir de ce triste séjour,
> Et repasser les bords qu'on passe sans retour.

Le récit de Plutarque a été repris, repoli par Racine,
il a été inséré dans le drame sans placage apparent,
sans raccord visible. L'épopée et le merveilleux sont jusqu'ici d'une seule teneur. Tous les personnages ont dans
leurs discours des lambeaux d'épopée. Voici Aricie :

> Reste du sang d'un roi, noble fils de la terre,
> Je suis seule échappée aux fureurs de la guerre.
> J'ai perdu, dans la fleur de leur jeune saison,
> Six frères, quel espoir d'une illustre maison !
> Le fer moissonna tout ; et la terre humectée
> But à regret le sang des neveux d'Erechtée.

Et voici l'admirable discours de Phèdre dont la vision épique substitue Hippolyte à Thésée et qui refait selon le désir et la passion l'histoire inouïe de la Crète, du Labyrinthe et du Minotaure :

Il avait votre port, vos yeux, votre langage,
Cette noble pudeur coloroit son visage
Lorsque de notre Crète il traversa les flots,
Digne sujet des vœux des fils de Minos...
C'est moi, Prince, c'est moi dont l'utile secours
Vous eût du Labyrinthe enseigné les détours.
Moi-même devant vous j'aurois voulu marcher ;
Et Phèdre au Labyrinthe avec vous descendue
Se seroit avec vous retrouvée ou perdue.

Ainsi Thésée est d'abord raconté par les autres, disions-nous. Nous avons eu jusqu'ici l'épopée théséenne par ouï-dire. Il fallait aussi que dans un beau morceau poétique, Racine nous offrît par la bouche même du roi d'Athènes la primeur de ses derniers exploits, entrant tout frais dans la légende, s'y installant à côté des autres déjà chantés et catalogués. Mais ici encore l'épos se mêle à la tragédie de Phèdre, ou plutôt lui sert de support et de cadre :

Je n'avois qu'un ami. Son imprudente flamme
Du tyran de l'Epire alloit ravir la femme ;
Je servois à regret ses desseins amoureux ;
Mais le sort irrité nous aveugloit tous deux.
Le tyran m'a surpris sans défense et sans armes.
J'ai vu Pirithoüs, triste objet de mes larmes,
Livré par ce barbare à des monstres cruels
Qu'il nourrissoit du sang des malheureux mortels.
Moi-même, il m'enferma dans des cavernes sombres,
Lieux profonds, et voisins de l'empire des ombres.
Les Dieux, après six mois, enfin m'ont regardé :
J'ai su tromper les yeux de qui j'étois gardé.

> D'un perfide ennemi j'ai purgé la nature ;
> A ses monstres lui-même a servi de pâture.

Désormais la geste de Thésée est achevée. Elle ne saurait aller plus loin. Racine l'a introduite dans sa tragédie alors que ses devanciers l'avaient quelque peu négligée et s'étaient contentés, en fait d'épopée, du récit plus ou moins épique de la mort d'Hippolyte. Racine a vu le parti qu'il en pouvait tirer. Faut-il ajouter que la poésie, la vraie, reste à peu près absente de ces paroles que prononce Théramène. Mais l'intention de Racine n'en est pas moins évidente, dans l'évocation de cet épisode, dans les trois tableaux qui le composent successivement, de provoquer en nous l'émotion poétique, de parler à notre cœur comme à notre imagination. Tout a été soigné, disposé avec art et minutie ; épopée en miniature, gardant toutes les règles du genre, à la manière d'Ovide et de Virgile, tel est le récit de Théramène. Mais le poète a été gêné cette fois-ci par ses modèles, le morceau épique prolongé n'a pas été soutenu par l'inspiration, de sorte que malgré des qualités ingénieuses et brillantes, il faut bien avouer que l'ensemble tombe à plat. Est-ce à dire que les évocations mythologiques prolongées ne favorisent pas la poésie de Racine ? Je ne le pense pas et nous pouvons reconnaître une troisième manifestation de la poésie de *Phèdre* dans les tableaux rapides, doux et harmonieux que suscite l'amour de la reine ou l'idylle d'Aricie et d'Hippolyte. Théramène lui-même, si piètre dans sa narration du 5ᵉ acte, sait trouver à la première scène du premier acte les voies de l'évocation véritablement poétique, toute une plastique des formes en mouvement :

> On vous voit moins souvent, orgueilleux et sauvage,
> Tantôt faire voler un char sur le rivage,
> Tantôt, savant dans l'art par Neptune inventé,

> Rendre docile au frein un coursier indompté.
> Les forêts de nos cris moins souvent retentissent ;
> Chargés d'un feu secret vos yeux s'appesantissent.

Cette vision ainsi évoquée va rebondir comme un re-
frain d'acte en acte et parfois de scène en scène. Phèdre
reprend à la scène III sous la forme élégiaque le même
thème :

> Dieux ! que ne suis-je assise à l'ombre des forêts !
> Quand pourrai-je, au travers d'une noble poussière,
> Suivre de l'œil un char fuyant dans la carrière ?

Hippolyte lui-même précise au deuxième acte cette image
du chasseur et reprend à son compte l'élégie, en évoquant l'ombre charmante d'Aricie :

> Maintenant je me cherche, et ne me trouve plus.
> Mon arc, mes javelots, mon char, tout m'importune ;
> Je ne me souviens plus des leçons de Neptune ;
> Mes seuls gémissements font retentir les bois,
> Et mes coursiers oisifs ont oublié ma voix.

Mais c'est Phèdre elle-même qui dans la scène de la
jalousie, au 4e acte, va nous offrir la vision enfin réalisée
de l'amour heureux et des parfaits amants. Par là s'achève
l'évocation poétique de la nature et du cœur de l'homme
à l'unisson : Le cadre des forêts complète l'atmosphère
fabuleuse et épique. Mais déjà nous nous apprêtons à
trouver la poésie plus intérieure, plus intime, celle du
fond de l'âme :

> Les a-t-on vus souvent se parler, se chercher ?
> Dans le fond des forêts allaient-ils se cacher ?
> Hélas ! ils se voyaient avec pleine licence.
> Le ciel de leurs soupirs approuvait l'innocence,
> Ils suivoient sans remords leur penchant amoureux.
> Tous les jours se levaient clairs et sereins pour eux.

Cependant, à côté de l'image de l'Hippolyte chasseur, conducteur de chars et amoureux, que d'autres visions poétiques condensées en un, deux, tout au plus trois vers. C'est le cortège constant du drame, l'harmonie extérieure qui accompagne le chant intimement déroulé :

> Ariane, ma sœur, de quel amour blessée
> Vous mourûtes aux bords où vous fûtes laissée.

dit Phèdre, dans la scène fameuse de l'aveu à Oenone, et elle étalera encore à l'acte III sa soif des larges horizons, sinon des départs dans l'air serein, de l'onde glauque où le vent du large fait claquer la voilure :

> Athènes l'attirait ; il n'a pu s'en cacher ;
> Déjà de ses vaisseaux la pointe étoit tournée,
> Et la voile flottoit aux vents abandonnée.

Il est vrai qu'à ces paisibles tableaux succèdent des images terribles, toute une poésie infernale qui a sa grandeur et que Phèdre nous fait sentir dans sa sensibilité exacerbée en ouvrant le gouffre sous nos yeux et en nous faisant toucher du doigt sa conscience morale ; ainsi reste essentiellement concrète, sollicitant la vue, l'ouïe, toute la tragédie du cœur :

> Où me cacher ? Fuyons dans la nuit infernale.
> Mais que dis-je ? Mon père y tient l'urne fatale ;
> Le sort, dit-on, l'a mise en ses sévères mains :
> Minos juge au enfers tous les pâles humains.
> Ah ! combien frémira son ombre épouvantée,
> Lorsqu'il verra sa fille à ses yeux présentée,
> Contrainte d'avouer tant de forfaits divers,
> Et des crimes peut-être inconnus aux enfers !
> Que diras-tu, mon père, à ce spectacle horrible ?
> Je crois voir de ta main tomber l'urne terrible ;
> Je crois te voir, cherchant un supplice nouveau,
> Toi-même de ton sang devenir le bourreau.

Sans nous en être en quelque sorte aperçus, nous sommes par Phèdre parvenus au centre même, à la source originale de la poésie du drame. Car c'est de Phèdre elle-même que découle toute la poésie de l'âme. Nous avons jugé déjà sa valeur tragique, nous ne l'avons pas vue à sa valeur poétique qui est intense. Nous avons dû renoncer à l'idée du personnage unique, seul digne d'éveiller notre intérêt, que semblait préconiser la critique de Brunetière et pourtant nous sommes bien revenus, comme l'affirment ce dernier et Thierry Maulnier, à la tragédie, à un seul personnage dans la mesure où ce dernier est le centre de l'intérêt, nous intéresse plus que le restant des acteurs. De sorte que je dirai volontiers que, si les autres personnages peuvent nourrir une poésie, descriptive, épique, idyllique, seule Phèdre détient tout le lyrisme du drame, a pour but de le mettre en valeur, de le faire voir sous ses différentes faces et dans ses différentes phases. Torche vivante attachée au bûcher de sa passion, Prométhée femme, elle exhale sa plainte, comme le symbole du poète traitant sous une forme personnelle et passionnée des idées et des sentiments intéressant toute l'humanité : l'amour, le mal, la mort, la liberté de l'homme. N'est-ce point la définition même du lyrisme, son expression la plus fidèle ? Et Racine savait parfaitement ce qu'il faisait. Il avait choisi son interprète, il déchargeait sa propre conscience en soulageant sa sensibilité. Ainsi la personne de Phèdre porte-parole du poète se développe sur un rythme passionnel et souvent un mode lyrique. L'impuissance de la créature devant les dieux ligués contre elle, l'amour qui se fait humble, qui se déclare, qui s'abaisse, qui connaît son abjection, mais qui n'y peut apporter aucun remède, voilà la matière poétique que Racine revêt de ses sortilèges :

> Objet infortuné des vengeances célestes,
> Je m'abhorre encor plus que tu ne me détestes.

> Les Dieux m'en sont témoins, ces Dieux qui dans
> [mon flanc
> Ont allumé le feu fatal à tout mon sang ;
> Ces Dieux qui se sont fait une gloire cruelle
> De séduire le cœur d'une foible mortelle.

Phèdre dit donc sa peine et son chant d'amour. Voilà pourquoi, elle se demande, dans la scène III du 3ᵉ acte : « Est-ce un malheur si grand que de cesser de vivre ? ». Pour elle, « la mort aux malheureux ne cause point d'effroi » ; « la mort est le seul dieu qu'elle osoit implorer ». Le remords trouve, tout naturellement, une expression lyrique :

> Hélas ! du crime affreux dont la honte me suit
> Jamais mon triste cœur n'a recueilli le fruit.
> Jusqu'au dernier soupir de malheurs poursuivie,
> Je rends dans les tourments une pénible vie.

C'est tout aussi naturellement, qu'elle a le sentiment de sa solitude royale. « Elle ne peut, dit Thierry Maulnier, rencontrer que dans un autre monde des interlocuteurs égaux à son mystère. Elle vient parler sur la scène, en quelque sorte pour elle seule, un langage à elle seule intelligible. Aussi bien ses véritables interlocuteurs ne sont-ils pas Oenone, mais Vénus ; Thésée, mais le Soleil, mais Minos ; Hippolyte, mais l'image adorée d'Hippolyte, — ne sont pas les hommes qui l'entourent, mais ses dieux. »

> J'ai pour aïeul le père et le maître des Dieux ;
> Le Ciel, tout l'univers est plein de mes aïeux.

Phèdre sensuelle, Phèdre possédée, Phèdre en proie aux destins, Phèdre animale et Phèdre pure, Phèdre amour ou Phèdre haine de l'amour, Phèdre humaine et divine, toutes ces Phèdres peuvent se résoudre dans la poésie qu'elle met en action, dans le chant lyrique d'amour, de désespoir, de remords, de repentir, de pureté et d'impureté qui trouve pour s'exprimer des vers inoubliables : « se

nourrissant de fiel, de larmes abreuvée » ; « elle saura,
par un chemin plus lent, se rendre chez les morts en
rendant au jour qu'elle souillait toute sa pureté. N'attei-
gnons-nous pas ici le vrai fond, le tréfonds de la poésie
de Phèdre, un sublime extraordinairement vivant. « Il faut
nous élever ici à ce degré de l'art où les visages des
dieux d'Egypte, les corps grecs au repos ne cherchent
pas à illustrer pour nous, d'une façon nécessairement
schématique et comme linéaire, la colère, la volupté, la
réflexion, la peur ou la sérénité, mais atteignant à la
forme suprême de l'existence et à toute sa divine indé-
termination, anéantissent le spectateur dans la certitude
d'une présence implacable. » Mais dirons-nous, avec Thierry
Maulnier, que c'est sur les lèvres seules de Phèdre que
la poésie de Racine atteint la perfection de sa pureté,
de sa chaleur, de son trouble et de son éclat, et que, lorsqu'il faut donner la parole aux autres personnages, elle
se ternit soudain et se glace ? Non, sans doute, car il est
un dernier élément de cette poésie que nous n'avons
pas étudié, et qui se retrouve sur les lèvres d'autres personnages, un élément que l'abbé Bremond considérait
comme l'essentiel de la poésie et qu'il a appelé pour
cela la poésie pure. Nous aurons ainsi l'occasion de montrer l'existence de cette forme suprême de la poésie dans
l'œuvre de Racine (1), et nous pourrons appliquer nos
conclusions à notre tragédie en particulier.

_____

(1) Voir notre Appendice.

Chapitre 16

LA LANGUE ET LE STYLE

En étudiant la langue, le style et la versification de *Phèdre*, nous devons toujours nous souvenir qu'il est des phénomènes propres à un auteur et des phénomènes propres à une époque. Si la langue est ce qui rattache peut-être le plus l'écrivain à son milieu, il est incontestable qu'il peut exister aussi un style collectif, celui d'un milieu, d'une école littéraire, de sorte qu'il est parfois difficile d'établir des frontières précises. Or, nous verrons que, dans le cas de Racine et de *Phèdre* en particulier, l'écrivain suit la langue de son temps, mais préserve son originalité dans le style et la versification.

Avec le père Rapin, Bouhours est des intimes· de Racine. Le poète lui soumet ses incertitudes pour ce qui concerne la pureté de son style. En terminant *Phèdre*, il lui écrit : « Je vous envoie les quatre premiers actes de ma tragédie, et je vous envoierai le cinquième, dès que je l'aurai transcrit. Je vous supplie, mon Révérend Père, de prendre la peine de les lire, et de marquer les fautes que je puis avoir faites contre la langue dont vous êtes un de nos plus excellents maîtres. Si vous y trouvez quelques fautes d'une autre nature, je vous prie d'avoir la bonté de me les marquer sans indulgence. » (VI, 515). Sans lui apprendre à écrire purement, le Père Bouhours le maintient dans l'orthodoxie littéraire. C'est à lui sans doute que Racine doit d'avoir gardé la pureté de sa langue. Après *Phèdre*, le *Mercure galant* le couvre d'éloges pour sa forme, et l'abbé d'Olivet écrira plus tard : « Il y a moins à reprendre dans Racine... que dans nos ouvrages de prose les plus estimés. » Racine ne sera pas, d'ailleurs, dans *Phèdre* ou ailleurs, un puriste à la manière de Vaugelas, ne voulant pour règle que le seul bon usage ou ne visant qu'à la correction. Élargissant au besoin les règles de la langue, il ajoute à l'usage et, selon la remarque judicieuse de son fils Louis, « il avait sur les règles de la langue, toute la science du plus habile grammairien et n'a jamais écrit en grammairien. Il brave souvent les règles qu'il connaissait bien et il les brave pour servir la langue, dont il méprisait les règles quand il en consultait le génie. » Mais Racine n'a point été jusqu'à l'infatuation et l'entêtement. Il corrigeait sans cesse ses pièces, même après l'impression. L. Racine, dans les *Mémoires de l'Académie*, XV, 205, nous a encore fait cette confidence : « Mon père brûla un exemplaire de ses tragédies plein de changements qui avaient pour objet la pureté de la langue, et qu'il avait écrits sur cet exemplaire lorsqu'il méditait une édition plus correcte et plus conforme à ses intentions. Il crut devoir faire à la religion le sacrifice d'un travail qui n'avait eu pour but qu'une gloire dont il se sentit alors entièrement détaché. »

Notons d'abord que, pour son vocabulaire, Racine ne s'est pas ingénié à rechercher les mots rares ou vieillis. Il a presque strictement suivi dans *Phèdre*, comme ailleurs, le parler de son temps, parler des salons avec des relents précieux, parler de la langue tragique, où certains vocables considérés comme nobles ont un emploi privilégié. Nous aurons l'occasion d'y revenir, mais notons dès à présent la couleur du temps, de la galanterie, et de la dignité poétique dans des mots comme *amitié* au sens d'*affection*, de *bruit* au sens de *renommée*, de *courage* au sens de *cœur*, de *détester* au sens de *maudire* ; voici *charme* signifiant *opération* ou *pouvoir magique*, *flamme* désignant la *passion*, *objet* représentant la *personne aimée*. Et la poésie classique réclame *coursier*, *front*, *neveu*, *lumière*, pour *cheval*, *tête*, *descendant*, *exigence*. Hâtons-nous de dire du reste que Racine est porté à la simplicité.

Si nous considérons la grammaire elle-même (1), l'emploi ou le non emploi de l'article n'offre pas dans *Phèdre*, des différences sensibles avec notre usage. Par contre, celui du substantif nous révèle des particularités relatives au nombre. Le XVIIᵉ siècle use plus volontiers que nous du pluriel des noms abstraits, comme *ardeurs*, *mépris*, *bontés*, *douceurs*, *fureurs*, *froideurs*. « Pouvez-vous d'un superbe oublier les *mépris* ? », demande Œnone au v. 776. De même, il faut remarquer le singulier, avec le sens actuel du pluriel ; v. 1047, Thésée dira : « Après que le *transport* d'un amour plein d'horreur / Jusqu'au lit de ton père a porté sa *fureur* ». Un substantif abstrait vient fréquemment remplacer le nom de la personne ou de la chose. à qui appartient la qualité ou l'attribut qu'indique ce substantif. Hippolyte dit de lui-même, au vers 669, à Phèdre : « Ma honte ne peut plus soutenir votre vue ». L'adjectif n'affecte guère ici des formes et un genre inattendus, mais par contre le poète place souvent *avant* le nom des adjectifs que nous placerions *après*. Nous avons ainsi, au v. 59, les *amoureuses lois* ; au v. 801, un *sacré diadème* ; au v. 1258, une *jalouse rage* ; au v. 1274, le *sacré soleil* ; au v. 1316, un *sacrilège vœu*. *Même*, placé avant, signifie actuellement *semblable*, placé après : *lui-même* (*ipse*). Cette différence n'existe pas la plupart du temps au XVIIᵉ siècle ;

---

(1) Voir appendice grammatical de l'édition de J. Fourcassié des Œuvres choisies de Racine, Paris, Hatier, Collection Ch.-M. Des Granges.

et chez Racine, Phèdre s'écrie, au v. 1255 : « malgré ce même exil qui va les écarter, / Ils font mille serments de ne se point quitter ». L'adjectif démonstratif *ce, cet* a parfois le sens du possessif de la première personne, suivant en cela, l'usage du latin. « Fuis », dit Thésée, à son fils, au v. 1060 ; et si tu ne veux qu'un châtiment soudain / T'ajoute aux scélérats qu'a punis cette main », et Hippolyte répond à son père, au v. 1119 : « Non, mon père, ce cœur, c'est trop vous le celer / N'a point d'un chaste amour dédaigné de brûler. »

Si nous passons au pronom, nous voyons qu'avec ses contemporains, Racine emploie *soi*, là où nous aurions usé de *lui*, d'*elle*, d'*eux*. Hippolyte, au v. 639, est : « Charmant, jeune, traînant tous les cœurs après soi. » « Que dis-je », s'écrie Thésée, au v. 973 : « Quand mon âme à soi-même rendue, / Vient se rassasier d'une si chère vue. » De même, avec son siècle, Racine use souvent de *en* et de *y* pour remplacer les noms de personnes de : *lui*, d'*elles*, d'*eux*, ce que nous ne saurions faire aujourd'hui. Dans son aveu à Hippolyte, au v. 602, Phèdre déclare : « En public, en secret, contre vous déclarée / J'ai voulu par des mers en être séparée. »

Que, pronom, nous permet deux remarques. D'abord construit avec une préposition, il peut se rapporter au XVIIe siècle, et chez Racine, à un nom de chose. Dans un mouvement plein de dévouement passionné, au v. 898, Oenone déclare à la reine : « Votre vie est pour moi d'un prix à qui tout cède ». Ensuite, *Que*, avec un antécédent, est en réalité pronom relatif et fait fonction de pronom circonstanciel, au v. 673 : « J'aime. Ne pense pas qu'au moment que je t'aime, / Innocente à mes yeux, je m'approuve moi-même », dit Phèdre à Hippolyte. Et elle répète, au v. 1233, apprenant l'amour d'Hippolyte et d'Aricie : « Au moment que je parle, Ah ! mortelle pensée ! / Ils bravent la fureur d'une amante insensée ». Où s'em-

ploie très fréquemment, dans les phrases où nous emploierions un relatif accompagné d'une préposition. Il peut se
rapporter soit à des personnes, soit à des choses. Vers
1267 : « Pour qui ? Quel est le cœur où prétendent mes
vœux ? », se demande Phèdre. Elle maudit, au v. 1323,
sa confidente, en souhaitant le même sort à tous ceux
qui : « Des princes malheureux nourrissent les faiblesses,
les poussent au penchant où leur cœur est enclin. » Et
Théramène, en achevant son récit, au v. 1569, parle
du corps d'Hippolyte comme d'un « triste objet, où des
Dieux triomphe la colère ». Le pronom indéfini *tout*, placé
devant un adjectif, n'était pas, au XVIIᵉ siècle, considéré
comme un adverbe, mais aussi comme un adjectif, c'est
pour cela qu'il s'accordait en genre et en nombre avec
le substantif, et que Phèdre dira au v. 306, en parlant
de son mal : « C'est Vénus *toute* entière à sa proie attachée. » Aujourd'hui, nous le savons, l'accord ne se fait,
pour des raisons d'euphonie, que lorsque l'adjectif qui suit
tout commence par une consonne.

Si nous considérons les verbes, nous trouvons à la rime,
au v. 399 je croi, au v. 155 je revoi, aux v. 640 et 987
je voi, au v. 579 revien impératif. Molière, comme
l'a déjà noté, emploie toujours les formes sans s, à la
rime. De nos jours on permet en poésie la suppression
de l's à la première personne des verbes en oir. Hâtons-
nous de dire que ce n'est pas une licence poétique, mais
l'ancienne forme étymologique de la 1ʳᵉ personne
(video) ou de la 2ᵉ personne de l'impératif (reveni).
On a ajouté l's par analogie avec la 2ᵉ personne
pour le premier cas ou pour éviter l'hiatus. Nous trouvons
par ailleurs la forme *assit*, à la 3ᵉ personne du singulier du présent de l'indicatif d'asseoir pour assied.
« Elle s'assit », nous dit de Phèdre une indication scéni-
que, mais Vaugelas dénonce cette forme pour peu régu-
lière. D'autre part, on trouve fréquemment au XVIIᵉ siècle,

par analogie avec la syntaxe latine, un verbe au singulier avec plusieurs sujets coordonnés. Racine profite de cet usage : « Vivez donc », dit Oenone, à Phèdre, au v. 209 : « Que l'amour, le devoir vous excite ». Et Phèdre lui répond, au v. 271 : « Mon repos, mon bonheur sembloit être affermi ». L'exemple le plus frappant est cependant celui des v. 1228-1229 :

> La fureur de mes feux, l'horreur de mes remords,
> Et d'un refus cruel l'insupportable injure
> N'étoit qu'un foible essai du tourment que j'endure.

L'emploi des temps est, à l'époque de Racine, plus libre que de nos jours. On peut notamment employer au subjonctif l'imparfait pour le présent. Thésée dira des dieux, au v. 1615 : « Quoi qu'ils *fissent* pour moi, leur funeste bonté ne me sauroit payer de ce qu'ils m'ont ôté ». On emploie le conditionnel présent au lieu du conditionnel passé, v. 837 : « Je mourrois ce matin digne d'être pleurée », au lieu de : « Je serais morte... ». Les modes offrent de nombreux exemples de substitution de l'un à l'autre. Suivant un usage latin, Racine emploie l'indicatif pour le conditionnel avec les verbes marquant une possibilité, une obligation, une convenance ; au v. 742, Phèdre confie à Oenone : « J'ai dit ce que jamais on ne devoit entendre », et au v. 1425, Thésée adresse ce reproche ironique à Aricie : « Vous deviez le rendre moins volage », dit-il, à propos d'Hippolyte. D'autre part, Racine emploie l'indicatif dans des propositions subordonnées où nous emploierions le subjonctif, exprimant ainsi une affirmation sans doute possible ; au v. 389, Aricie, à propos de la mort de Thésée, demande à Ismène : « Croirai-je qu'un mortel, avant sa dernière heure, peut pénétrer des morts la profonde demeure ? ». Par l'indicatif on insiste sur la réalité du fait. La nourrice, de son côté, au v. 876, affirme à la reine : « Hippolyte est heureux qu'aux dépens de

vos jours / Vous-même en expirant *appuyez* ses discours. » L'indicatif ici encore insiste sur la réalité du fait.
Le participe présent, par ailleurs, nous oblige à la remarque suivante : on ne fait pas au XVIIᵉ siècle, pour l'accord, la différence établie de nos jours, entre le participe
employé comme verbe (invariable) et le participe employé
comme adjectif (variable). Le participe est le plus souvent
variable. Voilà pourquoi nous aurons, au v. 395 : « Phèdre, dans ce palais, *tremblante* pour son fils, De ses amis
troublés demande les avis ». Par contre, la règle actuelle
d'accord pour le participe passé avec *avoir* n'est pas
observée au XVIIᵉ siècle. Vaugelas, dans les exemples,
par lui cités, rend un arrêt en opposition souvent avec
la règle actuelle. Ne nous étonnons point par conséquent,
de trouver, au v. 1235, de *Phèdre* : « Les a-t-on *vu* souvent se parler, se chercher ? ». La règle n'est officielle-
ment facultative de notre temps, que depuis 1900. Certains
verbes prénominaux, tout en gardant leur sens actuel
souffrent au XVIIᵉ siècle l'omission du pronom ; v. 180 :
« Où laissé-je égarer mes vœux et mon esprit... Disons
enfin, pour terminer avec les verbes, que l'emploi des
auxiliaires *avoir* et *être* n'est pas régi par des règles
précises au XVIIᵉ siècle. On n'a pas encore bien défini
que *avoir* sert à marquer l'action et *être* l'état, mais
Racine veut parfois nettement marquer l'état : « Tant
d'autres dont les noms lui sont même échappés », dit
Hippolyte, au v. 87 des amoureuses de Thésée. « Je suis
seule échappée aux fureurs de la guerre », dit Aricie,
en renouvelant le récit de ses malheurs pour Ismène. L'emploi n'est pas plus douteux, au v. 1176, quand Thésée
croit rassurer Phèdre sur la vengeance qu'il doit tirer de
son fils : « Mais l'ingrat toutefois ne m'est point échappé. »
   Les adverbes ne demandent guère qu'une indication.
C'est l'emploi de *comme* au sens de *comment*. « Voilà comme tu m'as perdue », reproche Phèdre à Oenone, au v. 1309.

Pour la négation, il peut y avoir ellipse de *pas*, *ne* suffisant au XVIIe siècle, à marquer la négation. Au vers 190, Oenone déclare à Phèdre :

> Les ombres par trois fois ont obscurci les cieux
> Depuis que le sommeil *n*'est entré dans vos yeux.

Et nous en arrivons ainsi à l'important problème de la préposition. L'emploi de la préposition *à* est beaucoup plus étendu au XVIIe siècle que de nos jours. 1) D'abord on l'emploie là où elle serait inutile aujourd'hui. Dans le récit de Théramène, au v. 1535 : La frayeur emporte les chevaux, et « sourds *à* cette fois, Ils ne connoissent plus ni le frein ni la voix ». 2) Au sens de *dans*, v. 53-54 : « Jamais l'aimable sœur des cruels Pallantides / Trempa-t-elle *aux* complots de ses frères perfides ? ». 3) Au sens de *sur*, v. 329-330 : « On dit même qu'au trône une brigue insolente veut placer Aricie et le sang de Pallante ». 4) Au sens de *pour*, v. 1215 : « Non ; mais je viens tremblante *à* ne vous point mentir ». 5) Au sens de *avec*, v. 762 : « Quand sous un joug honteux *à* peine je respire ! ». 6) Au sens de *par*, v. 195 : « *A* quel affreux dessein vous laissez-vous tenter ? » ; v. 363 : « Hé bien ! *à* tes conseils je me laisse entraîner ». Dans l'expression, *prêt à*, signifiant aujourd'hui *préparé à*, avec le sens actuel de *près de* (sur le point de), v. 215 : « Tandis que de vos jours, prêts *à* se consumer, Le flambeau dure encore et peut se rallumer. » V. 316 : « Un reste de chaleur tout prêt *à* s'exhaler. » L'emploi de la préposition *de*, est également beaucoup plus étendu au XVIIe siècle que de nos jours, v. 155 : « mes yeux sont éblouis *du* (de le) jour que je revoi », nous emploierions *par* ; de même, au v. 968 : « j'ai su tromper les yeux *de* qui j'étois gardé ». *Dès* s'emploie là où nous mettons *depuis*, v. 1303 : vous vous plaignez d'un joug imposé *dès* longtemps. »

Pour la conjonction, il faut noter au XVIIe siècle et dans la langue de Racine, un emploi plus généralisé de *que*, au lieu des locutions qui en sont composées. *Ainsi que*, est employé après certains verbes dans le sens de *à ce que*, *de ce que*, v. 1599 : « Je consens que mes yeux soient toujours abusés ». De même *avant que de*, remplace comme *avant que*, notre *avant de*. V. 463 : « Madame, avant que de partir, j'ai cru de votre sort vous devoir avertir. »

Nous terminerons l'étude de la langue par celle de la construction. Le fait primordial, tant pour Racine que pour ses contemporains, c'est la place du pronom complément : Lorsqu'un verbe à un mode personnel en précède un autre qui se trouve à l'infinitif sans préposition, Racine et les autres écrivains du siècle, considèrent, la plupart du temps, les deux verbes comme formant une seule expression et mettent le pronom complément devant le premier ; v. 7 : « J'ignore jusqu'aux lieux qui le peuvent cacher ; v. 247 : « Ciel que lui vais-je dire, » ; v. 464 : « J'ai cru de votre sort vous devoir avertir » ; v. 586 : « Je vous viens pour un fils expliquer mes alarmes » ; v. 693 : « Cet aveu que je viens de faire » ; v. 695 : « Je te venois prier » ; v. 763 : « Je ne le puis quitter » ; v. 771 : « tu m'as su ranimer » ; v. 1263 : « Je le veux implorer » ; v. 1324 : « Et leur osent du crime aplanir le chemin » ; v. 1616 : « ne me saurait payer ». Aujourd'hui nous n'intercalons pas le pronom personnel complément entre les deux membres de la locution négative ne pas, ne point. L'usage de Racine et du XVIIe siècle est différent. V. 696 : « Je te venois prier de ne le point haïr », au lieu : « de ne point le haïr » ; v. 1256 : « de ne se point quitter », pour : « de ne point se quitter ».

Nous avons surtout des constructions plus libres que de nos jours. Très fréquemment, lorsqu'une proposition infinitive ou participiale est subordonnée à une principale, les sujets ne sont pas les mêmes dans les deux propositions. Aujourd'hui, nous demandons pour plus de clarté, un sujet identique. Nous trouvons dans notre texte au moins deux exemples de propositions participiales ainsi employées ; v. 234 : « Songez-vous qu'en naissant mes bras vous ont reçue ? » ; v. 407 : « Et même, en le voyant, déclare Ismène à propos d'Hippolyte le bruit de sa fierté : A redoublé pour lui ma curiosité ». Et c'est encore à propos d'Hippolyte, que Thésée affirme à Oenone, au v. 1024 : « De crainte, en m'abordant, je l'ai vu tressaillir » ; évidemment nous attendions « quand je l'ai vu », « quand il m'a abordé ». Très souvent encore une apposition, au lieu de se rapporter au sujet de la proposition, se rapporte à un complément. Vers 39 : « Dangereuse marâtre, à peine elle vous vit / Que votre exil d'abord signala son crédit. » Vers 635 : « Je l'aime, non point tel que l'ont vu les enfers, / Volage adorateur de mille objets divers » ; v. 643 « Lorsque de notre Crète il traversa les flots / Digne sujet des vœux des filles de Minos » ; v. 1519 : « Dragon impétueux, sa croupe se recourbe en replis tortueux ».

Il nous reste à parler d'une dernière construction, chère à Racine, à Bossuet et à d'autres, il s'agit du participe passé ou présent avec un sujet, le tout ayant valeur de proposition, mais étant utilisé comme complément. Le tour est imité du latin et nous en avons une série d'exemples dans les v. 75-90 de la tirade d'Hippolyte à la première scène :

> Tu sais combien mon âme, attentive à ta voix,
> S'échauffoit au récit de ses nobles exploits,
> Quand tu me dépeignois ce héros intrépide
> Consolant les mortels de l'absence d'Alcide,
> Les monstres étouffés et les brigands punis...
> Et les os dispersés du géant d'Epidaure,
> Et la Crète fumant du sang du Minotaure :

> Mais quand tu récitois des faits moins glorieux,
> Sa foi partout offerte et reçue en cent lieux ;
> Hélène à ses parents dans Sparte dérobée ;
> Salamine témoin des pleurs de Péribée ;
> Ariane aux rochers contant ses injustices,
> Phèdre enlevée enfin sous de meilleurs auspices.

On le voit, la langue de Racine dans *Phèdre* utilise toutes les ressources de l'usage contemporain, et lui permet par là même, de chercher à exprimer sa pensée sans désorienter ses auditeurs, au contraire de Molière et de La Fontaine, ou même Bossuet, assez souvent archaïsants et réfractaires aux prescriptions des théoriciens. Mais Racine n'est pas seulement apte à exprimer sa pensée selon les règles et l'usage du temps, il vise et il réussit aussi à lui donner une fort d'art, il n'est pas simplement écrivain, il est également styliste.

On sait que sa première qualité est une véritable simplicité, qui frappe par opposition à l'emphase cornélienne. On se rappelle la remarque fameuse de Sainte-Beuve, « le vers de Racine rase la prose », et de fait il ne serait pas difficile de trouver dans *Phèdre* même, des exemples nombreux de cette simplicité directe :

v. 225   Je t'en ai dit assez. Epargne-moi le reste.

v. 246   Tu le veux. Lève-toi. *Oen.* Parlez, je vous écoute.

v. 264   Hippolyte ? Grands Dieux ! *Ph.* C'est toi qui l'as
                                          [nommé.

v. 335-6 Panope, c'est assez. La Reine, qui t'attend
        Ne négligera point cet avis important.

Pourtant, il faut avouer que dans *Phèdre*, plus que dans toute autre de ses tragédies, Racine a voulu hausser le ton jusqu'à la poésie de la légende. De sorte que Racine arrive à nous donner l'impression d'une éminente dignité, en employant un vocabulaire très restreint, dont il élimine les expressions archaïques et les néologismes,

et qu'il parvient à faire paraître riche, par les figures,
les alliances de mots qui présentent un sens noble, neuf
ou hardi, fourni toutefois par la nature et l'analogie. Son
effort de création porte en effet, dans la façon pleine,
d'une infinie variété et d'une grande souplesse, dont il
emploie le sens des vocables, en des combinaisons et des
assemblages inédits et il songe toujours aux besoins et
à la nature de la tragédie. Vers 177 : « Quand pour-
rai-je, au travers d'une noble poussière / Suivre de l'œil
un char fuyant dans la carrière ? ». Vers 401 : « Sur quel
frivole espoir penses-tu qu'il me plaigne » ; v. 555 : « D'un
cœur qui s'offre à vous quel farouche entretien ». L'épithète, on le voit, joue ici un rôle considérable, ce qui
n'empêche pas Racine d'user aussi de l'épithète traditionnelle, du qualificatif de nature. Terme fatal, triste, superbe,
éternel, chaste, funeste. Cela aussi fait partie de la forme
tragique consacrée ; v. 534 : « Il a vu le Cocyte et les
rivages sombres / Et s'est montré vivant aux infernales
ombres ; / Mais qu'il n'a pu sortir de ce triste séjour. »
Vers 851 : « Une tranquille paix, » ; v. 864 : « Le crime
d'une mère est un pesant fardeau » ; v. 923 : « Mais si
mes vœux ardents vous peuvent émouvoir ». Mais il y a
mieux, ou si l'on veut, pire. Marty-Lavaux a déjà
remarqué qu'il y a chez Racine, un seul langage proprement technique, c'est celui de la galanterie. Il oublie le
langage technique de la tragédie. Langage essentiellement conventionnel, a-t-on pu dire, tantôt fade et tantôt
emphatique. Oenone même l'emploie en parlant à Phèdre. Vers 350 : « Votre flamme devient une flamme ordinaire. / Thésée, en expirant, vient de rompre les nœuds /
Qui faisaient tout le crime et l'horreur de vos feux. » Mais
le plus bel exemple nous est offert par les vers d'Aricie
à la première scène du 2ᵉ acte :

> J'aime, je l'avoûrai, cet orgueil généreux
> Qui jamais n'a fléchi sous le joug amoureux.

Phèdre en vain s'honorait des soupirs de Thésée :
Pour moi, je suis plus fière, et fuis la gloire aisée
D'arracher un hommage à mille autres offert.
Et d'entrer dans un cœur de toutes parts ouvert.
Mais de faire fléchir un courage inflexible,
De porter la douleur dans une âme insensible,
D'enchaîner un captif de ses fers étonné,
Contre un joug qui lui plaît vainement munité :
C'est là ce que je veux, c'est là ce qui m'irrite.
Hercule à désarmer coûtoit moins qu'Hippolyte ;
Et vaincu plus souvent, et plut tôt surmonté,
Préparoit moins de gloire aux yeux qui l'ont dompté.

Ces vers 443-456 confirment une complaisance excessive
pour un langage où l'amour est une guerre, la femme ou
l'amant une forteresse, l'amant ou la femme l'assiégeant,
le dompteur ou le vainqueur qui jette les chaînes autour
du corps du captif. Du langage amoureux au langage de
cour, il n'y a qu'un pas, et Racine n'enfreint pas le pro-
tocole en employant les mots *Madame, Seigneur, Prince*.
etc. De même, le tutoiement est exclu, excepté au moment où la passion se démasque, comme dans l'aveu
de Phèdre à Hippolyte : le vocabulaire technique de la
tragédie, permet aussi au style un certain conformisme ;
le *destin*, les *dieux* pris à témoin, la *fatalité*, le *sang des
aïeux*, les *traîtres*, les *perfides*, les *reliques*, cela c'est ce
qu'il est convenu d'appeler le style noble. Sa caractéristique dominante ici est la périphrase.

v. 131-32 Tantôt, savant dans l'art par Neptune inventé,
          Rendre docile au frein un coursier indompté.

surtout   Les ombres par trois fois ont obscurci les cieux
les v.
191-193   Depuis que le sommeil n'est entré dans vos yeux,
          Et le jour a trois fois chassé la nuit obscure
          Depuis que votre corps languit sans nourriture.

v. 14   La mer qui vit tomber Icare.

v. 360   Les superbes remparts que Minerve a bâtis.

v. 469-70 Les Dieux livrent enfin à la Parque homicide
          L'ami, le compagnon, le successeur d'Alcide.

Quoi qu'en ait dit Larroumet, Racine fait également un fréquent emploi de l'antithèse dans notre tragédie. A l'instar de Corneille, il en fait jaillir des effets saisissants, mais moins mécaniques. Nous n'avons pas l'impression qu'elle est chez notre poète un tic de langage ou de pensée.

v. 53   Jamais l'aimable sœur des cruels Pallantides
         Trempa-t-elle aux complots de ses frères perfides ?
         Et devez-vous haïr ses innocents appas ?

v. 168   Vous haïssez le jour que vous veniez chercher

v. 221-? Grâces au ciel, mes mains ne sont point criminelles.
         Plût aux Dieu que mon cœur fût innocent comme
                                                    [elles !

v. 343-4 Sa mort vous laisse un fils à qui vous vous devez,
         Esclave s'il vous perd, et roi si vous vivez.

Mais la répétition est plus fréquente encore que l'antithèse, et contribue à la simplicité, à la violence, à la puissance de l'expression tragique.

v. 44   Une femme mourante et qui cherche à mourir

v. 55-6 Et devez-vous haïr ses innoments appas ?
         — Si je la haïssois, je ne la fuirois pas.

v. 161   Tout m'afflige et me nuit, et conspire à me nuire.

v. 163-5 Vous-même, condamnant vos injustes desseins,
         Tantôt à vous parer vous excitiez nos mains ;
         Vous-même, rappelant votre force première,
         Vous vouliez vous montrez et revoir la lumière.

v. 198   Vous trahissez l'époux à qui la foi vous lie ;
         Vous trahissez enfin vos enfants malheureux.

v. 261   J'aime... A ce nom fatal, je tremble, je frissonne.
         J'aime...

v. 210   Vivez donc. Que l'amour, le devoir vous excite.
         Vivez,

Aux répétitions correspondent les constructions parallèles qui ont le même effet et dont un assez grand nombre se retrouve dans notre texte.

v. 189   Quelle fureur les borne au milieu de leur course ?
         Quel charme ou quel poison en a tari la source ?

v. 190   Les ombres par trois fois ont obscurci les cieux
         Depuis que le sommeil n'est entré dans vos yeux,
         Et le jour a trois fois chassé la nuit obscure
         Depuis que votre corps languit sans nourriture.

v. 308   J'ai pris la vie en haine, et ma flamme en horreur.

L'impression produite par le retour de la même construction, de la même formule, est parfois celle de la tournure hellénique. Mais d'une façon plus générale, la couleur reste classique. Ce style malgré la pauvreté du vocabulaire, reste coloré et pittoresque. Si les comparaisons sont peu nombreuses nous avons des images et des métaphores, des alliances de l'abstrait et du concret. Nous ne parlons pas simplement des *feux*, des *flammes* et des *chaînes* amoureuses, mais de formules sinon plus originales, du moins plus inusitées :

v. 63   (Vénus) Vous a-t-elle forcé d'encenser ses autels ?

v. 110   Jamais les feux d'hymen ne s'allument pour elle.

v. 113   Et dans un fol amour ma jeunesse embarquée...

v. 230   Mon âme chez les morts descendra la première.
         Mille chemins ouverts y conduisent toujours,
         Et ma juste douleur choisira les plus courts.

v. 215   Tandis que de vos jours, prêts à se consumer,
         Le flambeau dure encore, et peut se rallumer.

Cependant il y a mieux, ce sont les évocations de paysages réels, de visions vécues ou rêvées, avec les horizons élargis. Nous retrouvons ici, les talismans de la poésie de Racine, avec la sonorité, la douceur et l'harmonie des syllabes.

v. 35   Depuis que sur ces bords les Dieux ont envoyé
          La fille de Minos et de Pastiphaé

v. 178-9 Quand pourroi-je, au travers d'une noble poussière,
          Suivie de l'œil un char fuyant dans la carrière ?

v. 253-4 Ariane, ma sœur, de quel amour blessée,
          Vous mourûtes aux bords où vous fûtes laissée !

v. 543-45 Dans le fond des forêts votre image me suit ;
          La lumière du jour, les ombres de la nuit
          Tout retrace à mes yeux les charmes que j'évite.

Le style est maintenant élégiaque, comme il a pu être lyrique aux vers 169-173 :

          Toi, dont ma mère osoit se vanter d'être fille,
          Noble et brillant auteur d'une triste famille,
          Qui peut-être rougis du trouble où tu me vois,
          Soleil, je te viens voir pour la dernière fois.

Cependant il est aussi épique, dans l'évocation des exploits amoureux et héroïques de Thésée, dans le récit de la mort d'Hippolyte, oratoire dans les exhortations d'Oenone à Phèdre. Les apostrophes, les exclamations, les interrogations se succèdent, mais la poésie est réaliste quand elle nous dépeint les effets physiques de la passion sur la Reine, qui frissonne, qui brûle, dont les genoux se dérobent, mythologique et grandiose quand elle fait appel au Tartare, aux monstres et aux héros, à Vénus, à Diane et à Neptune ; elle coule à flots de ce style, aux ressources variées, à l'unité intime et subjective cependant due à l'inspiration et à l'âme du poète, sauf quand il s'efforce ou s'oublie dans les fades galanteries. Hautement sug-

gestif, porteur des talismans de la poésie pure, il allie
les ressources de la grammaire et de la langue aux trouvailles inédites, aux rencontres heureuses d'un vocabulaire épuré, où même les mots techniques de la tragédie
et de la langue noble retrouvent une splendeur rajeunie.
Mais le sortilège du style qui communique au lecteur l'inspiration créatrice, serait incomplet, sans le secours du
rythme et du vers. Nous les étudierons plus spécialement
maintenant.

Chapitre 17

LA VERSIFICATION

La Versification (1)

Alors que Racine se montre en général soucieux, dans sa langue, de suivre le meilleur usage de son temps, et même de sacrifier au purisme, il adopte dans sa versification une attitude plus libre et plus indépendante, rejoignant par là Molière et La Fontaine. N'est-ce pas Louis Racine, du reste, qui nous confirme dans la pensée, qu'avant d'être versificateur, son père est surtout poète en écrivant dans son *Traité de la Poésie* : « Aristote ne met la diction qu'à la quatrième place. Le poète le plus parfait de tous nos versificateurs pensait de même, puisqu'il disait que sa tragédie était faite lorsqu'ayant, après de longues méditations, arrêté la conduite de l'action, les caractères et les discours qu'il devait faire tenir à ses personnages, il ne lui restait plus qu'à faire les vers. » Et Sainte-Beuve ne croyait pas si bien dire, lorsqu'il prétendait en 1829 : « Sur vingt bons vers de l'école moderne, il y en aura toujours quinze, qu'à la rigueur Racine aurait pu faire ! Racine a peut-être connu le court traité de Prosodie, de Lancelot, qui lui a enseigné sans doute,

---

(1) Cf. Maurice SOURIAU. **L'Alexandrin** dans **l'Evolution du vers français au XVII⁰ siècle,** Paris, Hachette 1893, 1 vol. in-8⁰, dont nous utilisons les pages sur Racine.

à Port-Royal, à admirer les beaux vers de Godran, évêque
de Grasse, à mépriser ceux de Ronsard, de Pibrac, de
Du Bartois et de Desportes, et à apprécier en les criti-
quant, ceux de Malherbe et de Racan. Mais je penserai
volontiers qu'il a davantage écouté La Fontaine et que si
Boileau a été celui qui, selon la remarque réitérée de
Louis Racine, lui a appris à faire des vers difficilement,
il reste son propre maître, écoutant son inspiration :
« Quand mon père, dit Louis Racine, avait un ouvrage
à composer, il allait se promener ; alors, se livrant à son
enthousiasme, il récitait ses vers à haute voix ; travaillant
ainsi à la tragédie de Mithridate dans les Tuileries, où il
se croyait seul, il fut surpris de se voir entouré d'un
grand nombre d'ouvriers qui, occupés au jardin, avaient
quitté leur ouvrage pour venir à lui. Il ne se crut pas un
Orphée, dont les chants attiraient ces ouvriers pour les
entendre, puisqu'au contraire, au rapport de M. de Valincour, ils l'entouraient, craignant que ce ne fût un homme
au désespoir prêt à se jeter dans le bassin. » Boileau
n'est donc pas toujours présent pour lui apprendre à faire
des vers difficilement, ou pour la correction prosodique :

v. 811 Je t'avoûrai de tout ; je n'espère qu'en toi.
Cf. v. 50 Je fuis, je l'avoûrai, cette jeune Aricie,

et notre étude ne le montrera que davantage.

Pour la quantité d'abord Racine garde ses coudées
franches, se conformant à l'usage, à la prononciation cou-
rante, il a toujours tendance à choisir la prononciation
la plus douce et la plus musicale. Il est rare qu'il fasse
la synérèse en ce qui concerne les diphtongues, sauf
quand elle est consacrée :

v. 6-7   J'ignore jusqu'aux *lieux* qui le peuvent cacher.
        Et dans quels lieux, Seigneur, l'allez-vous donc
                                                    [chercher.
mais odieux, v. 211, 152, rime avec *Dieux, lieu, yeux.*

C'est d'ailleurs la combinaison de l'*i*, avec une autre voyelle, qui est le seul cas intéressant. En cette matière Racine se règle sur son oreille, n'ayant souci que de l'euphonie, pour faire ou non la diérèse :

v. 95-6   Et moi-même, à mon tour, je me verrois lié ?
           Et les Dieux jusque là m'auraient humilié ?

Cependant, lorsque le son *ié* est précédé d'une *r*, Racine fait en général une distinction : si cette *r* est précédée elle-même d'une voyelle il fait la synérèse :

v. 64   Aimeriez-vous, Seigneur ? Ami, qu'oses-tu dire ?

De même si cette *r* est redoublée :

v. 58   Pourriez-vous n'être plus ce superbe Hippolyte ?
v. 896   Vous me verriez plus prompte affronter mille morts.

mais si l'*r* est précédée d'une autre consonne, pour éviter une désagréable cacophonie, Racine opère la diérèse :

v. 1426   Comment souffriez-vous cet horrible partage ?

Pour les autres cas, on ne saurait que les énumérer et les constater sans les expliquer.

Pour le son *ui*, Racine suit tantôt la prononciation normale, tantôt celle des poètes. C'est ainsi qu'il prononce *ru-ine*, mais *fui* est monosyllabe.

v. 28   Et je fuirai ces lieux que je n'ose plus voir.
v. 50   Je fuis, je l'avourai, cette jeune Aricie,

« Malherbe, écrit Louis Racine, faisait fuir de deux syllabes et l'Académie, dans sa critique du Cid, reprit fui d'une syllabe. Ménage approuva cette critique, et Vaugelas, qui pensait de même, reprochait aux poètes leur opiniâtreté à faire fuir d'une syllabe. Leur opiniâtreté leur a réussi ; on ne le fait plus que d'une syllabe. »

Pour l'e muet dans le corps d'un mot, Racine suit l'usage des poètes consacré par la prosodie. Louis Racine écrit dans ses *Remarques*, I, 34 : « L'e qui se trouve immédiatement après une voyelle à la pénultième du futur de l'indicatif ou du premier imparfait du subjonctif, ne fait ni ne sert à faire, suivant Richelet, aucune syllabe, en prose ni en vers. » Il n'en est pas de même quant à l'e muet placé à la fin d'un mot au pluriel, ou au singulier, quand cet e n'est pas élidé. Racine, après avoir écrit jusqu'en 1668 :

Par quels charmes après tant de tourments soufferts

a corrigé en :

Par quel charme oubliant tant de tourments soufferts.

Cependant nous trouvons dans *Phèdre* une quantité imposante d'e muets non élidés. Mais des recherches que j'ai faites, il résulte que Racine n'en laisse guère subsister qu'un par vers. Tout au plus deux, v. 94 : Cette indigne moitié d'une si belle histoire.

Naturellement on ne rencontre pas dans les tragédies de Racine et dans *Phèdre* en particulier, des hiatus véritables, mais on trouve des hiatus insuffisamment évités par un e tout à fait muet :

v. 98   Qu'un long amas d'honneurs rend Thésée excusable

De telles rencontres sont rares cependant, comme celles des syllabes nasales ; v. 181 : Je l'ai perdu : les Dieux m'*en ont* ravi l'usage.

L'allitération involontaire est aussi sporadique :

v. 106   D'une tige coupable il craint un rejeton
v. 109   Et que jusqu'au tombeau soumise à sa tutelle

Loin d'être cacophonique, elle est en général harmonieuse ; vers 254 :

Vous mourûtes aux bords où vous fûtes laissée.

Louis Racine avait raison d'appeler son père « un poète si attentif à la douceur de la prononciation. »

Nous avons vu plus haut, l'affirmation du même, à

propos de Boileau : « Boileau se vanta toute sa vie d'avoir
appris à mon père à rimer difficilement : à quoi il ajou-
tait que des vers aisés n'étaient pas des vers aisément
faits. » Il serait plus exact d'affirmer que Boileau aurait
appris à son ami à rejeter non pas les rimes *faciles*, mais
les rimes insuffisantes, « à ne pas se contenter de la première assonance venue, la plus faible pour l'oreille, ou
la plus connue, de ces rimes qui n'excitent aucune surprise,
quand on les entend, ou même que l'on voit venir
d'avance. » Toutefois nous avons un certain nombre de
rimes faibles ; v. 15-16 : climats et pas ; v. 39-40 : crédit
et vit ; v. 147-148 : esprit et lit. Contrairement à la recom-
mandation de Malherbe, il fait rimer deux verbes, deux
adjectifs, deux substantifs ensemble, par trop souvent ;
v. 133-134 ; retentissent et s'appesantissent ; v. 353-354 :
redoutable et coupable ; v. 355 : aversion et sédition ;
v. 357-58 : courage et partage ; v. 363-64 : entraîner et
ramener. Il abuse même des rimes trop attendues ; v. 55-
56 : appas et pas ; v. 77 : intrépide et Alcide ; v. 89 : discours et cours ; v. 211-212 : odieux et Dieux ; v. 259-260 :
fureurs et horreurs ; v. 384-385 : sombres et ombres ; v. 333-
334 : naufrages et orages ; v. 811-812, 911-912 : toi et moi ;
v. 507-508, 583-584 : vous et nous ; v. 403-404 : pas et pas ;
v. 585-86 : larmes et alarmes ; v. 895-896 : morts et remords. Il fait rimer une voyelle longue avec la même
voyelle brève ; v. 517-18 : âme et madame ; v. 853-54 :
toutes et voûtes ; v. 1208-9 : audace et grâce. Très souvent, un mot terminé par une consonne qu'on prononce,
rime avec un mot se terminant par la même consonne
qu'on ne prononce pas ; v. 79-80 : punis et Sinnis ; v. 643-
44 : flots et Minos ; v. 755-56 : Minos et repos. Racine fait
rimer ier, monosyllabique, avec ier dissyllabique :

v. 1127-28 Tu l'aimes ? ciel ! Mais non, l'artifice est grossier.
    Tu te feins criminel pour te justifier.

ieux dissyllabique avec *ieux* monosyllabique :

v. 1155-56 Sors, traître. N'attends pas qu'un père furieux
        Te fasse avec opprobre arracher de ces lieux.

Il y a enfin un certain nombre de rimes normandes.
En particulier, le mot fils rime avec quantité de mots où
le s final ne se prononce pas ; v. 359-60 : fils et bâtis ;
v. 435-36 : mépris et fils ; v. 899-900 : avis et fils ; v. 951-
952 : finis et fils ; v. 983-84 : fils et ennemis, etc. On trouve
aussi, cher, rimant avec des verbes se terminant par cher ;
v. 971-72 : approcher ; v. 1375 : marcher. Mais nous devons reconnaître, que dans l'ensemble, les rimes ne sont
point pauvres ; que la plupart du temps elles sont au
moins suffisantes, avec une consonne d'appui, et souvent
riches et même très riches ; v. 133-134 : retentissent et
appesantissent ; v. 157-158 : apaisent et pèsent ; v. 194-
195 : tentes et attentes ; v. 209-210 : excite et Scythe ;
v. 313-314 : approches et reproches ; v. 1003-4 : poursuis
et suis ; 997-98 : adresse et tendresse.

Il y a enfin, pour la rime, la question des vers léonins
de Racine. Racine considérait la rime léonine comme
une véritable faute, et si l'on excepte le vers fameux :
« Vous mourûtes aux bords où vous fûtes laissée », il faut
reconnaître que ceux de notre texte sont des négligences ;
v. 87 : Tant d'autres, *dont* les *noms* lui *sont* même échappés ; v. 134-35 : Chargés d'un feu *secret*, vos yeux s'appesantissent / Il n'en faut point *douter* : vous aimez, vous
brûlez ; v. 395-96 : Phèdre, dans ce palais, tremblante
pour son fils, De ses am*is* troublés demande les av*is*,

mais v.   A redoublé pour lui ma curiosité
408-9   Sa présence à ce bruit n'a point paru répondre.

v. 750   Il suffit que ma main l'ait une fois touchée, (l'épée)
        Je l'ai rendue horrible à ses yeux inhumains ;
        Et ce fer malheureux profaneroit ses mains.

Evidemment, Malherbe a condamné la rime léonine, mais Racine ne croit pas que l'autorité de Malherbe soit suffisante pour transformer une simple singularité en faute de versification. il introduit même de nouveaux vers léonins dans ses anciennes tragédies, par des corrections très réfléchies. Très souvent, d'ailleurs, la rime léonine n'est visible que si l'on coupe le vers à la césure ordinaire où elle trouve, en général, sa place. Mais ceci nous amène précisément, à l'étude de la césure. Pour résoudre ce problème, il nous faudrait savoir comment Racine lisait lui-même ses vers. Nous savons cependant qu'il était très bon lecteur. « Ne pouvons-nous pas, jusqu'à un certain point, déduire de là que Racine ne devait pas lire ses vers en les coupant régulièrement et impitoyablement u milieu ? Avec la coupe classique, ou pour mieux dire, avec la coupe qu'on prête aux classiques, il n'y a plus de talent de lecteur possible. Par ailleurs, comment déclamait-on les tragédies de Racine à l'Hôtel de Bourgogne ? Tout ce que nous apprend du Bos, c'est que la déclamation tenait le juste milieu, entre le chant et la conversation. » Le plus important est évidemment la façon dont Racine faisait débiter leurs rôles à ses interprètes. Louis Racine nous renseigne à ce sujet dans ses *Mémoires* : « Tout le monde sait le talent que mon père avait pour la déclamation, dont il donne le vrai goût aux comédiens capables de le prendre. Ceux qui s'imaginent que la déclamation qu'il avait introduite sur le théâtre était enflée et chantante, sont, je crois, dans l'erreur. » Nous n'ignorons pas d'autre part, grâce à Du Bos, que « Racine avait enseigné à la Champmeslé, la déclamation du rôle de Phèdre, vers par vers. » Ce que Louis Racine encore, précise en ces termes : « Il avoit formé la Champmeslé... Il lui faisait d'abord comprendre les vers qu'elle avait à dire, lui montrait les gestes et lui dictait les tons, que même il notait. L'écolière, fidèle à ses leçons, quoique actrice par art, sur le théâtre paraissait inspirée par la nature. » Or, Du Bos, nous enseigne aussi, que Racine avait appris à l'actrice qui jouait le rôle de Monime, à baisser la voix en prononçant les vers suivants :

> Si le sort ne m'eût donnée à vous,
> Mon bonheur dépendait de l'avoir pour époux.
> Avant que votre amour m'eût envoyé ce gage,
> Nous nous aimions

Mais la voix montait pour la fin du dernier vers : Seigneur, vous changez de visage... De ce fait, l'hémistiche disparaît par cet artifice de diction. Mais il y a beaucoup mieux. Dans son *Traité de la poésie*, Louis Racine, héritier des secrets de son père, nous invite à reconnaître dans les alexandrins des tragédies, plusieurs sortes de césures : « A l'égard de ces variétés de césure... je puis répondre que nos vers ont toutes ces grâces dans la bouche de ceux qui savent les prononcer. Les étrangers s'imaginent qu'en prononçant deux vers nous nous reposons quatre fois, à cause des quatre hémistiches ; le sens et l'ordre des mots s'y opposent souvent, surtout dans les vers de passion, et nous obligent d'y faire deux ou trois césures, et d'enjamber. Croient-ils que dans la colère, Hermione marche à pas comptés ?

> Adieu, tu peux partir + je demeure en Epire +
> Je renonce à la Grèce + à Sparte, à ton empire +
> A toute ta famille + et c'est assez pour moi +
> Traître, qu'elle ait produit + un monstre tel que toi. +

Voici comment la passion, peinte dans ces vers, conduit la voix :

> Adieu, + tu peux partir + je demeure en Epire +
> Je renonce + à la Grèce + à Sparte + à ton
> [empire +

> A toute ta famille + et c'est assez pour moi
> Traître + qu'elle ait produit un monstre + tel
> [que toi.

Nous lisons même les vers qui sont sans passion, tout autrement que ne le croient les étrangers :

> Oui, je viens + dans son temple adorer l'Eternel, +
> Je viens + selon l'usage antique et solennel +
> Célébrer avec vous + la fameuse journée
> Où sur le mont Sina la loi nous fut donnée +
> Que les temps sont changés ! + Sitôt que de ce jour
> La trompette sacrée annonçait le retour, +
> Du Temple + orné partout de festons magnifiques +
> Le peuple saint + en foule inondait les portiques +

Si nous avons insisté sur ces préliminaires, c'est pour que nous comprenions mieux les césures, les rejets, les enjambements, les coupes mêmes que nous offre notre tragédie de *Phèdre*. D'abord, la césure n'est que faiblement ou très faiblement, marquée dans certains vers :

v. 367   Hippolyte demande à me voir en ce lieu
v. 386   Mais qu'il n'a pu sortir de ce triste séjour
v. 404   Et cherche tous les lieux où nous ne sommes pas.

Très souvent le vers coupé à l'hémistiche, présente d'autres césures :

v. 369   Ismène, dis-tu vrai ? N'es-tu point abusée ?
v. 371   Préparez-vous, Madame, à voir de tous côtés
v. 373   Aricie, à la fin, de son sort est maîtresse.
v. 377   Non, Madame, les Dieux ne vous sont plus
                                          [contraires.

Souvent le vers, bien que coupé à l'hémistiche, présente une césure plus forte, plus importante :

v. 511   Veillé-je ? Puis-je croire un semblable dessein ?
v. 494   Je vous cède, ou plutôt je vous rends une place
v. 581   Le voici. Vers mon cœur tout mon sang se retire.

Quelquefois il y a deux césures plus fortes que l'hémistiche :

v. 711   Donne. Que faites-vous, Madame ? Justes Dieux !

v. 873   C'en est fait : on dira que Phèdre, trop coupable

Enfin l'hémistiche disparaît parfois complètement par suite des exigences du sens ou des vers coupés :

v. 823   Qu'il aime... Mais déjà tu reviens sur tes pas
          Oenone ?

v. 724   Hip. Phèdre ?
          (Théramène). Un héraut chargé des volontés
          [d'Athènes

Ce sont les inversions surtout qui souvent forcent à supprimer l'hémistiche, sinon le sens deviendrait obscur :

v. 587   Mon fils n'a plus de père : et le jour n'est pas loin
          Qui de ma mort encor doit le rendre témoin.

v. 593-4 Je tremble que sur lui votre juste colère
          Ne poursuive bientôt une odieuse mère.

Mais il est des césures, plus particulièrement chères à Racine. Au deuxième et surtout au troisième pied, nous avons souvent un arrêt émotif :

v. 209   Vivez donc. Que l'amour, le devoir vous excite

v. 233   Cruelle, quand ma foi vous a-t-elle déçue ?

v. 581   Veillé-je ? Puis-je croire un semblable dessein ?

v. 117   Et sa haine, irritant une flamme rebelle

C'est ainsi que Racine est arrivé même aux alexandrins ternaires qui annoncent la réforme d'André Chénier et des romantiques. L'alexandrin ternaire pur 4 + 4 + 4 est fréquent ici :

v. 178   Suivre de l'œil un char fuyant dans la carrière

v. 680   Ont allumé le feu fatal à tout mon sang

v. 697   Foibles projets d'un cœur trop plein de ce qu'il
          [aime !

Nous rencontrons plus souvent des tranches moins régulières :

v. 93   Heureux // si j'avais pu ravir // à la mémoire
v. 411   Ses yeux // qui vainement vouloient // vous éviter.
v. 1302   Mortelle, // subissez le sort // d'une mortelle.
v. 1569   Triste objet // où des Dieux triomphe // la colère.

Il faut avouer, d'ailleurs, que les tétramètres réguliers, avec la césure à l'hémistiche ne sont pas rares, en particulier dans l'aveu de Phèdre à Oenone, et dans le récit de Théramène. Mais de toute façon leur monotonie est rompue par les césures variées que nous venons d'étudier et plus particulièrement encore, par les rejets et les enjambements. Ce n'est pas seulement avec Malherbe et peut-être Boileau, celui de l'*Art poétique*, que Racine est en désaccord. Il rompt même avec Port-Royal qui, par le truchement de Lancelot, a condamné l'enjambement en termes catégoriques : « La troisième chose qu'on observe encore selon les règles nouvelles de la Poésie, c'est de ne point enjamber d'un vers à l'autre. On appelle enjamber quand le sens n'étant pas fini en un vers, il recommence et finit parfaitement au commencement d'un autre. Il ne faut point s'imaginer que cette règle soit une contrainte sans raison. Car la rime faisant la plus grande beauté de nos vers, c'est en ôter la grâce que d'en disposer le sens de telle sorte qu'on ne puisse pas s'arrêter aux rimes pour les faire remarquer. » Racine, malgré tout, et on le comprend, a préféré donner au vers et au rythme, le mouvement de la pensée et l'émotion de l'âme. Louis Racine n'a jamais songé à relever les enjambements de son père comme une singularité, au contraire, il en loue l'emploi dans ses *Remarques* : « A l'égard de ces grâces de l'enjambement qui rendent le vers libre, rival du vers grec et latin, je puis répondre que nos vers ont toutes ces grâces dans la bouche de ceux qui savent les prononcer :

Je renonce + à la Grèce + à Sparte + à ton
[empire +
A toute ta famille + et c'est assez pour moi
Traître + qu'elle ait produit un monstre + tel
[que toi.

Nous pouvons, avec Maurice Souriau, appeler *rejet* le report d'un seul mot au vers suivant, et *enjambement* le rejet de plusieurs mots. Nous ne devons pas considérer pour des rejets véritables, tous les cas où les mots Madame, Seigneur, placés au début du second vers, sont rattachés au précédent et séparés du vers qu'ils commencent par la ponctuation. La ponctuation des éditions modernes n'est pas celle des éditions du vivant de Racine, fort irrégulière. Nous devons donc ne nous fonder que sur le sens, pour désigner si tel mot placé en tête du second vers appartient à ce vers ou au précédent. Dans un très grand nombre de cas, le sens unit ces mots autant à ce qui les suit qu'à ce qui les précède. On peut les appeler des traits d'union :

v. 665   Et sur quoi jugez-vous que j'en perds la mémoire,
          Prince ? Aurois-je perdu tout le soin de ma gloire.

Il en est de même pour les noms propres :

v. 1257   Non je ne puis souffrir un bonheur qui m'outrage,
          Oenone. Prends pitié de ma jalouse rage.

Parfois la ponctuation elle-même paraissant bien le fait du poète plutôt que celui de l'imprimeur, indique qu'il faut ainsi prononcer :

v. 629-30 Je le vois, je lui parle ; et mon cœur... Je m'égare ;
          Seigneur, ma folle ardeur malgré moi se déclare.

Au contraire, nous pouvons considérer comme de vrais rejets ceux à la suite desquels le sens continue sans doute, mais après une pause plus longue que celle qui sépare le premier vers du second : le mot reporté au début du second alexandrin appartient alors plutôt au premier vers.

v. 849-50 Il se taisoit en vain. Je sais mes perfidies,
Oenone, et ne suis point de ces femmes hardies.

Le rejet est certain quand la pensée repart dans une autre direction, soulignée par une conjonction

v. 317-8 Je voudrais vous cacher une triste nouvelle,
Madame ; mais il faut que je vous la révèle.

Il faut reconnaître que la plupart du temps, ces rejets n'offrent pas un très grand intérêt, le mot étant un terme vague de la phraséologie classique. Mais quand ce mot a un sens précis, et qu'il n'est ni un titre, ni un nom, représentant une idée, cette idée prend une importance capitale :

v. 1308-9 Ainsi donc jusqu'au bout tu veux m'empoisonner,
Malheureux ? Voilà comme tu m'as perdue.

Tout ce qui vient d'être dit du rejet s'applique à l'enjambement si nous considérons comme tels les cas où le sens ne finit pas parfaitement avant la fin du second vers, mais où, après une suspension notable, plus forte que la fin du vers précédent, le sens reprend et se termine en même temps que le second vers :

v. 1107 Seigneur, je crois surtout avoir fait éclater
La haine des forfaits qu'on ose m'imputer.

v. 1155 Sors, traître. N'attends pas qu'un père furieux
Te fasse avec opprobre arracher de ces lieux.

v. 1273 Misérable ! et je vis ? et je soutiens la vue
De ce sacré soleil dont je suis descendue ?

L'impression produite est en moins fort celle des enjambements romantiques. « Le rythme, écrit M. Souriau, semble

comme un gymnaste bien entraîné, toucher un instant
la terre du pied, pour rebondir avec souplesse et continuer son élan jusqu'au but marqué. » Nous n'avons pas le
sentiment de la chute inerte. Mais Sainte-Beuve pense
autrement qui, dans ses *Pensées*, voit un abîme entre
Racine et l'école nouvelle : « J'y vois, dit-il, des vers que
des critiques trop prompts et superficiels seraient peut-être
tentés d'opposer à l'école moderne comme exemple de
ces enjambements qu'elle croit avoir renouvelés de Ré-
gnier et Ronsard. Ainsi Burrhus :

> Je parlerai, Madame, avec la liberté
> D'un soldat qui sait mal farder la vérité !

Un disciple d'André Chénier aurait dit sans scrupule :

> Je parlerai, Madame, avec la liberté
> D'un soldat : je sais mal farder la vérité.

Or Racine ne se fût jamais avisé de pareille *licence*. Qu'aurait dit Boileau ? Donc les innovations actuelles, bonnes ou
mauvaises, ne sont pas chimériques et ne se retrouvent
nullement dans Racine. » Or, Sainte-Beuve, a mal lu
Phèdre. On y trouve bon nombre d'enjambements surtout
dans les dialogues coupés :

v. 423-4 J'ai perdu, dans la fleur de leur jeune saison
Six frères, quel espoir d'une illustre maison.

v. 461-2 Hippolyte aimeroit ? Par quel bonheur extrême
Aurais-je pu fléchir...
          (Ismène)
                    Vous l'entendrez lui-même :
Il vient à vous.

v. 517 Et d'avoir si longtemps pu défendre votre âme
De cette inimitié...
          (Hip.)   Moi, vous haïr, Madame ?

v. 1187 Il soutient qu'Aricie a son cœur, a sa foi,
Qu'il l'aime. — Quoi, Seigneur ? — Il l'a dit
[devant moi.

Evidemment le nombre de ces enjambements n'est pas aussi considérable que chez les grands romantiques. Mais Racine par là même en tire un meilleur parti. L'effet est plus puissant, quand il est plus rare et la pensée est ainsi mieux mise en valeur et en exergue. Chez Racine, comme chez La Fontaine et Molière, le génie l'emporte sur les règles de Malherbe.

Mais que serait le vers de Racine sans la musique. C'est elle qui séduit en nous un chant intérieur. C'est elle qui nous fait sourire devant l'opinion de Buffon qui, prosateur comme M. Josse est orfèvre, soutient qu'on pourrait améliorer les plus beaux passages de Racine en les mettant en belle prose. « La musique des vers de Racine, a écrit Alexandre Vinet, ajoute aux idées une seconde expression. J'ose aller plus loin et soutenir que cette seconde expression l'emporte souvent sur la première, en richesse et en profondeur, de toute la supériorité qu'a le langage de la musique, par le fait même de sa puissante obscurité, sur le langage trop précis et trop clair du plus immatériel des arts : Phèdre meurt dans mes bras d'un mal qu'elle me cache, dit la nourrice de Phèdre, Oenone, dans un vers sans muscles pour ainsi dire, humide et amolli comme un sanglot, où l'allitération de la consonne *m* quatre fois répétée a une valeur musicale bien sensible pour toute oreille un peu délicate. » Le grand critique vaudois qui a si admirablement compris le vers racinien et qui voyait une plainte aiguë, prolongée et perçante dans le gémissement cadencé en i :

Tout m'afflige, et me nuit, et conspire à me nuire

ne pouvait par ce jugement qu'annoncer les recherches et

les conclusions lumineuses de l'Abbé Brémond. Si vous n'êtes point touchés par la grâce de la poésie pure, reportez-vous au jugement prosaïque d'Emile Deschanel, dans son *Romantisme des Classiques* : « Quant à la versification, on y admire une souplesse qui n'a jamais été dépassée : aucun mouvement, aucune coupe, aucun enjambement n'est mis au hasard ; il n'en est pas un qui ne signifie quelque chose, qui ne concoure à exprimer le sentiment. »

Chapitre 18

LA FORTUNE DE *PHÈDRE*

A présent que nous connaissons l'œuvre maîtresse de Racine, il est utile avant de la quitter de connaître sa fortune littéraire et l'influence qu'elle a pu exercer. « Dorénavant, a-t-on pu écrire, tout écrivain ou amateur de lettres, s'intéressant à ce thème de Phèdre, se trouvera dans l'impossibilité d'échapper à l'influence de Racine. » Voyons comment les successeurs du poète ont subi son emprise ou au contraire ont voulu réagir contre elle. Remarquons d'abord que lyrique en lui-même, le drame de Phèdre pourra devenir au XVIIIᵉ siècle, un sujet remarquable d'opéra ou de tragédie lyrique. L'élément surnaturel, l'intervention des dieux permettait du point de vue technique et théâtral, un étalage de spectacles. C'est ce que comprit parfaitement, en 1733, l'abbé Pellegrin, qui en fait un livret pour la musique de Rameau. *Hippolyte et Aricie,* tel est le nouveau titre et aussi le nouveau centre d'intérêt. Par là, l'abbé Pellegrin essaie de se dégager de l'influence de Racine. Le Prologue, suggéré sans doute par Euripide, oppose la déesse Diane à l'amour, et justifie l'intervention divine dans les événements qui vont suivre. Nous voyons, dès le début, Phèdre jalouse d'Aricie, qui subit son autorité pour des raisons mal définies, s'opposer au mariage de la jeune fille avec Hippolyte. Au second acte Thésée nous entraîne aux Enfers, mais au troisième, Phèdre offre à Hippolyte de régner avec elle par un partage du trône. L'auteur a gardé le personnage d'Oenone chargée de calomnier Hippolyte par un sous-entendu. L'opéra permet à la catastrophe du 4ᵉ acte de se produire sur la scène. Au cinquième acte nous avons un dénouement à demi heureux : Thésée nous y apprend la mort de Phèdre, mais Neptune l'informe que son fils est vivant, que cependant en punition de sa trop grande crédulité, il ne pourra plus jamais le revoir. Phèdre, morte, ne peut plus empêcher le mariage d'Hippolyte et d'Aricie qui sont unis par Diane. Par ce dénouement le mythe latin de l'Hippolyte ressuscité, trouve place dans le théâtre français. Malgré son apparente indépendance l'abbé Pellegrin suit assez servilement Racine, dont il emprunte les vers et les situations. Son originalité consiste à mettre la tragédie de 1677 au goût de 1733 par le merveilleux, le romanesque et le surnaturel ici plus intenses, et par le spectacle et les divertissements inconnus à Racine (1).

Cette adaptation sous forme d'opéra eut un réel succès. Créé en octobre 1733, *Hippolyte et Aricie* fut repris en septembre 1742, en février 1757, en mars 1767 et même en mai 1908. Elle suscita immédiatement des parodies qui attestent sa popularité : ce sont celle de Riccolioni et Romagnesi en novembre 1733, et celle de Favart et Parmentier en 1742. Ces parodies nous intéressent par leur côté critique. La première n'est guère attrayante. C'est le genre même de l'opéra qui est surtout visé dans l'œuvre peu amusante de Riccolioni et Romagnesi. Elle tourne en ridicule les parties essentielles de la tragédie lyrique, autrement dit le ballet obligatoire, le divertissement, les duos inévitables mais venant trop souvent mal à propos, enfin l'élément surnaturel. Elle critique chez Pellegrin le manque de liaison entre l'acte « aux Enfers » et le reste

---

(1) Voir W. NEWTON, op. cit. p. 125 et sqq.

de la tragédie, le caractère de Diane peu conforme à la tradition, puisque la déesse devient la protectrice des amoureux, l'invraisemblable catastrophe, et le dénouement par deux ex machina. Je préfère pour ma part la *Parodie nouvelle* de Favart, écrite en 1742, où le burlesque de bon aloi et l'esprit comique s'accommodent fort bien des airs de vaudeville. La critique de l'œuvre de Pellegrin y est plus intelligente, puisqu'elle souligne le ridicule des personnages, le manque de liaison, l'absurdité de certaines scènes, l'inutilité de Phèdre et de Thésée pour le dénouement, enfin les emprunts faits à Racine.

On conçoit pourtant que F.B. Hoffman, né en 1760, mort en 1828, ait repris le sujet de Phèdre pour une nouvelle tragédie lyrique. Il compose en 1786 un livret pour la musique de Lemoine. Mais sa tragédie n'a que trois actes. Le premier coïncide avec l'acte 1er, le second avec les actes II et III, et le troisième avec les actes IV et V de Racine. En somme, Hoffman prend le contre-pied de l'abbé Pellegrin en retranchant l'épisode d'Aricie, et aussi le récit de Théramène, tous deux critiqués par les critiques du XVIIIe siècle. Il reprend au commencement de la pièce la scène des chasseurs de Sénèque, et au troisième acte, il leur attribue les fonctions du messager. Il fait subir une autre conception importante à la conception racinienne du sujet : Oenone accuse en effet Hippolyte à l'insu de Phèdre. Mais, même ici, l'inspiration vient de Racine. Il est probable, en effet, que le librettiste a développé logiquement ce qui était inscrit dans l'Oenone de Racine, étant peu probable qu'il connût Gilbert. A la scène de 1677 où Hippolyte dit son innocence à Thésée, Hoffman en ajoute une, imitée d'Euripide, où le héros fait ses adieux à Trézène. On a pu vanter la correction technique de cet opéra. Elle est grande en effet au détriment du fond qui est pâle et froid. C'est Phèdre qui perd le plus aux changements qu'on voit opérer ici. N'éprou-

vant ni haine ni jalousie, elle ne nous émeut que médio-
crement. Nous ne sommes guère, par ailleurs, renseignés
sur le sort d'Oenone malgré son rôle important. Enfin,
aucune idée directrice ne perce, qui puisse donner à
l'œuvre une signification plus haute. Hoffman lui-même
reconnut son erreur et s'accusa en 1813 d'avoir mutilé
Racine, dont il avait imité certains vers. Le succès de
1786 fut dû surtout au talent de Mme Saint-Huberty. Aux
deux reprises de 1813 l'œuvre tomba à plat et disparut
ainsi du répertoire. (1)

Un dramaturge présomptueux, qui se piquait d'hellénisme, fut tenté par le même sujet : ce fut Michel de
Cubières Palmézeaux, né en 1752, mort en 1820. Il eut
la prétention dans son Hippolyte de faire mieux que
Racine. De fait il n'a rien compris à Racine, comme il
n'a rien compris à Euripide. Dans sa Préface il blâme
presque tout de *Phèdre* et préfère employer la paraphrase
plutôt que de se rencontrer avec Racine dans la traduction d'Euripide. Il suit à peu près l'intrigue d'Euripide,
mais il en retranche le prologue et la première scène,
ménageant à Phèdre une entrevue avec Thésée à son
retour, il fait calomnier Hippolyte par écrit. Tout en affec-
tant de dédaigner Racine, Cubières Palmézeaux lui fait
des emprunts pour le dénouement, tels le remords de Thésée avant la catastrophe, la mort de Phèdre par le poison et celle de la nourrice nommée Egine, qui se noie.
Si Vénus n'apparaît pas dans la tragédie et n'y joue pas
de rôle, Diane s'y montre à la fin pour la dénouer.
Cubières Palmézeaux eut le sort qu'il méritait : il fut
sifflé au théâtre du Marais, lorsque, pour la première fois,
son Hippolyte fut représenté, le 27 février 1805.

_____

(1) W. NEWTON, op. cit. pp. 127-128.

Le romantisme cependant, en attaquant Racine, le rend lui-même la proie de la parodie. C'est ainsi que L.A. Boutroux, de Montargis, retourne en 1837 la Phèdre de 1677, en boulette dramatique intitulée *Phèdre et Polyte*. Les personnages tragiques sont devenus une famille d'artisans, et Thésée n'est que Trésée, maître savetier. Tout y est vulgarisé. Les coursiers d'Hippolyte deviennent un fringant bourriquet, le monstre marin un chien de berger, et la catastrophe se limite à la chute confortable de Polyte dans un fossé bourbeux. Toute grossière qu'elle est, cette parodie reste amusante et surpasse la parodie du V° acte dans l'Echo des Alpes de 1825. (1)

Il faut attendre 1856 pour voir dans *La nouvelle Phèdre, ou Herminie, ou l'amour et l'honneur*, de Pagès du Tarn, qui ne sera jamais publié, un essai pour retracer un amour coupable, violent et tragique, et substituer le naturel et la vérité aux vieilles rêveries de la mythologie ». Ainsi, par cette œuvre inconnue et sans valeur sans doute, la situation de la belle-mère amoureuse de son beau-fils entre dans une phase nouvelle de son existence littéraire ; désormais, l'amour aura une explication naturelle, et une psychologie rationnelle, sans intervention du surnaturel. L'opéra-bouffe de L. Marguery, intitulé le Fils de Thésée et représenté en février 1864 accentua encore la modernisation par l'actualité du milieu. Mais c'est à Emile Zola que revient le mérite d'avoir encadré la situation de la belle-mère amoureuse de son beau-fils, dans son roman de *La Curée*, tableau de mœurs du Second Empire. Notons cependant que la situation est sensiblement modifiée et se rapproche de celle de Stratonice et d'Antiochus. Maxime, le beau-fils, mou et méprisable, consomme l'inceste en répondant aux sentiments de sa belle-mère. Zola consi-

---

(1) W. NEWTON, op. cit. p. 130.

dère que le milieu et le moment, en d'autres termes la société corrompue de l'époque et la situation économique instable que crée le mari par ses spéculations effrénées, aident puissamment à développer l'amour incestueux de Renée. Elle part en effet d'une première faute et allant à sa chute finale par des adultères successifs, elle étale sa dégradation lente et progressive. Mais le thème de Phèdre ne devait trouver sa véritable réalisation dans l'œuvre de Zola que lorsque, à l'invitation de Sarah Bernhardt, le romancier naturaliste tira de *la Curée* sa pièce intitulée *Renée* qui, écrite en 1881, ne fut jouée qu'en 1887. Elle eut trente-huit représentations et ne rencontra que l'approbation de quelques hommes de lettres, dont Stéphane Mallarmé. Zola a fait subir une profonde modification à sa conception de la situation dans le roman, en raison des difficultés scéniques. Il évite l'inceste réel en faisant de Saccard l'époux de nom de Renée. Voici le sujet de la pièce. Renée, victime d'un homme marié, veut sacher sa faute à son père et accepte pour mari Aristide Saccard, veuf ayant un fils. Mais elle exige de lui que le mariage sera blanc et lui, plein d'ambition, espère s'enrichir grâce à l'argent que lui procure ce marché. On peut se demander si une telle solution est heureuse. Toujours est-il que pour éviter l'inceste réel, Zola risque de supprimer son sujet, comme Gilbert, Bidar et Pradon. Mais ceci posé et accepté, il faut reconnaître que l'ensemble se déroule avec une remarquable logique. Dix ans après la transaction, Saccard est riche et puissant. Quant à Renée, qu'accompagne partout Maxime, elle est une reine de la société. L'intrigue se noue déjà lorsque Saccard devenu amoureux de Renée fait épier ses mouvements par une gouvernante, Mlle Chuin. Au troisième acte, on parle de marier Maxime. Mais voici que Renée éprouve de la jalousie pour la jeune fille qu'on lui destine et par là se rend compte de son amour. Lorsque

Saccard réclame dans une scène impressionnante du 4ᵉ acte ses droits de mari, Renée affolée répond : « Jamais, il est trop tard. » Mais au cinquième acte, Mlle Chuin vend sa maîtresse et fait surprendre Maxime par son père dans sa chambre. Alors Renée, placée entre le père et le fils, les accuse, Saccard de l'avoir « rendue assez folle, assez misérable pour les baisers du fils », Maxime de refuser de la suivre et d'aller jusqu'au bout du crime. Elle se tue finalement d'un coup de pistolet et meurt dans les bras de son père. C'est, me direz-vous, loin de la *Phèdre* de Racine et pourtant notre tragédie n'a pas été absente de l'esprit de Zola. Outre les allusions directes dans la préface de Renée, il y a dans la pièce même les preuves de l'influence exercée par Racine. Renée exprime les mêmes idées que Phèdre bien souvent elle éprouve des sentiments identiques. Zola d'ailleurs a cherché à éveiller notre sympathie pour son héroïne coupable. N'ayant pas tout l'appareil mythologique de la légende à sa disposition, il a remplacé la haine de Vénus pour le sang du Soleil par ce qu'il appelle « la double influence de l'hérédité et des milieux ». En effet Renée est issue, par sa mère, d'une famille sujette à un détraquement mental et elle-même est en proie à des crises de nerfs. Si elle éprouve des scrupules et du remords, c'est grâce au sang de son père : voilà pourquoi, depuis sa première chute jusqu'à la deuxième et dernière elle a été vertueuse. N'oublions pas du reste que Renée est également une victime de Mlle Chuin, qui mue par l'intérêt prépare les événements qui accélèrent la catastrophe ; elle rappelle quelque peu Oenone elle-même. Zola s'est chargé de définir Maxime, qui est tout le contraire de l'Hippolyte traditionnel. Il nous parle dans la préface « de cette chiffe molle, de cet homme qui n'est plus qu'une fille ». « On n'est pas près, ajoute-t-il, d'accepter cette peinture d'un garçon vidé à vingt ans, joli et lâche, d'un charme de catin qu'on ra-

masse et qu'on chasse. » Comme le héros de Gilbert, il
doit sa réputation d'insensible à ses sentiments pour
Renée. L'étude de Zola est bien en définitive l'étude la
plus sérieuse et la plus digne d'attention du thème racinien. On comprend dans ces conditions que la *Nouvelle
Phèdre*, ce drame de famille publié en 1889 sous forme
de roman par Alexandre Weill, nous paraisse sans vigueur,
malgré l'essai d'une étude psychologique. (1)

Par contre nous nous arrêterons à l'*Hippolyte couronné*
de Jules Bois, représenté le 30 juillet 1904 sur la scène
du Théâtre romain d'Orange, et donné plus tard à Paris,
au théâtre de l'Odéon. Lorsqu'elle fut publiée, la pièce
eut une préface d'Emile Faguet. « M. Jules Bois, nous
dit-il, n'a voulu faire ni une traduction, ni même une imitation. Il s'est simplement inspiré d'Euripide. » De fait l'auteur a traité le thème traditionnel avec la plus grande
liberté. Nous sommes dans la Grèce préhistorique et
légendaire. Phèdre est conçue comme une reine plus asia-
tique qu'européenne, « quant à la nourrice, beaucoup
paysanne, un peu sorcière, elle enveloppe la reine d'un
soin jaloux, superstitieux et maternel. » Bois ne s'en est
pas tenu au seul Euripide. Sénèque a été mis à contribu-
tion. Thésée absent nous est connu comme infidèle ; Phèdre quitte ses riches habits et se farde pour plaire à Hippolyte ; elle s'évanouit dans ses bras ; Hippolyte tire son
épée pour la tuer ; Phèdre meurt par le fer. Mais Racine
marque aussi l'*Hippolyte couronné* de son empreinte. C'est
lui qui est à l'origine du rôle infâme de la nourrice et de
sa mort ; de l'amour d'Hippolyte qui aime ici le Coryphée
des jeunes filles ; de la jalousie de Phèdre, servant à présent à motiver la catastrophe. Le philtre magique cependant que la nourrice imagine pour rendre Hippolyte

---

(1) W. NEWTON, op. cit. pp. 130-135.

amoureux est peut-être inspiré par Euripide. Mais Jules
Bois a aussi des idées originales. Ainsi il remplace le
monstre marin par un phénomène naturel, un bolide.
Nouveau est également ce rôle de Pitthéos. Prévoyant
tous les malheurs de sa famille, mais impuissant à les
détourner, il reste pour Winifred Newton « le miroir de la
fatalité », mais la force directrice de la fatalité est
absente de la pièce et cette absence justifie en partie ces
paroles sévères de la *Revue bleue* de 1905 : « C'est une
œuvre sans esthétique ni doctrine, une œuvre où nul principe directeur ne préside et qui s'en va à la dérive... » (1)

   Après avoir fait retour à l'antique, le thème de Phèdre revenait à l'actualité. En 1913, une nouvelle parodie
naissait de la plume de Paul Reboux et de Charles Muller
sous le titre de *La Marâtre en folie* qu'on attribuait géné-
reusement à Henry Bataille, dans le fameux recueil *A la
manière de*. Mais c'est en passant du théâtre au roman
que la Phèdre tragique va connaître sa signification la
plus moderne. Partant comme Zola, de l'amour d'une femme pour le fils de son mari, et n'en cherchant qu'une explication psychologique et vraisemblable, M. Henri Deberly,
né en 1882, obtint en 1926, le prix Goncourt pour son
roman intitulé *Le Supplice de Phèdre*. L'étude psychologique d'Hélène, l'héroïne, est remarquablement fouillée.
L'auteur cherche à expliquer la lente métamorphose qui
s'opère dans les sentiments d'affection que l'institutrice
porte à son élève. Avoir fait de la Phèdre antique une
pédagogue, c'est évidemment une gageure. qui n'est
venue ni à l'esprit d'Euripide, ni à celui de Sénèque, ni à
celui de Racine. Mais M. Deberly l'a fort bien tenue. Ce
n'est que lorsqu'une autre lui révèle la réalité brutale,
qu'Hélène voit clair dans ses propres sentiments. Par là,

---

(1) W. NEWTON, op. cit. pp. 135-136.

Deberly reste constamment dans le vraisemblable. D'ailleurs, la conception qu'il se fait de Marc, l'élève et le beau-fils d'Hélène, ressemble étrangement à celle que Zola se fait de son Maxime. Nous avons affaire à un personnage efféminé, sans volonté et qui devant sa belle-mère, reste étrangement soumis et faible (1). Comment oublier, enfin, la Thésée d'André Gide, qui, retraçant l'odyssée spirituelle de l'auteur, retrouve l'épisode de Phèdre et n'oublie pas Racine.

Nous n'irons pas plus loin dans la recherche de l'influence exercée par la tragédie de Racine sur la littérature française. Mais jetons, en terminant, un regard sur Phèdre à l'étranger. Nous voyons de nombreuses traductions paraître dans les différents pays de l'Europe de la fin du XVIIe siècle au début du XVIIIe. En Italie, où Racine est particulièrement apprécié, son œuvre est traduite par Ippolito Pindemonte ; si le poète tragique Alfieri ne prend pas le même sujet, nous attendrons la Phèdre de d'Annunzio tout imprégné de culture française. En Angleterre, si nous en croyons Canfield, *Phèdre* fut particulièrement appréciée, par ceux qu'un tel sujet ne choquait point. Mais c'est en Allemagne que l'admiration ou l'attention de deux grands écrivains valut à la tragédie une place de choix. N'oublions pas en effet que si Schiller n'a traduit qu'une scène de Britannicus, il nous a laissé une version complète de Phèdre en vers harmonieux et précis, épousant fidèlement le sens du texte français et même le mouvement des phrases. Par contre August Wilhelm Schlegel, par sa comparaison entre la *Phèdre* de Racine et celle d'Euripide, a essayé, en 1807, de diminuer le prestige de notre poète au profit de son modèle antique. Sa tentative s'avéra vaine et jusqu'à nos jours, c'est avec ferveur qu'on lit ou qu'on voit représenter la tragédie préférée de Racine.

---

(1) Ibid. p. 137.

APPENDICE

LA POÉSIE DE RACINE

ou RACINE ET LA POÉSIE PURE

La poésie de Racine ne suscite pas uniquement un problème de la forme. Sans doute, l'art de l'expression poétique, dont il a su soutenir son invention, a-t-il été admis dès son vivant, et ses imitateurs, héritiers d'un lourd héritage, font-ils des efforts stériles pendant un siècle et demi pour retrouver sa puissance d'évocation et sa couleur prestigieuse. Mais on scruterait vainement son vocabulaire restreint, son vers rasant la prose si l'on n'essayait de faire revivre dès l'abord, l'acte même de la génération poétique, en un mot si l'on ne tentait pas de dégager avant tout ce que nous appellerons avec l'abbé Brémond, la poésie pure de Racine.

Nous partirons comme lui, d'un texte de Valéry, dans *Variété I*, qui forme les prolégomènes indispensables à notre étude : « Racine, y lisons-nous, savait-il lui-même où il prenait cette voix inimitable, ce dessin délicat de l'inflexion, ce mode transparent de discourir qui le fait Racine, et sans lesquels il se réduit à ce personnage peu considérable, duquel les biographes nous apprennent un assez grand nombre de choses qu'il avait de communes avec dix mille autres Français ? ». Ici, le poète semble s'opposer à la conception même de Mauriac et même aux *Aspects de la Biographie* de Maurois, car il continue : « Tout se passe dans l'intime de l'artiste, comme si les événements observables de son existence, n'avaient, sur ces ouvrages, qu'une influence superficielle. Ce qu'il y a de plus important — *l'acte même des Muses* — est indépendant des aventures, du genre de vie, des incidents, et de tout ce qui peut figurer dans une biographie. *Tout ce que l'histoire peut observer est insignifiant.* » C'est supprimer en grande partie le rôle de professeur de littérature, et Valéry renchérit encore, sur cette affirmation, quand il ajoute dans Rhumbs (p. 101) : « ce qui m'intéresse — quand il y a lieu — ce n'est pas l'œuvre, ce n'est pas l'auteur, c'est ce qui fait l'œuvre. » Comme il satisfait à notre amour-propre en atténuant par « quand il y a lieu », et qu'il ne s'agit ici ni du tempérament de Racine, ni de son système dramatique, ni de sa vision des passions, mais de la naissance et des manifestations de l'inspiration, je souscris sans réserve aux dires d'un poète aimé, et je m'apprête sans réserve à les commenter avec l'aide de l'abbé Bremond qui, dans son *Racine et Valéry*, avant d'aborder la question véritable dans son chapitre intitulé *les Talismans de Racine*, écrit avec la fougue et l'effusion qui le caractérisaient : « C'est sa poésie que je défends, laquelle ne serait plus poésie — et encore moins la poésie de Racine — si nous entendions en elle l'écho immédiat et précis de ses tentations ou de ses péchés. Au sens moral de ce mot, il n'y a pas, il ne peut y avoir de poésie « impure ». Le feu de la purification poétique — catharsis — consume inexorablement toutes les crasses de la chair. » Voilà le chapitre de la poésie impure de Thierry Maulnier, rayé d'un trait de plume.

Mais il nous faut à présent, retrouver l'acte même des Muses. Or, le mystère poétique, ne se laisse pas ramener à une activité intellectuelle normale. Comment le définir, se demande l'abbé Bremond. Le mot de talisman ne le satisfait qu'à moitié et il penche pour une autre métaphore jugée moins exacte, mais plus nécessaire : celle d'incantation. Il en arrive ainsi à une précision provisoire : il appelle talisman « tout ce qui, parmi les suites de mots dont se compose un poème, produit plus efficacement et plus immédiatement l'incantation poétique. » Mieux encore, il admet que « lorsque s'accomplit l'acte de la création, quelques-uns au moins des mots employés par le poète, se trouvent revêtus d'une vertu mystérieuse qui s'ajoute à la vertu naturelle des mots, mais qui s'en distingue profondément. » Quels qu'ils soient, les mots ne sont que des signes et des symboles. Ils ne peuvent qu'exprimer ou suggérer. Or « si belles que puissent être les pensées qu'ils expriment, si vives les images qu'ils évoquent, si pathétiques les émotions où ils invitent, si vastes les perspectives qu'ils ouvrent, aussi longtemps qu'ils se bornent à *exprimer* ou à *suggérer*, la main qui les choisit et qui les ordonne n'est pas une main de poète. En tant que signes ils restent voués à la prose. » Mais précisément la magie du poète, son inspiration, saura les transformer en talismans.» Et Bremond de voir en Racine et en Mallarmé ceux de nos poètes qui nous éclairent le mieux sur les talismans poétiques.

Il va ici, fort heureusement, à l'encontre de l'interprétation officielle universitaire même, que nous pourrions donner du talisman poétique. Prenant à partie Pierre Augustin de Pies et M. Maurice Grammont, il juge que ni l'éclat des images, ni la musique *expressive* des rythmes, ni le trémolo des sensations, ni la densité et la soudaineté du sens exprimé ou suggéré, ne sont incantation en eux-mêmes. « Phèdre à elle seule, souligne-t-il, ou Bajazet, prouvent jusqu'à l'évidence que tel vers qui rase la prose peut être plus vibrant de poésie que tel autre qui fend les nues. Parmi les talismans les plus irrésistibles de Racine, pour une Cléopâtre vous trouverez vingt Cendrillons. »

La formule est judicieuse, et de fait Racine « décorné-lianise », — le mot est de Bremond —, les vers de Corneille. Qu'on réfléchisse à cela en effet. La plupart du temps, plus un vers est *beau*, plus il est sonore, éclatant, éblouissant, « en un mot plus il comble nos activités de surface, moins il a de chance de pénétrer jusqu'à la zone poétique de l'âme. » Nous ne devons pas confondre saisissement et incantation, splendeur et magie. La splendeur opère avec rapidité en l'espace de douze syllabes par exemple, mais l'incantation poétique a des ondes obscures, paisibles, silencieuses, insensibles, pour la porter. » Le miracle, dit excellemment l'abbé Bremond, ce n'est jamais le vers lui-même ; c'est le réseau des vers qui transmet le courant ». L'illustration qu'il donne de sa théorie est frappante. Ce vers de *Mithridate* est magnifique en lui-même, il est splendide :

Souveraine des mers qui vous doivent porter

mais il n'est profondément incantatoire que si nous l'unissons indissolublement aux vers qui précèdent :

Prêts à vous recevoir, mes vaisseaux vous attendent;
Et du pied de l'autel vous y pouvez monter,
Souveraine des mers qui vous doivent porter...

Voilà ce qui éveille en nous la vision d'un Claude Lorrain et de ses ports baignés de soleil posés sur l'horizon infini. Voilà encore, ajoute Bremond, ce qui fait voir à Lytton Strachey « the radiant spectacle of a triumphant flotilla riding the dancing waves ». Mais de toute façon l'incantation n'a pas pour effet immédiat de mettre l'imagination en branle, à quoi suffirait la prose. Si, à en croire M. Grammont, le talisman n'était qu'un moyen d'expression, il perdrait toute raison d'être, sa véritable essence.

Ici commence la difficulté, dont l'art de Racine, la magie de Racine, s'est merveilleusement jouée, mais qui

n'en existe pas moins. Valéry l'a nettement analysée dans
Rhumbs, où il écrit, à propos de la prodigieuse continuité
du poète, (p. 116-117) : « Il procède par de très délicates
substitutions de l'idée qu'il s'est donnée pour thème. *Il la
séduit* au chant qu'il veut rejoindre. Il n'abandonne jamais
la ligne de son discours. » Qu'est-ce que cette continuité :
elle peut être de présentation et d'incantation, du discours
et du chant ? Bremond se penche à son tour sur cette
continuité ; rejoignant Valéry, il juge que si Racine séduit
l'idée qu'il s'est donnée pour thème au chant qu'il veut
rejoindre, c'est qu'il distingue ce chant de cette idée, et
qu'il veut plier l'idée au chant. Ainsi, Racine ne conçoit
point qu'il puisse abandonner la ligne du chant, pas plus
que celle de l'idée. Il saura presque sans défaillance
prolonger l'action, insensible ou presque, de ses talismans,
et « faire circuler le courant poétique, non seulement d'un
vers à l'autre, mais d'une scène, mais d'un acte, et, pour
suivre Bremond, d'une tragédie à l'autre ». Toutefois,
poursuit l'abbé, rien n'est plus difficile à réaliser que cette
distinction entre le chant et le discours. Il le faut essentiellement. Ne trouvons-nous pas ici ramassée, toute la difficulté d'un problème unique : « la poésie pure, c'est le
chant ; et le discours, c'est la prose. »

Et le mot chant est encore une métaphore, qui vaut
aux yeux de Bremond aussi bien pour le peintre que
pour le sculpteur. Il y a en effet, deux musiques chez
Racine : celle qui frappe directement les oreilles, qu'entend M. Grammont, et que nous entendons avec lui, et
celle qu'à proprement parler nous n'entendons pas. L'harmonie par exemple de « la fille de Minos et de Pasiphaé »
est une qualité du style, ou si vous préférez, du discours.
Qu'est-ce que le discours, sinon « une idée en marche,
dûment parée des images que cette idée cueille en passant, dûment agitée par les sentiments qui la pressent
ou qui la retardent. Tels sont les discours au sens valéryen

d'Andromaque, d'Atalide, de Roxane, de Phèdre. » Du premier au dernier vers, tous les mots que nous entendons remplissent leur fonction normale ; ils expriment, suggèrent, traduisent les divers éléments du discours : des pensées, des sentiments, des images, ce que font d'ailleurs, et exactement de la même façon, les mots de la prose.

Mais il faut pourtant que tout empreint de prose le discours du poète retrouve, rejoigne le chant mystérieux dont Valéry nous a parlé, et qui est la poésie même, chant qui ne peut être exprimé par aucun mot, sinon au risque de se ravaler au rang de discours, et il faut par ailleurs que par « le discours que les mots nous transmettent, nous nous éveillions, nous nous accordions à un chant. D'où la conséquence inéluctable, juge l'abbé Bremond : il ne faut pas nous attendre à voir jaillir d'un discours de Phèdre ou d'Atalide des groupes talismaniques, des mots dont la seule fonction serait de transmettre le courant électrique et de remuer en nous certaines fibres profondes qui vibreraient au chant profond du poète. » Bremond choisit encore un exemple. Dans le vers « De votre appartement cette porte est prochaine », le redoublement continu des consonnes *p* et *r* ne facilite pas le passage du *discours* au chant. Au contraire, dit en substance le critique, prenez le fameux vers de Mithridate : « Souveraine des mers qui vous doivent porter ». Ici le chant est rejoint *car l'incantation est si puissante que nous en oublions volontiers le discours.* L'allitération des labiales ici n'est qu'un auxiliaire de l'expression poétique, comme de la magie poétique. Pourtant, ce n'est point par ce seul vers, que nous nous laissons emporter par l'infini de l'incantation, mais par ceux qui précèdent et ceux qui suivent également. Quod erat demonstrandum : l'incantation ne peut être isolée dans un vers précis. Il est vrai, ajoute Bremond, que ce qui est pour nous palpable, saisissable, c'est toujours le discours. Il répète avec Sully-Prudhomme :

> Le meilleur demeure en moi-même,
> Mes vrais vers ne seront pas lus !

Eh oui : « Ce qu'il y a de proprement poétique dans un poème, ni les yeux ne le lisent, ni les oreilles ne l'entendent, ni les mots ne l'expriment, ni les critiques ne l'orchestrent. » Nous ne rejoignons le chant qu'à travers le discours. Mais consolons-nous : chant et discours, malgré tout se touchent de près. Ils s'enrichissent mutuellement l'un l'autre. « Si, peu ou prou, déclare Bremond, nous n'avions, nous aussi, rejoint le chant, nous ne commenterions pas le discours ; mieux nous commentons le discours, plus nous aidons nos lecteurs à rejoindre le chant. » Car Bremond, contrairement à ce que pense Pierre Gueguen, qu'il prend aimablement à partie, n'est pas réfractaire à l'image, il ne les excommunie pas pour ne conserver qu'une poignée d'abstractions. Elles forment avec le discours la seule passerelle « entre le chant du poète et notre âme profonde » ; seulement le discours et les images ne chantent pas. Ce sont des abrasias, des lettres d'un alphabet poétique. Le jeu est charmant, mais menace de faire négliger « le fluide insaisissable qui a jadis élevé quelques-unes de ces pierres jusqu'à l'ordre de la poésie. » Et tout le problème que pose Racine et la poésie pure en général reste là pour Bremond. Il faut expliquer d'abord qu'une collaboration puisse s'établir entre des mots, qui sont un peu d'air battu, et le chant secret du poète ; et ensuite que cette collaboration survive éternellement au hasard qui la fit naître, et qu'aujourd'hui douze syllabes qui paraissent mortes nous ensorcellent : « Souveraine des mers qui vous doivent porter », « La fille de Minos et de Pasiphaé ». Nous en arrivons au point le plus subtil et le plus séduisant de la démonstration bremondienne : Sans doute les mots « incantation, magie, sortilège, talisman sont-ils des métaphores, mais c'est par ces métaphores que « nous entendons, nous croyants, étreindre d'aussi près que possible des *réalités* qui, pour être spirituelles ou métaphysiques, n'en sont pas moins riches de substance. » Et le mot *âme* lui-même, affirme-t-il avec raison, est une métaphore. Or pour nous en tenir à notre problème : « Toute phrase digne de ce nom, toute affirmation parlée est essentiellement un réseau de vibrations sonores et significatives. A ce premier réseau s'adapte, s'entremêle, en de certains cas, un système, également réel, de vibrations que nous appelons poétiques : vibrations non sonores et qui ne parviennent jusqu'à nous que portées sur les vibrations sonores de l'autre réseau. Les vibrations du *discours* et les vibrations du *chant* : différentes l'une de l'autre, puisqu'elles ne produisent pas les mêmes effets. » Et voici le moment crucial, la constatation qu'il faut retenir : « Mais puisque de leur concert résulte le phénomène expérimental qu'est l'émotion poétique, il nous faut bien soupçonner entre ces deux ordres je ne sais quelles amorces d'union — des analogies, des ententes, des appels. » L'abbé Bremond, tristement, constate qu'il faut dans l'état actuel de la science, s'en tenir là, et, s'appuyant sur les travaux de Robert de Souza, du Père Jousse, de Segond, de Landry, de Pius Servien, il ajoute : « nul doute que leurs travaux ne réduisent de plus en plus la zone du mystère poétique, mais je ne crois pas qu'on arrive jamais à la supprimer. » Pour ma part, j'irai jusqu'à dire, qu'il n'est pas souhaitable même qu'on la supprime, car la puissance de la suggestion en risquerait d'être diminuée. Mais au fond, le problème du chant et du discours, est bien, comme le dit Bremond, celui de l'âme et du corps, de la physiologie et de la mystique. L'union n'est pas douteuse, « le comment vous échappe et il rappelle excellemment les

conclusions de Dugnet dans son *Ouvrage des six jours* :
« Par une suite encore plus étonnante, le corps entre
en partage de tout ce qui arrive à l'esprit ; sa joie ou sa
tristesse, son espérance ou sa crainte, sa douceur ou sa
colère, dont les motifs sont souvent très spirituels et très
supérieurs à la matière (Bremond ajoute : ses inspirations poétiques) font une telle impression sur le corps,
que tout exprime en lui les mouvements de l'esprit ; que
sa couleur, sa parole (les vibrations de sa voix, le rythme de ses phrases), ses gestes, prennent l'image et la
teinture de toutes les actions de l'âme, et qu'il s'offre
tout entier à elle pour entrer dans ses vues et ses sentiments, comme n'ayant que le même intérêt et la même
fin. C'est ainsi que la matière a été associée à la religion,
et les mots à la poésie. »

Le chant, l'incantation ayant été cernés, nous pouvons à présent, de par notre connaissance approximative
et provisoire, revenir à Racine. Racine, disions-nous avec
Bremond, faisant fi des vers bien frappés et des vers
miracles, excelle à soutenir et à prolonger l'action de
ses talismans, à faire circuler d'un vers, d'une scène à
l'autre, le courant de son lyrisme intérieur. Pour le critique, comme pour nous, le discours de Racine est une
idée en marche, et de même le chant intérieur n'est pas
inerte. « Qui dit chant dit mouvement ». Or ce chant
ne frappe pas les oreilles et ne peut être rendu par
aucun graphique. Par ailleurs, nous avons reconnu comme
un dogme fondamental, que dans un poème, « la phrase
sonore et lumineuse du discours, a pour fin première de
conduire jusqu'à nous, la phrase obscure et muette du
chant. Au point que « la première de ces deux marches
doit prendre le pas de la seconde, épouser autant que
cela se peut, ou du moins ne pas contrarier la courbe de
celle-ci. » « Le discours, affirme Bremond, est un esclave ;
il doit obéir et se plier de son mieux aux secrètes caden-

ces qu'il a la gloire de servir. S'il brise sa chaîne, il redevient prose. » Or le miracle de Racine, de la poésie de Racine, c'est que dans une période, dans une civilisation où le *discours* est roi, où il a été porté à son point de perfection extrême, son chant est vainqueur du discours. » Et Bremond de reprendre l'élégante strophe où Corneille, disciple de Sénèque et des Jésuites, soumet à la marche du discours un cantique libre et léger de Saint Bonaventure :

> Rigans mundum novo rore,
> Novae prolis novitate,
> Nova facis novo more.

L'incantation est évidente dans l'humble latin du moine malgré ses pauvres moyens. Mais le brillant Corneille va la tuer complètement dans un discours à la Balzac :

> Telle que s'élevait du milieu des abîmes,
> Au point de la naissance et du monde et du temps,
> Cette source abondante en flots toujours montants,
> Qui des plus hauts rochers arrosèrent les cîmes,
> Telle en toi, du milieu de notre impureté
> D'un saint enfantement l'heureuse nouveauté
> Elève de la grâce une source féconde ;
> Son cours s'enfle avec gloire, et ses flots qu'en
> [tous lieux
> Répand la charité dont regorge son onde,
> Font, en se débordant, croître l'amour de Dieu.

Or, Bremond remarque au contraire, chez Racine, « une tendance à briser la construction savante de la phrase balzacienne, à rejoindre d'aussi près que possible, la simplicité architecturale de la poésie primitive ou, ce qui revient au même, de la poésie populaire et de citer « Malbrou s'en va-t-en guerre ». Songez à la simplicité d'*Offrande*, de Verlaine : « Voici des fruits, des fleurs, des feuilles et des branches... ». Ce n'est pas que cette règle

racinienne ne souffre point d'exception, et elles sont nombreuses. Voyez ce cantique :

> Que me sert que ma foi transporte les montagnes,
> Que dans les arides campagnes
> *Les torrents naissent sous mes pas ;*
> *Ou que,* ranimant la poussière,
> Elle rende aux morts la lumière
> *Si* l'amour ne l'anime pas ?

Mais Atalide s'en tient à la syntaxe de sa nourrice, et
Andromaque pousse à l'extrême « l'économie des arti-
culations raisonnantes » : « Seigneur voyez l'état — J'ai
vu mon père mort... Son fils même... J'ai fait plus... J'ai
cru... Jadis Priam... J'attendais... Pardonne, cher Hector...
Je n'ai pu soupçonner... ». Mais un des sortilèges de
Racine consiste à sembler faire le contraire de ce qu'il
fait et que tout en ayant l'air de parler comme Balzac,
ses personnages ne prononcent de phrases ni plus longues ni plus articulées que celles d'Homère. Témoin
Agrippine :

> César ne me voit plus, Albine, sans témoins ;
> En public, à mon heure, il me donne audience.
> Sa réponse est dictée et même son silence.

Le *donc* est presque banni du discours de Racine.
Une autre caractéristique est la suspension du sens d'un
vers à l'autre, cette suspension n'est souvent pas discours,
mais magie :

> Depuis que sur ces bords les dieux ont envoyé
> La fille de Minos et de Pasiphaé.

« Le chant qui devrait tout plier à sa ligne propre, le
chant, « matière malléable, presque fluide, capable de
s'allonger ou de se restreindre à volonté », comme dit
Robert de Souza, ne s'inquiète pas de savoir où le vers
commence, où le vers finit. » Qu'est-ce qui distingue
essentiellement la période poétique de la période ora-

toire ? Celle-ci est régie par des lois uniformes, ration-
nelles, passe-partout, qui président au développement
d'une pensée ; la seconde, par une musique secrète qui
ne connaît pas de lois.

Mais nous en venons à un dernier point qui distingue
la poésie de Racine. Corneille, dit M. Crétin, ne pense
que par mouvements. « La tragédie de Corneille ne se
joue pas sur un plan horizontal : les hommes et les
cœurs y montent, y descendent, y tombent ». Mais la
tragédie de Racine ne se joue pas non plus sur le plan
horizontal. « La vérité est, affirme Bremond, que sans
abandonner le plan vertical du discours, Racine réussit
plus aisément et plus constamment que son rival à rejoindre aussi la ligne du chant ; ligne de laquelle on ne
saurait dire si elle est verticale ou horizontale, mais de
laquelle nous pouvons affirmer qu'elle ne coïncide pas
avec la courbe agitée de l'action dramatique. » Or
Racine est poète et dramaturge à la fois, il poursuit le pur
et l'impur, il est porté à la fois à l'action et à la contemplation, au discours et au chant. Et il n'a pas le moyen
de choisir entre les deux. Le programme serait impossible, sinon absurde, et pourtant, constate-t-il, Racine l'a
rempli néanmoins et en se jouant. » Et c'est le paradoxe non seulement de la poésie dramatique, mais de
toute poésie, de *Phèdre*, comme de *la Maison du Berger*.
D'ailleurs Corneille lui-même, n'est pas asservi au mouvement vertical. Prenons ces trois vers admirables de
la Toison d'or :

> Sous les climats brûlants, sous les zones glacées,
> Les routes me plairont que vous aurez tracées,
> J'y baiserai partout la trace de vos pas.

Or ces vers n'inclinent ni à la marche, ni à la conquête, mais à la contemplation, malgré les idées de
voyage qu'ils évoquent. « Evoquer ces idées de voyage,

ce n'est pas en effet du tout voyager ». Les éléments
du discours sont vraiment réduits à une inertie presque
totale. Seules comptent, évidemment, et nous enchantent
et nous séduisent, les images sonores dont « la longue et
lente caresse se fait de plus en plus lente, à mesure que
triomphe davantage la catharsis nouée à ce chant. »
D'où la conséquence inéluctable : le discours, pour obéir
au chant, doit quelquefois parler pour ne rien dire.
Car de tout ce qu'il traîne, seuls, comptent les éléments
dont le chant peut se saisir. Aussi une des particularités
de Racine sera d'éviter la marche verticale, anguleuse
du discours par des appositions infinies et de ramener
donc « la marche inévitable à la ligne insensible et
ondoyante du chant ». La poétique de Racine ou plutôt
sa poésie, se livre pour cela, à un véritable travail conscient et voulu, de désarticulation non seulement de la
période, mais de la phrase grammaticale :

> Et moi, reine sans cœur, fille sans amitié,
> Esclave d'une lâche et frivole pitié,
> Je n'aurais...

On le voit par cet exemple, le verbe, âme et ciment du
discours, s'insère le plus tard possible. Apposition de
membres de phrases, de substantifs, oui, Racine recherche
cela, mais il trouve son bonheur poétique dans le maniement des adjectifs, surtout des participes :

> Et Phèdre au labyrinthe avec vous *descendue*...
> Ariane, ma sœur, de quel amour *blessée*
> D'une si douce erreur si longtemps *possédée*...
> Elle qui, sans orgueil jusqu'alors *élevée*

> etc.

Ce sont là les écharpes, les voiles du chant. Evidemment
pour échapper aux lois du discours, il y a un moyen
radical : le silence. Au fond il va de ces appositions
raciniennes comme de n'importe quelles particularités syn-

taxiques ou linguistiques, comme des tours, des figures,
des sonorités, des cadences. Rien de tout cela n'est
défendu à la prose, n'est congénitalement poétique. « Mais
enfin, conclut Bremond, si Racine prodigue ainsi les appositions — ou de quelque nom savant que l'on désigne ces
phrases flottantes, planantes et qui ne semblent pas
s'avancer —, il faut bien que son propre chant intérieur
les appelle et qu'il y ait en elles un je ne sais quoi qui
s'adapte sans effort à la ligne de ce chant. » Et Bremond
de revenir à l'idée de Dugnet, dans l'*Ouvrage des six
jours*, que nous rappelions avec lui tout à l'heure : « On
entrevoit, du reste, entre ces ondulations qui, bon gré mal
gré, restent sous la tyrannie du discours et les ondes
supradiscursives qui portent les divers cantiques de l'âme
profonde, une sorte d'harmonie préétablie » et il leur
appliquerait volontiers le commentaire de Me Robert de
Traz, touchant la musique de *la Maison du Berger* : « Syllabes mystérieuses et sereines, *longs* alexandrins musi-
caux d'une douceur veloutée... (qui) se prolongent au delà
de la limite des mots. » Et c'est bien l'impression que
nous éprouvons à relire avec lui les vers enchantés du
4e acte et de la 4e scène de *Bajazet* :

> Depuis six mois entiers, j'ai cru que, *nuit et jour*
> Ardente, elle veillait au soin de mon amour.
> Et c'est moi qui, du sien *ministre trop fidèle*
> Semble depuis six mois ne veiller que sur elle...

ou encore ceux de la 5e scène du 2e acte de *Phèdre* :

> Je l'aime, non point tel que l'ont vu les enfers,
> Volage adorateur de mille objets divers,
> Qui va du dieu des morts déshonorer la couche :
> Mais fidèle, mais fier et même un peu farouche,
> Charmant, jeune, traînant tous les cœurs après soi...
> Lorsque de notre Crète il traversa les flots,
> *Digne sujet des vœux des filles de Minos.* »

En définitive, voulez-vous savoir le secret de la poésie pure, le sentir et le deviner intensément : « C'est, dit Bremond, le rythme ondulatoire qui est le nœud de ce faisceau de sortilèges. » Rythme ondulatoire, la formule est heureuse, j'ajouterai également celle de l'éblouissement, de la vibration intérieure, qui s'attarde en nous soulevant tout entier. Tel est le lien qui rattache Valéry à Racine, le Valéry de la *Frileuse*, d'*Hélène*, d'*Orphée*, autant que celui de la *Jeune Parque* ou des *Pas*. C'est dans ce dernier poème, peut-être, que nous ressentons dans toute sa durée, l'incantation de la poésie pure, la vibration du chant racinien fixé dans l'attente :

> Ne hâte pas cet acte tendre,
> Douceur d'être et de n'être pas,
> Car j'ai vécu de vous attendre,
> Et mon cœur n'était que vos pas.

Le discours est rejoint par le chant, et le chant rejoint le discours dans un cas comme dans l'autre. Aussi, comme l'écrit Valéry dans l'*Amateur de Poèmes*, le poème est une durée pendant laquelle le poète respire une loi qui fut préparée : il donne son souffle et les machines de sa voix, ou seulement leur pouvoir, qui se concilie avec le silence. Ainsi le créateur des vers, comme l'amateur de poèmes, peuvent dire : « Je m'abandonne à l'adorable allure : lire, vivre où mènent les mots. Leur apparition est écrite. Leurs sonorités concertées. Leur ébranlement se compose d'après une méditation antérieure, et ils se précipitent en groupes magnifiques ou purs, dans la résonance. Même mes étonnements sont assurés : ils sont cachés d'avance, et font partie du nombre. » Et voici cette harmonie mystérieuse, ce rythme ondulatoire du discours au chant, du chant au discours, qui nous permet de saisir la poésie pure de Racine sinon dans sa précision du moins dans son intensité vivante et finie : « Mû par l'écriture fatale, et si le mètre toujours futur enchaîne sans retour ma mémoire, je ressens chaque parole dans toute sa force, pour l'avoir indéfiniment attendue... Je trouve sans effort le langage de ce bonheur ; et je pense par artifice, une pensée toute certaine, merveilleusement prévoyante, — aux lacunes calculées, sans ténèbres involontaires, dont le mouvement me commande et la quantité me comble : une pensée singulièrement achevée. » (1)

---

(1) Cf. les pages de l'abbé Bremond sur
la simplicité de Racine, p. 104-105 ;
Sainte-Beuve pressent la poésie de Racine, p. 112-113 ;
Racine et Corneille, p. 132-133.

BIBLIOGRAPHIE

BIBLIOGRAPHIE de RACINE

Notice bibliographique, T. VII de l'édition P. Mesnard

I. - EDITIONS COLLECTIVES

1) **Œuvres complètes**, BARBIN (Cl.), ou RIBOU (J.), 1676, 2 vol. in-12 (9 tragédies).

2) **Œuvres complètes**, BARBIN (Cl.), ou THIERRY (D.), ou TRABOUILLET (P.), 1687, 2 vol. in-12.

3) **Œuvres complètes**, BARBIN (Cl.), ou THIERRY (D.), ou TRABOUILLET (P.), 1697, 2 vol. in-12. (Dernière édition revue par Racine, contenant le théâtre complet, le discours pour la réception de Th. Corneille à l'Académie, l'Idylle sur la Paix, et quatre Cantiques spirituels).

4) **Œuvres complètes**, Cie des Libraires, 1702, 2 vol. in-12.

5) **Œuvres complètes**, Amsterdam, 1743, 3 vol. in-12 (avec des Remarques de Grammaire de l'abbé d'OLIVET et des Remarques de L. Racine).

6) **Œuvres complètes**, 1768, 7 vol. in-8 (avec commentaires de Luneau de Boisgermain, attribués également par certains à Blin de Sainmore).

7) **Œuvres complètes**, 1807, 7 vol. in-8 (avec le commentaire de M. de La Harpe, et augmentées de plusieurs morceaux inédits ou peu connus ; notes anonymes de Germain GARNIER).

8) **Œuvres complètes**, Edition présentée par P. Mesnard, 1865-1870, 8 vol. in-8 et 2 albums (**Grands Ecrivains de la France**), Paris, Hachette.

9) **Théâtre de Racine**, éd. G. Lanson, 1896, 1 vol. in-16, Paris, Hachette.

10) Racine. **Œuvres choisies**. - Collection d'auteurs français publiée sous la direction de Ch. M. DESGRANGES, avec introduction, bibliographie, notes, appendice grammatical et lexique de J. FOURCASSIÉ. Paris, Hatier.

11) **Œuvres**, publiées d'après les textes originaux avec des notices par Lucien DUBECH. — Paris, La Cité des Livres, 1924-1925, 6 vol. in-16. En 1931, édition en 5 vol. in-16.

12) **Théâtre.** - Notice et annotations par Henri CLOUARD. - Paris, Larousse, 3 vol. in-8, 1923.

13) **Théâtre**. Texte établi et présenté par Gonzague TRUC. - Paris, F. Roches, 1929-1930, 4 vol. in-8 (**Th. Français**).

14) **Théâtre**. Texte établi et annoté par Edmond PILON et René GROOS, Paris, La Pléiade, 1931, in-16, 833 p.

15) **Théâtre**. Introduction, notices, notes et commentaires... par Daniel MORNET. - Paris, Mellottre, in-16, 958 - XXVI, p. 1934. (**Les grands auteurs français**). Pièces publiées aussi séparément.

16) KNIGHT : **Racine et la Grèce**, Boivin 1950, in-8.

17) **Phèdre**. Ed. Jean-Louis BARRAULT.

17) **Théâtre de Racine**, annoté par P.A. TOUCHARD. Club des Libraires de France. 2 volumes. 1958.

18) **Jean Racine, œuvres complètes**. Préface de P. CLARAC (L'Intégrale). Ed. du Seuil, 1962.

II. - ÉDITIONS DE *PHÈDRE*

1) **Phèdre et Hippolyte**, tragédie par M. Racine. Paris. Ed. de Barbin, 1677. In-12. 5 ff. non chif., 78 p., pl. de C. Le Brun, gravé par Le Clerc.

2) **Phèdre et Hippolyte**, 1677. Ibid. in-12, 5 ff. non ch., 74 p., pl. de C. Le Brun, gravé par S. Le Clerc. Exemplaire de la Nationale, ajouté au T. II des Œuvres de Racine. Edition de Barbin, 1676.

3) **Phèdre et Hippolyte**, 1677. Ibid. in-12, 5 ff. non ch., 74 p., pl. de C. Le Brun, gravé par S. Le Clerc. Exemplaire de la Nationale, différant du précédent par la moitié inférieure du titre laissé en blanc, ajouté au t. II des Œuvres de Racine, éd. de Ribou, 1676.

4) **Jean Racine. Phèdre**, tragédie en 5 actes, édition nouvelle à l'usage des classes, par M. M. BERNARDIN. Paris, C. Delagrave. 1881; in-18, 167 p.

5) **J. Racine. Phèdre**, tragédie, nouvelle édition avec des notes philologiques et littéraires, par **Gidel**, Paris. Garnier frères, 1884 ; in-18, XXXII-100 p.

6) **J. Racine. Phèdre**, nouvelle édition, revue sur celle de 1697, avec notes... et précédée d'une introduction, par P. JACQUINET. Paris, Belin frères (1900). In-12, LIII. 102 p.

7) **Racine. Phèdre**, tragédie en 5 actes. Notices et notes par F. FOURCASSIÉ. Paris, Hatier 1921 ; in-16, 64 p.

8) **Racine. Phèdre**, tragédie, publiée conformément au texte de l'édition des **Grands Ecrivains de la France**, avec une notice par René VAUBOURDOLLE... - Paris, Hachette, 1922 ; in-16, 56 p. (**Théâtre classique**).

9) **Racine. Phèdre...** Extraits du cours de littérature de l'abbé J.-B. DORNECQ-TOURS, A. Cottier, 1926. In-8, paginé 141-250) (**Les Classiques français expliqués**).

10) **Racine. Phèdre**, tragédie, avec une notice par Henri CHABOT. Paris, Larousse, 1933. In-16, 87 p. (**Classiques Larousse**, publiés sous la direction de Félix Guiraud).

11) ŒUVRES COMPLETES. Ed. Raymond Picard. Paris, la Pléiade, 2 vol. (1er tirage en 1951-1952).

12) TEATRO. Introduction d'Italo Siciliano. Traduction en vers de Mario Roffi. Parme, Ugo Guanda, 1967, 1 vol. in-8° (Collection Fenice dei Classici).

ERRATA DE LA BIBLIOGRAPHIE :

Placer le n° 16 de la section I à la fin de la section III et le n° 17 de la section I à la fin de la section II.

III. - ÉTUDES GÉNÉRALES SUR RACINE

1) RACINE (Louis). **Mémoires sur la vie de Jean Racine**, Lausanne et Genève, 1747, 2 vol. in-12.

2) SAINTE-BEUVE. **Port-Royal**. T. VI, livre 6, ch. X et XI et appendice.
Premiers Lundis, t. I.
Portraits littéraires, t. I.
Nouveaux Lundis, t. III et X.

3) MESNARD (P.). **Notice sur Racine**, t. I des Œuvres Complètes.

4) GAZIER (A.). **Racine et Port-Royal**. Revue d'Histoire littéraire de la France 1900, et Mélanges de littérature et d'histoire, 1904.

5) DELTOUR. **Les Ennemis de Racine au XVIIᵉ siècle**, 1859, in-8.

6) TAINE. **Nouveaux Essais de critique et d'histoire,** 1865.

7) BRUNETIÈRE. **Histoire et littérature**, 1884, 3. v. t. II, la Tragédie de Racine.
Etudes critiques, t. I, Les Ennemis de Racine.
Epoques du Théâtre français, 5ᵉ et 7ᵉ conférences.

8) BENOIST (Antoine). **Le système dramatique de Racine**. Ann. Faculté des Lettres de Bordeaux. 1890.

9) LEMAITRE (J.). **Impressions de théâtre**, t. I. II, IV, VIII.
Jean Racine ; 1908, in-18.

10) ROBERT (P.). **La Poétique de Racine**, 1890.

11) MONCEAUX (P.). **Racine**, 1892, in-8.

12) LARROUMET. **Jean Racine**, 1898.

13) LE BIDOIS. **La Vie dans les tragédies de Racine.** 1901.

14) SARCEY (F.). **Quarante ans de théâtre**, t. III. La Tragédie.

15) FAGUET (E.). **Propos de théâtre.** - 17e siècle.

16) TRUC (Gonzague). **Le cas Racine.** Paris 1921. Garnier frères, in-16, VI - 199 p.

17) LYONNET (H.). **Les Premières de Jean Racine.** - Paris, 1924, in-16. XXIV - 232 p.

18) FUBINI (M.). **Jean Racine e la critica delle sur tragedie.** Turin, Sten, 1925, in-16, 290 p.

19) STENDHAL. **Racine et Shakespeare**, texte établi et annoté avec préface et avant-propos par Pierre Martino - Paris, E. Champion, 1925, 2 vol. in-8 (Œuvres complètes de Stendhal).

20) TRUC (G.). **Jean Racine ; l'œuvre, l'artiste, l'homme et le temps.** Paris, 1926, Garnier frères, in-8, 314 p.

21) GIRAUD (V.). **La poésie de Racine**, Revue des Deux Mondes, 15 juillet 1927, p. 454-465.

22) SAINT-RENÉ TAILLANDIER (Mme). **Racine.** — Paris, Plon, 1927, in-8, 127 p.

23) MAURIAC (F.). **La vie de Jean Racine.** - Paris, Plon Nourrit, in-16, 1928, 255 p. Le Roman des Grandes existences. Réédition en 1934. Paris, Grasset, in-8, 243 p.

24) BRÉMOND (H.). **Notes sur l'initiation poétique. Racine et Valéry.** Paris, 1930. B. Grasset, in-16, XXVII, 257 p.

25) GIRAUDOUX (J.). **Racine**. - Paris, B. Grasset, 1930, in-16, 80 p.

26) BRUNSCHWICG (L.). **L'ironie dans les tragédies de Racine.**
Revue des Cours et Conférences 1931-32. I, p. 1-16 et 143-157.

27) MAULNIER (Th.). **Racine.** Paris, A. Redier, in-16, 288 p., 1935. Autre édition en 1936, Paris, Gallimard, in-16, 271 p.

28) SEGOND (J.). **Psychologie de Jean Racine.** Paris, Les Belles-Lettres, 1940. 1 vol. in-8.

29) KNIGHT. **Racine et la Grèce.** Boivin. 1950, in-8.

30) MOREAU (Pierre). **Racine, l'homme et l'Œuvre.** Paris, Boivin, 1943, in-16.

31) POMMIER (Jean). **Aspects de Racine,** suivi de l'histoire littéraire d'un couple tragique. Paris. Nizet, 1954, 1 vol. in-8, 465 p.

32) VINAVER (Eugène). **Racine.** Manchester University Press. 1954.

33) GROSCLAUDE (Pierre). **Le renoncement de Jean Racine.** Magnard. 1955.

34) GOLDMANN (Lucien). **Racine.** L'Arche. 1955.

35) BOWRA (Sir Maurice). **The simplicity of Racine.** Oxford, Clarendon Press. 1956.

36) LAPP (John C.). **Aspects of Racinian Tragedy.** - Toronto. University Press. 1956.

37) PICARD (Raymond). **La carrière de Jean Racine.** Gallimard 1956, rééd. 1961.

38) PICARD (Raymond). **Corpus Racinianum.** - Les Belles Lettres, 1956-1961.

39) MAURON (Charles). **L'inconscient dans la vie et l'œuvre de Racine.** - (Annales de la Faculté des Lettres d'Aix-en-Provence), 1957.

40) DESCOTES (Maurice). **Les grands rôles du théâ-tre de Jean Racine**. P.U.F., 1957.

41) JASINSKI (René). **Vers le vrai Racine.** A. Colin. 1958 (2 volumes).
(Compte rendu et discussion par Jean Pommier, Revue d'Histoire Littéraire de la France, octobre 1960 et juillet 1961).

42) **Jeunesse de Racine.** Ouvrage collectif 1ᵉʳ fascicule, 1958, 2ᵉ fascicule, 1960.

43) VINAVER (Eugène). **L'action poétique dans le théâtre de Racine**. Oxford, 1960.

44) VINAVER (Eugène). **Racine et le temps poétique.** Studies in Modern French Literature. Manchester. 1961.

45) **Le Théâtre Tragique.** Ouvrage collectif avec des articles sur Racine de Lucien GOLDMANN, Jacques SCHÉRER, William STEWART. Editions du C.N.R.S. Paris, 1962.

46) **Connaissance de Racine**. - Cahiers de la Compagnie Madeleine Renaud - Jean-Louis Barrault, novembre 1962.

47) **Actes du 1ᵉʳ Congrès Racinien**, (articles de MM. POMMIER, KNIGHT, LUIGI, STEGMAN, etc...), Uzès, 1962.

48) BARTHES (Roland). **Sur Racine**. Edition du Seuil. 1963.

49) BAUDOUIN (Ch.). **Jean Racine, l'enfant du désert**. Plon, 1963.
On pourra également consulter les **Cahiers Raciniens** (depuis 1957) et **le Bulletin de l'Académie Racinienne.**

IV. - ÉTUDES PARTICULIÈRES SUR PHÈDRE

1) GRANET (Abbé). **Recueil de dissertations sur plusieurs tragédies de Corneille et de Racine.** 1740, 2 vol. in-12.

2) VISÉ (De). **Le Mercure Galant.**

3) SUBLIGNY. **Dissertations sur les tragédies de Phèdre et Hippolyte,** 1677, in-12.

4) RACINE (Louis). **Remarques sur les tragédies de J. Racine,** 1752.

5) RACINE (Louis). **Comparaison de l'Hippolyte d'Euripide avec la tragédie de Racine sur le même sujet, lue à l'Académie des Inscriptions, 1728.**

6) DREYFUS-BRISAC. **Phèdre et Hippolyte, ou Racine moraliste.** 1903.

7) SCHLEGEL (A.-W.). **Comparaison de la Phèdre de Racine avec celle d'Euripide.** 1807.

8) MONGRÉDIEN (G.). **Une vieille querelle : Racine et Pradon.** Revue Bleue, 1921, p. 53-58 et 77-82.

9) BOSSOM (Th.-W.). **A rival of Racine :** Pradon. **His life and dramatic works.** 1922, Paris, Champion, in-8, 194 p.

10) DUBECH (L.). **Phèdre à la Comédie-Française.** Action française du 27 août 1922.

11) MARRA (G.). **Sulla Fedra del Racine e del d'Annunzio.** Rassegna di studi francesi. Janvier-février et mars-avril 1925.

12) TAILHADE (L.). **Phèdre,** Monde nouveau, 15 mars 1925.

13) D.P.P. **A propos de l'édition originale de Phèdre et Hippolyte**. Bulletin du bibliophile et du biblio- thécaire, 1926, p. 199-201.

14) BIDOU (H.). **L'acquittement de Phèdre**. J. des Débats, 9 juin 1927.

15) JACOUBET (H.). **L'inceste dans Phèdre.** Revue d'histoire littéraire de la France, 1931, p. 95-98.

16) GIFFORD (G.-H.). **L'inceste dans Phèdre**, Revue d'histoire littéraire de la France, 1932, p. 560- 562. Réponse à l'article de Jacoubet, cité plus haut.

17) TANQUEREY. **Le Jansénisme de Phèdre**, Revue des Cours et Conférences, 1932.

18) COUSIN (J.). **Phèdre est incestueuse**, 1932, Revue d'Histoire littéraire de la France, p. 397-399.

19) COUSIN (J.). **Phèdre n'est point janséniste**, Re- vue d'Histoire littéraire de la France, p. 391-396.

20) MOREAU (P.). **A propos de l'inceste de Phèdre**, Revue d'Histoire littéraire de la France, 1934, p. 404.

21) STOLL (E.-E.). **Phèdre**, Revue anglo-américaine, t. 12, décembre 1934, p. 101-116.

22) THIERRY MAULNIER. **Lecture de Phèdre**. Galli- mard, 1942, 1 vol. in-12.

23) ARMAND HOOG. **Littérature en Silésie**. Paris, Bernard Grasset, 1944, in-12. - (Etude intitulée : Notre mère Phèdre).

24) MÉRIDIER (L.). **Etude et analyse de l'Hippolyte d'Euripide,** Paris, Mellotée. Pour l'**Hippolyte por- te-couronne**, voir texte de l'édition des Universi- tés de France, comme la **Phaedra** de Sénèque.

25) PONS (Roger). **Phèdre ou le vertige de l'âme.** L'Anneau d'Or, janvier-février 1954.

26) VIER (Jacques). **Le Récit de Théramène**, essai de Commentaire. Revue Universitaire, juin 1954.

27) PEYRE (M.). **The tragedy of passion** : Racine's Phèdre in **Tragic themes in western literature,** New Haven (Conn.), 1955.

28) Phèdre, **mise en scène de Jean Vilar** (avec des articles de Roland Barthes, etc...). **Théâtre National Populaire,** mars 1958.

29) CAIRNCROSS (J.). **Phaedra,** by Racine, Genève. Droz, 1958.

30) VITTORIO LUGLI. **Interpretazioni de Phèdre.** Bologna, Cappelli, 1958.

31) BLANCHET (André). **Phèdre entre le soleil et la nuit.** Etudes, octobre 1958.

32) JOUVE (Pierre-Jean). **La leçon de Phèdre.** Mercure de France, février 1960.

33) POMMIER (Jean). **A propos de Phèdre.** Mercure de France, mai 1960.

34) NARDIS (Luigi de). **Note intorno alla struttura di Phèdre.** Annali del Corso di lingue et letterature straniere. BARI, 1959.

35) CASTIGLIONE (Luigi). **La Fedra di Racine e l'ossessione della fuga.** - La Fiera Letteraria, 14 Maggio 1960.

36) PONS (Roger). **Explication française : l'angoisse de la damnation.** (Phèdre, v. 1264-1294). Information littéraire, septembre-octobre 1960.

37) GUTERMANN (Norbert). **Faut-il retraduire Phèdre ?** La Nouvelle Revue Française, septembre 1962.

38) KELLER (Abraham C.). **Death and passion in Racine's Phèdre.** Symposium, 1962.

39) COUTON (G.). **Le mariage d'Hippolyte et d'Aricie ou Racine entre Pausanias et le Droit Canon.** Revue des Sciences humaines, juillet-septembre 1962.

40) FLEMING (Richard T.). **Racine's Phèdre and Schiller's Phaedra.** Dissertation abstracts, vol. XXIII, n° 10, April 1962.

V. - **LANGUE, STYLE et VERSIFICATION**

1) D'OLIVET. **Remarques de Grammaire sur Racine,** 1738, in-12.

2) S. de S. (Soubeiran de Scopon). **Observations critiques** (sur les Remarques), 1738, in-8.

3) DESFONTAINES (Abbé). **Racine vengé,** Avignon, 1739, in-12.

4) M. YEMROF (Formey). **Remarques de grammaire sur Racine,** 1756, in-12.

5) **Commentaires** de LUNEAU de BOISGERMAIN, dans l'édition de 1768.

6) XIMÉNÈS. **Examen impartial des meilleures tragédies de Racine,** 1768, in-8.

7) FONTANIER. **Etudes de la langue française sur Racine,** ou commentaire général et comparatif sur la doctrine et le style de ce grand classique d'après l'abbé d'Olivet, l'abbé Desfontaines, L. Racine, Voltaire, l'Académie, Luneau de Boisgermain, La Harpe et Geffroy, 1818, in-8.

8) FRANÇOIS (A.). **La grammaire du Purisme et l'Académie française au XVIII° siècle,** 1905, in-8.

9) KUHN (O.). **Ueber den Sprachgebrauch Racine's in seinen dramatischen Dichtungen,** Leipzig, 1887.

10) SCHÜRMEYER (Fr.). **Vergleich und Metapher in den Dramen Racine's,** Marburg, 1886.

11) CRÉTIN (R.). **Lexique comparé des métaphores dans le théâtre de Corneille et de Racine,** 1927. Caen, Olivier, in-8, XXXIX - 128 p. (Thèse).

12) SCHMIDT (J.). **Die rhytmische Gestalt des Alexandriners bei Corneille und bei Racine.** Letischrift für französische Sprache und Literatur. 1930. 53, p. 39-76. Thèse Neuchâtel.

13) SOURIAU (Maurice). **L'évolution du vers français au XVII⁰ siècle.** Paris, Hachette, 1893, 1 vol. in-8.

14) FRANCE (Peter). **Les métaphores de Phèdre.** Jeunesse de Racine, 1961.

VI. - BIBLIOGRAPHIE COMPLEMENTAIRE

1) TOBIN (Ronald W.). **Un précurseur méconnu de Phèdre : Béral victorieux de Borée,** Revue d'Histoire littéraire de la France, janvier-mars 1965.

2) BLUM (Marcelle). **Le thème symbolique dans le théâtre de Racine.** II. Le divin préparé par les thèmes de la famille, de la Raison d'Etat, de la Diplomatie. Paris, A.G. Nizet, 1965, in-8°.

3) MAES (Mia). **Le récit de Théramène vu par "la méthode" de Léo Spitzer**, in Romanica Gandensia, X. Etudes de philologie romane, 1965, Gand.

4) SALOMON (H.P.). **"Phèdre et l'inceste"**, Etudes françaises, juin 1965.

5) BARKO (Ivan), **Le récit de Thésée.** Australian Journal of French Studies, May-August 1965.

6) WHITE (Julian E.). **Racine's Phèdre. A "sophoclean" and senecan tragedy.** Revue de Littérature comparée, octobre-décembre 1965.

7) GUIBERT (Albert-Jean). **Bibliographie des œuvres de Jean Racine publiées au XVII**e **siècle.** C.N.R.S., 1 vol. in-8°.

8) BENICHOU (Paul). Hippolyte requis d'amour et calomnié in **L'écrivain et ses travaux.** Paris, J. Corti, 1968.

9) MOURGUES (Odette de). **Autonomie de Racine.** Paris, J. Corti, 1967.

10) MOREAU (Pierre). C.R. de Charles Dédéyan, **Racine et sa Phèdre.** Revue d'Histoire littéraire de la France, octobre-décembre 1968.

11) PICARD (Raymond). **Les comédies de Racine : comiques ou tragique.** Revue d'Histoire littéraire de la France, mai-août 1969.

12) MAURON (Charles). **Phèdre.** Paris, José Corti, in-8°.

13) HAIG (Stirling). **Affinity and antithesis in the vocabulary of "Phèdre"**, in Renaissance and other studies. Chapel Hill, 1969.

14) ELLIOL (R.). **Mythe et légende dans le théâtre de Racine.** Paris, Minard, Lettres modernes, 1969.

15) GUTWIRTH (Marcel). **Jean Racine.** Montréal, Presses de l'Université de Montréal, 1970, in-8°.

16) DELCROIX (Maurice). **Le sacré dans les tragédies profanes de Racine.** Paris, A.G. Nizet, 1970, in-8°.

   Le sacré dans la tragédie profane de Racine. Résumé thèse de doctorat Université de Liège. I.L. septembre-octobre 1970.

17) GIRDLESTONE (C.M.). **"Phèdre" without the Queen of Athens**, in Modern Miscellany. Manchester, 1970.

18) WEBSTER (I.B.L.). **The classical background to Racine's "Phedre"**, in Modern Miscellany. Manchseter.

19) JEAN (Raymond). **Structures de "Phèdre".** La Quinzaine littéraire n° 66, 1970.

20) KNAUTH (Alfons). **Racine's Récit de Théramène und Corneilles Récit de Rodrigue.** Archiv fur das Studium der neueren Sprachen und literaturen. Felman.

21) ELLIOT (Mevel). **Mythe et légende dans le théâtre de Racine.** Coll. Situation, n° 19. Lettres modernes, Minard.

22) ROUBINE (Jean-Jacques). **Lectures de Racine.** Paris, A. Colin, Coll. U2, 1971 (avec une importante bibliographie).

23) EDWARD (Michael). **Racinian tragedy,** dans The Critical Quarter, Winter.

24) ZIMMERMANN (Eleonore M.). **Théramène, fuyons.** French Studies, octobre 1972.

25) HAN (Pierre). **Vénus and Neptune : baroque music in Phèdre,** Romance Notes. Winter 1971.

26) CAILLOIS (Roger). **Phèdre et la mythologie.** Nouvelle Revue Française. Juin 1972.

27) HAN (Pierre). **Innocence and natural depravity in " Paradise lost ", " Phèdre " and " Billy Budd ".** Revue Belge de philosophie et d'histoire. 1971. N° 3 (1972).

28) VINAVER (Eugène). **Sur un vers de Racine** ('' Phèdre ''. Acte IV. Scène 6. V. 1270) dans : **History and Structure of French.** Oxford. 1972.

29) ORLANDO (Francesco). **Lettura freudiana della " Phèdre ".** Torino. Einaudi. 1972. in-8°.

30) HARME (Michael). **" Encounter " and " conference " in the tragedie of Racine from " Andromaque " to " Phèdre ".** AUMLA N° 35. May 1972.

31) DESCOTES (Maurice). **Le dosage du tragique dans les dénouements de Racine.** Revue d'Histoire du Théâtre. Juillet-septembre 1974.

32) MÉRON (Evelyne). **De l'" Hippolyte " d'Euripide à la " Phèdre " de Racine : deux conceptions du tragique.** XVIIe siècle. N° 100. 1974.

33) PASTERNAK (Monique). **Racine : le problème de la responsabilité de Phèdre.** Revue de l'Université d'Ottawa. Janvier-Mars 1974.

34) SERGI (Antonio). **" Phèdre " corrigée sous la Révolution.** XVIIIe siècle. N° 6. 1974.

35) PINEAU (Joseph). **La poétique de Racine : l'emploi des mots " amour " et " aimer " dans " Phèdre ".** in Mélanges offerts à René Pintard. 1975.

36) GANS (Eric L.). **" Le Paradoxe de Phèdre " suivi de : Le paradoxe constitutif du roman.** A.G. Nizet. 1975.

37) NIDERST (Alain). **Les tragédies de Racine, Diversité et unité.** Paris, 1975. in-8°.

38) NANEIX (Louis Léonard). **Phèdre l'incomprise, essai de critique directe.** La Pensée Universelle. 1977. In-8°.

39) **Racine, Mythes et réalités.** (Actes du colloque Racine tenu à l'Université de Western Ontario. London, Canada en Mars 1974). Textes établis par Constant Venessen. Société d'Art du XVII° siècle et Université de Western Ontario.

40) MYER (R. L.). **The " Récit de Théramène " : a semantic view.** Revue de l'Université d'Ottawa. Avril-Juin 1977.

41) BATACHA-WATT (Emy). **Profil des héroïnes raciniennes.** (Femmes en littérature, n° 1). Klincksieck, 1977.

42) FRANCK (Jacques). **Les deux ruptures de Racine.** Revue générale, Février 1977.

TABLE DES MATIÈRES

WESTFIELD UNIV. LONDON COLLEGE

MARRAST (R.) — Aspects du théâtre de Rafaël Alberti.

MESNARD (J.) — Les Pensées de Pascal.

MICHEL (P.) — Continuité de la sagesse française (Rabelais, Montaigne, La Fontaine).

MICHEL (P.) — Blaise de Monluc (Travaux dirigés d'agrégation).

MOREAU (P.) — **Sylvie** et ses sœurs nervaliennes.

PAYEN (J.-Ch.) — Les origines de la Renaissance.

PICARD (R.) — La poésie française de 1640 à 1680. « Poésie religieuse, Epopée, Lyrisme officiel » (2ᵉ édition).

PICARD (R.) — La poésie française de 1640 à 1680. « Satire, Epitre, Poésie burlesque, Poésie galante ».

PICOT (G.) — La vie de Voltaire. Voltaire devant la postérité.

RAIMOND (M.) — **Le signe des Temps.** Le roman contemporain français.

RAYNAUD DE LAGE (G.) — Introduction à l'ancien français (9ᵉ édition).

ROBICHEZ (J.) — Le théâtre de Montherlant. **La reine morte, Le Maître de Santiago, Port-Royal.**

ROBICHEZ (J.) — Le théâtre de Giraudoux.

SAULNIER (V.-L.) — Les élégies de Clément Marot (2ᵉ édition).

THERRIEN (M.-B.) — **Les Liaisons Dangereuses.** Une interprétation psychologique des trois principaux caractères.

TISSIER (A.) — **Les Fausses Confidences** de Marivaux.

VERNIÈRE (P.) — Montesquieu et **l'Esprit des Lois** ou la Raison impure.

VIER (J.) — Le théâtre de Jean Anouilh.

WAGNER (R.-L.) — La grammaire française.
  Tome I : Les niveaux et les domaines. Les normes. Les états de langue.
  Tome II : La grammaire moderne. Voies d'approche. Attitudes des grammairiens.

WEBER (J.-P.) — Stendhal : les structures thématiques de l'œuvre et du destin.

ACHEVÉ D'IMPRIMER
LE 30 SEPTEMBRE 1978
PAR JOSEPH FLOCH
MAITRE-IMPRIMEUR
A MAYENNE

N° d'Éditeur : 792
Dépôt légal : 4ᵉ trimestre 1978

WITHDRAWN
FROM STOCK
QMUL LIBRARY